이 책을 검토해 주신 분들

학부모 검토단

강은경(서울) 강혜란(경기 용인) 권신자(경기 부천) 권지현(부산) 김경희(경기 여주) 김경희(서울) 김금순(서울)
김남희(경남 창원) 김미영(부산) 김미정(서울) 김민순(인천) 김봉림(전북 전주) 김선희(경기 안산) 김소연(대구)
김유정(경남 창원) 김은숙(서울) 김은연(경남 창원) 김은영(서울) 김은정(광주) 김은진(부산) 김정선(경기 구리)
김정선(경기 화성) 김정아(경기 광명) 김진희(경북 포항) 김현경(경기 성남) 김현미(경기 용인) 김현수(전북 익산) 김현정(서울)
김혜진(서울) 김희연(서울) 노정은(서울) 마소영(경기 화성) 박경미(경기 하남) 박선(서울) 박영미(충북 청주)
박정숙(경기 고양) 박현주(경기 용인) 박현진(전북 군산) 박혜진(경기 성남) 박효숙(대전) 복민경(서울) 손영미(경북 안동)
손진숙(경기 화성) 송춘화(경기 용인) 송혜란(대전) 신가혜(서울) 신경재(대구) 신현정(경기 오산) 심미선(경기 고양)
양경숙(서울) 양승아(대전) 오혜순(대전) 유진영(인천) 유회선(서울) 이경미(경기 남양주) 이경미(서울)
이경애(경기 화성) 이기정(경기 수원) 이미연(경기 의왕) 이상민(대구) 이상은(부산) 이영아(서울) 이윤정(대전)
이은미(서울) 이재형(경기 김포) 이점순(서울) 이현영(경기 양주) 이황희(서울) 임미희(서울) 임원주(서울)
정귀자(대전) 정미경(서울) 정미영(경북 경산) 정용주(서울) 정은숙(경남 창원) 정인영(경기 화성) 정재희(서울)
정지선(서울) 조미영(광주) 조미진(전북 전주) 조예완(전북 고창) 조이녀(경기 부천) 주하나(부산) 지유경(서울)
차정은(경기 부천) 최송란(경기 부천) 최연주(서울) 추진희(서울) 한석희(서울) 한진희(서울) 허지혜(전북 김제)
홍선영(서울) 황현숙(서울) 황혜경(서울)

교강사 검토단

강미(서울) 강선옥(서울) 강영기(대전) 강원용(부산) 강주희(대전) 고은정(서울) 구민경(대구)
김기홍(경기 평택) 김나래(서울) 김남연(경기 수원) 김대명(대전) 김두나(세종) 김명호(부산) 김민성(경기 김포)
김민주(서울) 김수영(부산) 김영미(충북 청주) 김영선(경기 군포) 김윤정(경기 성남) 김정욱(경기 용인) 김주현(서울)
김지연(경기 성남) 김현수(경남 김해) 김희동(서울) 노경임(부산) 마서영(서울) 문민호(서울) 문선희(경기 광주)
박대권(충북 청주) 박보희(경북 안동) 박상준(부산) 박승오(광주) 박윤선(광주) 박재한(대구) 박정민(서울)
박진영(충남 공주) 박해윤(경기 용인) 박혜린(대구) 백승재(경남 김해) 백형심(전남 순천) 봉정훈(경기 남양주) 성혜란(서울)
손윤정(강원 원주) 신영수(서울) 안정광(전남 순천) 양성정(전북 전주) 오승영(충북 청주) 오승현(서울) 오지희(제주)
윤미정(서울) 윤예미(경남 창원) 이금희(대구) 이기연(강원 원주) 이수진(경기 용인) 이신우(대구) 이애리(경남 거제)
이영지(경기 안양) 이유림(울산) 이주희(대구) 이태범(전남 영광) 임반석(경기 남양주) 임성애(서울) 임지은(서울)
장선영(서울) 전희재(경기 성남) 정경은(경기 용인) 정지현(경기 남양주) 정혜수(경기 화성) 제갈민(대구) 조영란(광주)
조은영(경기 김포) 조일양(광주) 진달래(전남 순천) 차승훈(울산) 천은경(충남 논산) 최수남(강원 강릉) 최연우(서울)
최영미(서울) 최홍민(경기 평택) 하선희(전남 순천) 한상철(충북 청주) 한연숙(서울) 허미선(서울) 홍성훈(부산)
홍승억(경기 안양) 황선욱(제주) 황양규(경남 진주) 황재준(인천)

Chunjae
Makes
Chunjae

편집개발	김덕유, 강인애, 권소영, 김보경, 노신희, 박유리, 송자영, 이동주, 이명진, 조은미
디자인총괄	김희정
표지디자인	윤순미, 장미
내지디자인	박희춘, 우혜림
제작	황성진, 조규영

발행일	2020년 12월 15일 초판 2020년 12월 15일 1쇄
발행인	(주)천재교육
주소	서울시 금천구 가산로9길 54
신고번호	제2001-000018호
고객센터	1577-0902
교재 내용문의	(02)3282-1745

※ 정답 분실 시에는 천재교육 교재 홈페이지에서 내려받으세요.

소설
(작품)

시작은
하루 국어

하루 국어의 차례 _ 소설(작품)

1주 갈등과 성장

2주 사랑

3주 시대

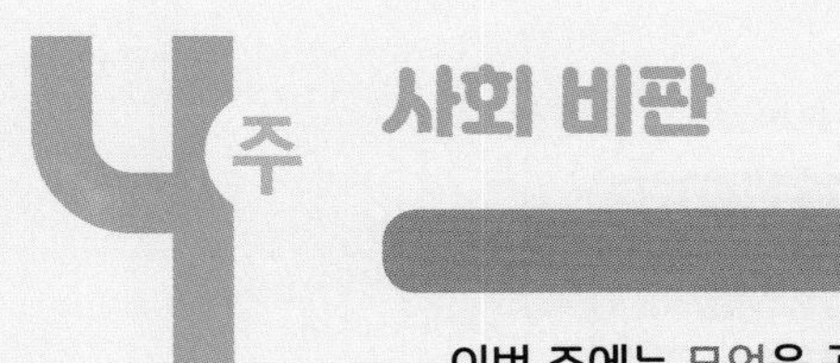

4주 사회 비판

하루 국어의 **구성과 활용**

시작하며

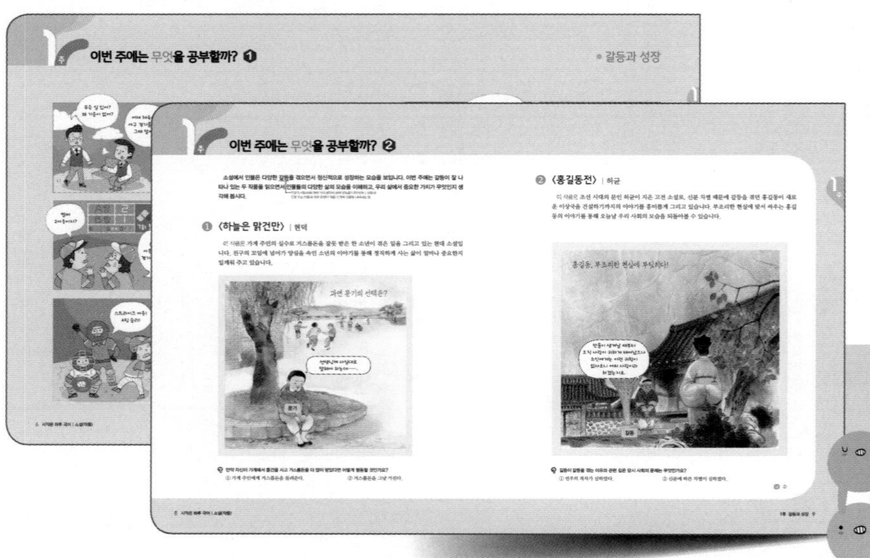

이번 주에는 무엇을 공부할까? ❶,❷

❶ 공부할 내용을 만화로 가볍게 살펴봅니다.

❷ 공부할 소설 작품의 소개 글과 핵심 장면을 살펴보면서 소설의 내용을 상상해 봅니다.

공부할 내용이 무엇인지 확인해 봐!

한 주를 마무리하며

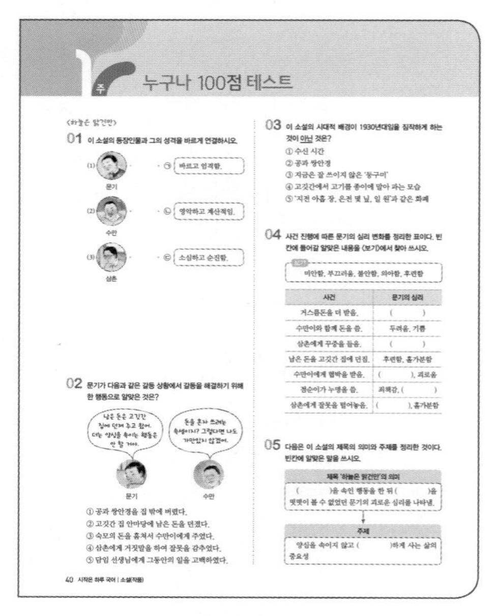

누구나 100점 테스트

간단한 확인 문제를 풀면서 공부한 내용을 점검해 봅니다.

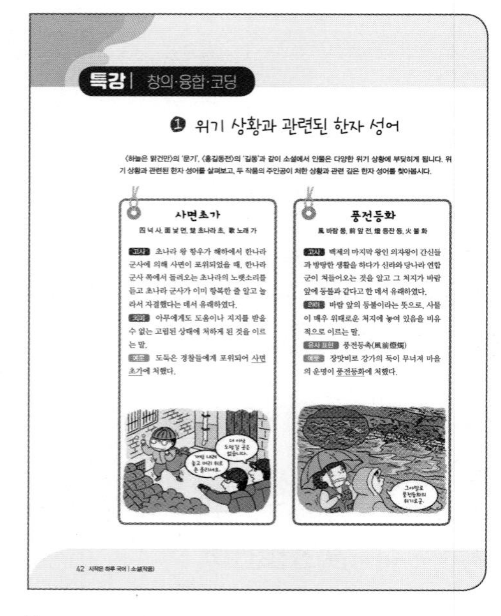

특강 창의·융합·코딩

공부한 내용을 다양한 상황에 적용해 보며 창의력과 문제 해결 능력을 길러 봅니다.

5일 동안

작품 내용이 그림으로 제시되니까 한눈에 쏙 들어와.

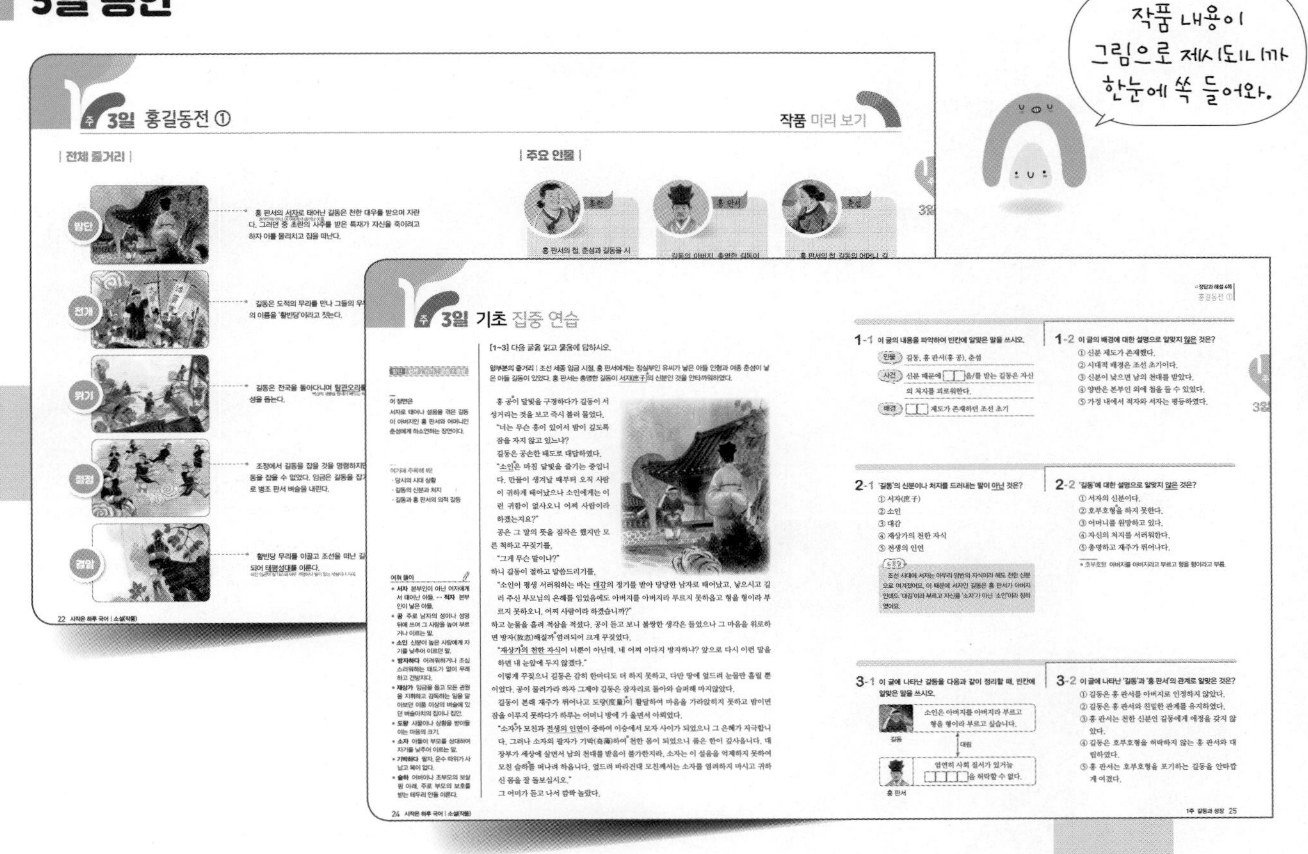

작품 미리 보기 / 들여다보기 / 모아 보기 + 기초 집중 연습

- 1~4일: 한 작품을 이틀씩, 1주일에 두 작품을 공부할 수 있습니다.
- 5일: 한 주 동안 공부한 내용을 종합적으로 정리 · 점검해 봅니다.
- 작품 보기: 줄거리, 주요 인물, 배경, 사건 등 작품의 알맹이를 파악합니다.
- 기초 집중 연습: 작품의 중요 부분을 발췌하여 수록하고, 내용 이해를 돕는 이미지를 제시하였습니다. 쌍으로 제시된 유사한 유형의 문제를 풀어 보면서 소설 감상 능력을 기릅니다.

1주

이번 주에는 무엇을 공부할까? ①

갈등과 성장

1주

민준이한테 사과하고 싶은데 내 사과를 안 받아 주면 어쩌지? 또 싸우게 될까 봐 걱정돼.

그런 네 마음을 민준이한테 솔직하게 말하면 되지. 용기 내 봐!

◐ 만화 속의 인물들처럼 소설 속 인물들도 다양한 갈등을 겪으면서 성장합니다.

배울 내용

주 이번 주에는 무엇을 공부할까? ❷

소설에서 인물은 다양한 갈등을 겪으면서 정신적으로 성장하는 모습을 보입니다. 이번 주에는 갈등이 잘 나타나 있는 두 작품을 읽으면서 인물들의 다양한 삶의 모습을 이해하고, 우리 삶에서 중요한 가치가 무엇인지 생각해 봅시다.

갈등: 인물의 마음속에 여러 가지 생각이 얽혀 있음을 나타내거나, 인물과 인물 또는 인물과 외부 환경이 대립 관계에 있음을 나타내는 말.

❶ 〈하늘은 맑건만〉 | 현덕

이 작품은 가게 주인의 실수로 거스름돈을 잘못 받은 한 소년이 겪은 일을 그리고 있는 현대 소설입니다. 친구의 꼬임에 넘어가 양심을 속인 소년의 이야기를 통해 정직하게 사는 삶이 얼마나 중요한지 일깨워 주고 있습니다.

만약 자신이 가게에서 물건을 사고 거스름돈을 더 많이 받았다면 어떻게 행동할 것인가요?

① 가게 주인에게 거스름돈을 돌려준다.　　② 거스름돈을 그냥 가진다.

② 〈홍길동전〉 | 허균

이 작품은 조선 시대의 문인 허균이 지은 고전 소설로, 신분 차별 때문에 갈등을 겪던 홍길동이 새로운 이상국을 건설하기까지의 이야기를 흥미롭게 그리고 있습니다. 부조리한 현실에 맞서 싸우는 홍길동의 이야기를 통해 오늘날 우리 사회의 모습을 되돌아볼 수 있습니다.

길동이 갈등을 겪는 이유와 관련 깊은 당시 사회의 문제는 무엇인가요?

① 빈부의 격차가 심하였다. ② 신분에 따른 차별이 심하였다.

답 ②

1주 1일 하늘은 맑건만 ①

| 전체 줄거리 |

발단

숨겨 둔 공과 쌍안경을 찾던 문기는 며칠 전 고깃간에 갔다가 거스름돈을 더 많이 받은 일을 떠올린다.

전개

문기는 잘못 받은 거스름돈으로 산 공과 쌍안경을 삼촌에게 들켜 꾸중을 듣자, 공과 쌍안경을 버리고 남은 돈을 고깃간 집 안마당에 던진다. 그러나 수만이는 이를 믿지 않고 돈을 내놓으라고 문기를 협박한다.

위기

문기는 숙모의 돈을 훔쳐 수만이에게 준다. 그날 밤 문기는 자기 대신에 누명을 쓰고 쫓겨난 점순이의 울음소리를 듣고 괴로워한다.

절정

문기는 모든 일을 고백하기 위해 담임 선생님을 찾아가지만 말하지 못하고, 집으로 돌아오는 길에 교통사고를 당한다.

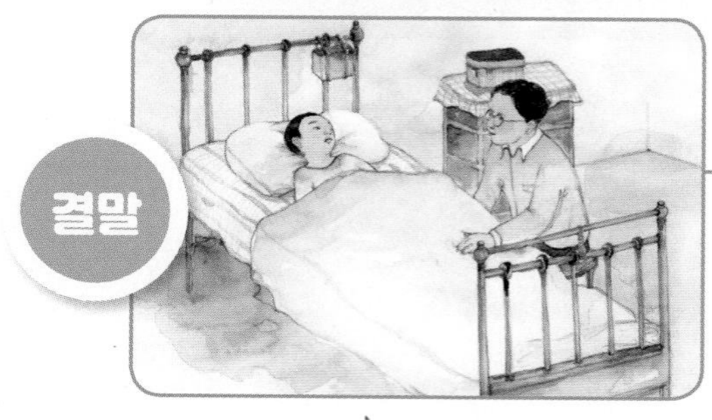

결말

문기는 병실에서 깨어난 후 삼촌에게 그동안의 일을 모두 털어놓고 비로소 몸과 마음이 가벼워지는 것을 느낀다.

작품 미리 보기

| 주요 인물 |

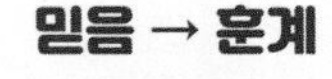

믿음 → 훈계

문기

소심하고 순진한 소년으로, 삼촌 댁에서 살고 있다. 고깃간에서 잘못 받은 거스름돈을 수만이와 함께 쓰고 난 후 죄책감을 느낀다.

삼촌

문기를 어릴 때부터 보살핀다. 문기를 사랑하며 문기의 말을 믿지만, 잘못한 일에 대해서는 엄하게 꾸중하기도 한다.

대립

수만

문기의 친구. 문기를 부추겨 잘못 받은 거스름돈을 쓰게 한다. 남은 돈을 돌려주었다는 문기의 말을 믿지 않고 돈을 내놓으라며 문기를 집요하게 괴롭힌다.

1 문기는 고깃간에 심부름을 갔다가 너무 많은 (ㄱㅅㄹㄷ)을 받았다.

2 문기는 (ㅅ ㅁ)이의 꼬임에 빠져 잘못을 저지르게 된다.

답 1 거스름돈 2 수만

이제부터 여러분은 〈하늘은 맑건만〉의 주요 장면을 읽게 됩니다. 전체 줄거리를 참고하면서 '문기'가 어떤 갈등을 겪는지, 그러한 갈등을 해결하기 위해 어떤 행동을 하는지를 살피며 읽어 봅시다.

1주 1일 기초 집중 연습

[1~3] 다음 글을 읽고 물음에 답하시오.

발단 | 전개 | 위기 | 절정 | 결말

앞부분의 줄거리 | 문기는 숨겨 둔 공과 쌍안경이 없어진 것을 발견하고 숙모나 삼촌께 자신의 잘못을 들켰을까 봐 불안해한다.

며칠 전 일이다. 문기는 저녁에 쓸 고기 한 근을 사 오라고 숙모에게 지전 한 장을 받았다. 언제나 그맘때면 사람이 붐비는 삼거리 고깃간이다. 한참을 기다려서 문기 차례가 왔다. 문기는 지전을 내밀었다. 뚱뚱보 고깃간 주인은 그 돈을 받아 둥구미에 넣고 천천히 고기를 베어 저울에 단 후 종이에 말아 내밀었다. 그리고 그 거스름돈으로 지전 아홉 장과 그 위에 은전 몇 닢을 얹어 내주는 것이 아닌가.

문기는 어리둥절하였다. 처음 그 돈을 숙모에게 받을 때와 고깃간 주인에게 내밀 때까지도 일 원짜리로만 알았던 것이다. 문기는 돈과 주인을 의심스레 쳐다보았다.

허나 그는 다음 사람의 고기를 베느라 분주하다.

문기는 주빗주빗하는 사이 사람에게 밀려 뒷줄로 나오고 말았다. 그러나 다시 생각하면 정말 숙모가 일 원짜리를 준 것인지 아닌지 모르겠다. 아니라면 도리어 큰일이 아닌가. 하여튼 먼저 숙모에게 알아볼 일이었다.

문기는 집을 향해 돌아가면서도 연해 고개를 기웃거리며 그 일을 생각하였다. 내가 잘못 본 것인가 고깃간 주인이 잘못 본 것인가 하고.

골목 모퉁이를 꺾어 돌아섰다. 서너 간 앞을 서서 동무 수만이가 간다. 문기는 쫓아가 그와 나란히 서며,

"너 집에 인제 가니?" / 하고 어깨에 손을 걸고,

"이거 이상한 일 아냐?" / "뭐가 말야?"

"고길 사러 갔는데 말야. 난 일 원짜리로 알구 냈는데 십 원으로 거슬러 주니 말야."

"정말야? 어디 봐." / 문기는 손바닥을 펴 돈과 또 고기를 보였다.

수만이는 잠시 눈을 끔벅끔벅 무슨 궁리를 하는 듯 문기 얼굴을 보고 섰더니,

"너 이렇게 해 봐라." / "어떻게 말야?"

"먼저 잔돈만 너희 작은어머니에게 주거든." / "그러고 어떡해?"

"그리고 아무 말 없거든 내게로 나와. 헐 일이 있으니." / "무슨 헐 일?"

"글쎄, 그러구만 나와. 다 좋은 일이 있으니."

이 장면은

문기가 숙모의 심부름으로 고깃간에 고기를 사러 갔다가 주인의 실수로 거스름돈을 더 받는 장면이다.

여기에 주목해 봐!
- 문기에게 일어난 일
- 앞으로 전개될 사건

어휘 풀이
- **지전** 지폐.
- **둥구미** 짚으로 둥글고 울이 깊게 결어 만든 그릇. 주로 곡식이나 채소를 담는 데에 쓰인다.

- **주빗주빗하다** 자꾸 머뭇거리거나 주저주저하다.
- **연하다** 행위나 현상이 끊이지 않고 계속 이어지다.
- **일 원, 십 원** 일제 강점기 때 화폐 단위.

▲ 일 원(1932년 발행)

▲ 십 원(1932년 발행)

* 출처: 한국은행 화폐박물관 (http://www.bok.or.kr/museum)

1-1 이 글의 서술자에 해당하는 것을 고르시오.

①

②

1-2 이 글의 서술자에 대한 설명으로 알맞은 것은?

① 이 글에 등장하는 '나'이다.
② 이 글의 주인공 '문기'이다.
③ 자신의 이야기를 직접 전달하고 있다.
④ 인물의 속마음까지 모두 서술하고 있다.
⑤ 인물의 행동만을 관찰하여 서술하고 있다.

도움말
'서술자'는 소설에서 독자에게 이야기를 전달하는 이를 말해요. 서술자는 이야기 안의 등장인물일 수도 있고, 그렇지 않을 수도 있어요. 또 인물의 심리까지 모두 꿰뚫어 보고 전달할 수도 있고, 관찰하거나 추측하여 전달할 수도 있어요.

2-1 이 글의 내용을 파악하여 빈칸에 알맞은 말을 쓰시오.

인물 □□, 수만
사건 고깃간에서 □□□□을 잘못 받은 일
배경 1930년대 어느 도시

2-2 이 글의 중심 사건으로 알맞은 것은?

① 고깃간에 사람들이 몹시 붐빈 일
② 문기가 고깃간에서 고기를 산 일
③ 숙모가 문기에게 심부름을 보낸 일
④ 문기가 고깃간 주인에게 돈을 잘못 준 일
⑤ 문기가 고깃간에서 거스름돈을 더 받은 일

3-1 다음을 사건이 일어난 순서대로 쓰시오.

ㄱ. 문기가 골목에서 수만이를 만남.
ㄴ. 문기가 숙모의 심부름으로 고깃간에 감.
ㄷ. 고깃간 주인이 문기에게 거스름돈을 더 줌.
ㄹ. 수만이가 문기의 거스름돈을 쓸 궁리를 함.

(　　　) → (　　　) → (　　　) → (　　　)

3-2 이 글의 내용과 일치하지 않는 것은?

① 숙모는 문기에게 고기를 사 오라고 시켰다.
② 고깃간 주인은 고기를 종이에 말아 문기에게 건넸다.
③ 문기는 거스름돈을 받고서 어리둥절한 반응을 보였다.
④ 수만이는 고깃간 주인에게 돈을 돌려주라고 문기에게 조언했다.
⑤ 문기는 자기가 돈을 잘못 본 것인지, 고깃간 주인이 잘못 본 것인지 확신하지 못했다.

발단 | 전개 | 위기 | 절정 | 결말

이 장면은

삼촌의 훈계를 듣고 죄책감을 느낀 문기가 공과 쌍안경을 버리고 고깃간 집 안마당에 남은 돈을 던지는 장면이다.

여기에 주목해 봐!
- 문기의 심리 변화
- 문기가 공과 쌍안경을 들고 나간 까닭

[4~6] 다음 글을 읽고 물음에 답하시오.

앞부분의 줄거리 | 문기는 수만이의 꼬임에 넘어가 거스름돈으로 수만이와 장난감을 사고 군것질을 한다. 문기의 방에서 공과 쌍안경을 본 삼촌은 문기에게 나쁜 마음을 먹지 말라고 훈계한다.

ⓐ문기는 아랫방에 내려와 혼자 되자 삼촌 앞에서보다 갑절 얼굴이 달아올랐다. 지금까지 될 수 있는 대로 생각지 않으려고 힘을 써 오던 그편에 정면으로 제 몸을 세워 놓고 보지 않을 수 없었다. 그러자 자기라는 몸은 벌써 삼촌의 이른바 나쁜 데 빠지고 만 것이었다. 그야 자기는 수만이가 시켜서 한 일이니까 잘못이 없다는 것이지만 당초에 그것은 제 허물을 남에게 밀려는 얄미운 구실이 아니고 뭐냐. 그리고 문기는 이미 삼촌을 속였다. 또 써서는 아니 될 돈을 쓰고 말았다.

아아, 일찍이 어머니를 여의고, 아버지란 사람은 일상 천냥만냥 하고 허한 소리만 하면서 남루한 주제에 거처가 없이 시골, 서울로 돌아다니는 사람이고, 어려서부터 문기를 길러 낸 사람이 삼촌이었다. 그리고 조카의 장래를 자기의 그것보다 더 중히 알고 염려하며 잘되어 주기를 바라는 삼촌이었다. 그 삼촌의 기대에 어그러지지 않는 인물이 되어 보이겠다고 엊그제도 주먹을 쥐고 결심하던 문기가 아니냐. 생각할수록 낯이 뜨거워지는 일이다.

마침내 문기는 공과 쌍안경을 집어 들고 문밖으로 나갔다. 어둑어둑 저물어가는 행길이다. 문기는 골목으로 들어섰다. ⓑ대낮에 많은 사람 가운데에서 거리낌 없이 가지고 놀던 그 공이 지금은 사람이 드문 골목 안에서도 남이 볼까 두려워졌다. 컴컴해질수록 더 허옇게 드러나 보이는 커다란 공을 처치하기에 곤란해 문기는 옆으로 꼈다 뒤로 돌렸다 하며 사람의 눈을 피한다. ㉠쌍안경이 든 불룩한 주머니가 또 성화다. 골목 하나를 돌아서 나올 즈음, 문기는 모르고 흘리는 것인 양 슬며시 쌍안경을 꺼내 길바닥에 떨어뜨렸다. 그리고 걸음을 빨리 건너편 골목으로 들어간다.

개천가 앞에 이르렀다. 거기서 문기는 커다란 공을 바지 앞에 품고 앉아서 길 가는 사람이 없기를 기다린다. 자전거가 가고 노인이 오고 동이 뜬 그 중간을 타서 문기는 허옇게 흐르는 물 위로 공을 던져 버렸다. (중략)

문기는 삼거리 고깃간을 향해 갔다. 그리고 골목으로 돌아가 나머지 돈을 종이에 싸서 담 너머로 그 집 안마당을 향해 던졌다.

ⓒ그제야 문기는 무거운 짐을 풀어 놓은 듯 어깨가 거뜬했다. 아까 물 위로 둥실둥실 떠가던 그 공, 지금은 벌써 십 리고 이십 리고 멀리 떠갔을 듯싶은 그 공과 함께 문기는 자기의 허물도 멀리 사라져 깨끗이 벗어난 듯 속이 후련했다. 그리고, / "다시는, 다시는……."
하고 문기는 두 번 다시 그런 허물을 범하지 않겠다고 백번 다지며 집을 향해 돌아간다.

어휘 풀이
- **갑절** 어떤 수나 양을 두 번 합한 만큼.
- **허물** 잘못 저지른 실수.
- **천냥만냥** '노름'을 달리 일컫는 말. 돈이나 재물 따위를 걸고 서로 내기를 하는 일.
- **허하다** 튼튼하지 못하고 빈틈이 있다.
- **남루하다** 옷 따위가 낡아 해지고 차림새가 너저분하다.
- **행길** '한길'의 방언. 사람이나 차가 많이 다니는 넓은 길.
- **성화** 일 등이 뜻대로 되지 않아 답답하고 애가 탐. 또는 그런 증세.
- **동이 뜨다** 사이가 조금 생기다.

4-1 이 글에 나타난 문기의 갈등 과정을 파악하여 빈칸에 알맞은 말을 쓰시오.

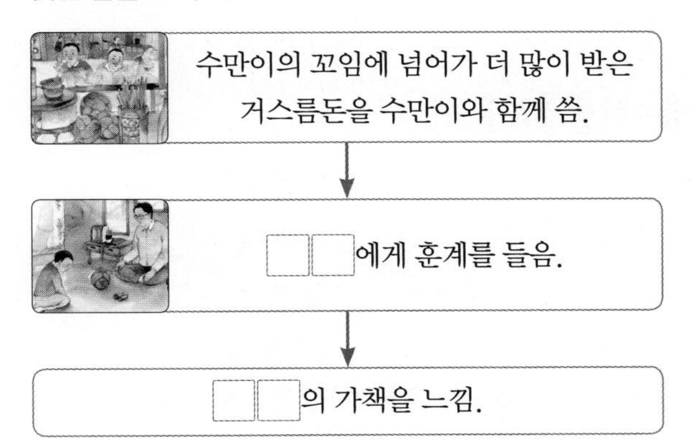

수만이의 꼬임에 넘어가 더 많이 받은 거스름돈을 수만이와 함께 씀.
에게 훈계를 들음.
의 가책을 느낌.

4-2 이 글에 나타난 주된 갈등으로 알맞은 것은?

① 삼촌의 내적 갈등
② 문기의 내적 갈등
③ 문기와 삼촌의 외적 갈등
④ 문기와 아버지의 외적 갈등
⑤ 삼촌과 문기 아버지의 외적 갈등

도움말

갈등의 종류에는 한 인물의 마음속에서 두 가지 이상의 욕구나 감정이 동시에 일어나서 생기는 '내적 갈등', 인물과 인물 또는 인물과 외부 환경 사이에서 생기는 '외적 갈등'이 있어요.

5-1 문기가 ㉠과 같이 행동한 까닭으로 알맞은 것은?

① 죄책감에서 벗어나고 싶어서
② 쌍안경에 대한 흥미가 사라져서
③ 자신의 잘못을 용서 받기 위해서
④ 쌍안경을 다른 곳에 숨기기 위해서
⑤ 삼촌에게 거짓말을 들키지 않기 위해서

5-2 문기가 갈등을 해결하기 위해 한 행동으로 알맞은 것은?

① 남은 돈을 삼촌에게 드렸다.
② 숙모에게 사실대로 털어놓았다.
③ 공을 수만이와 함께 길에 버렸다.
④ 공과 쌍안경을 사람들 몰래 버렸다.
⑤ 고깃간 주인에게 가서 용서를 구했다.

6-1 ⓐ~ⓒ에 나타난 문기의 심리를 정리할 때, 빈칸에 들어갈 말을 〈보기〉에서 찾아 쓰시오.

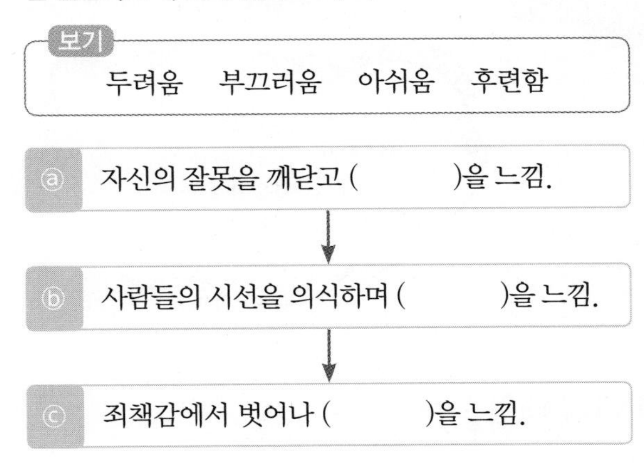

보기
두려움 부끄러움 아쉬움 후련함
ⓐ 자신의 잘못을 깨닫고 (　　　)을 느낌.
ⓑ 사람들의 시선을 의식하며 (　　　)을 느낌.
ⓒ 죄책감에서 벗어나 (　　　)을 느낌.

6-2 이 글에 나타난 문기의 심리로 적절하지 않은 것은?

① 자신의 잘못을 반성하였다.
② 자신이 저지른 일을 부끄럽게 여겼다.
③ 골목 안에서조차 남이 볼까 봐 걱정하였다.
④ 공과 쌍안경, 남은 돈을 처리한 뒤에 아쉬움을 느꼈다.
⑤ 삼촌을 속이고 잘못 받은 돈을 써 버려서 죄책감을 느꼈다.

하늘은 맑건만 ②

| 문기의 내적 갈등 |

쫓겨난 점순이의 울음소리를 들었을 때
네가 돈을 훔친 걸 아무도 몰라. 사실대로 말할 필요 없어!
돈을 훔친 사람이 너란 걸 말해야 해. 억울하게 쫓겨난 점순이가 불쌍하지 않니?
문기
선생님께 말한다고? 선생님이 도둑질한 너에게 벌을 내릴지도 모르는데?
이제라도 선생님께 사실대로 말씀드려야 해. 괴로워서 떳떳이 하늘을 쳐다보지 못하잖아.
수신 시간에 정직에 대해 배웠을 때

| 문기와 수만이의 외적 갈등 |

너 혼자 두고 쓰잔 말이지?
그러지 말구 어서 가자.
정말 없어. 지금 고깃간 집
안마당으로 던져 주고 오는 길이야.
공두 쌍안경두 버리구.

수만이는 흥 하고 코웃음을 친다.

고깃간 집 마당으로 던졌다?
아주 핑계가 됐거든.
거짓말 아니다. 참말야.
수만
문기

문기는 어떻게 변명할 줄을 몰라 쳐다보기만 하다가 고개를 떨어뜨리고 울상을 한다.

그래도 나하고 약조헌 건
실행해야지.
싫으면 너는 빠져도 좋아.
그럼 돈만 이리 내.
정말 없대두 그래.

1 문기는 자기 대신에 누명을 쓰고 쫓겨난 점순이의 울음소리를 듣고 괴로워하는데, 이는 (ㄴ ㅈ) 갈등에 해당한다.

2 문기는 돈을 내놓으라고 협박하는 수만이와 갈등하는데, 이는 (ㅇ ㅈ) 갈등에 해당한다.

답 1 내적 2 외적

이 소설에는 주인공인 문기의 내적 갈등, 문기와 수만이의 외적 갈등이 나타납니다. 갈등 과정에서 문기의 행동과 심리가 어떻게 변화했는지에 주목하며 작품을 감상해 봅시다. 그리고 문기가 어떤 방법으로 갈등을 해결하였는지 살펴봅시다.

1주 2일 기초 집중 연습

발단 | 전개 | 위기 | 절정 | 결말

이 장면은

문기가 수만이의 협박 때문에 숙모의 돈을 훔쳐서 수만이에게 주고, 점순이가 대신 누명을 쓰고 쫓겨나자 괴로워하는 장면이다.

여기에 주목해 봐!

- 문기가 겪는 갈등
- '두 번째 허물'의 뜻
- 문기의 심리 변화

[1~3] 다음 글을 읽고 물음에 답하시오.

앞부분의 줄거리 | 문기는 수만이에게 돈을 고깃간 집 안마당에 던졌다고 말한다. 하지만 이를 믿지 않는 수만이는 돈을 내놓지 않으면 도둑질한 것을 알리겠다고 문기를 계속 협박하고 괴롭힌다.

문기 집 가까이 이르렀다. 수만이는 문기 앞으로 다가서며 작은 음성으로 조졌다.

"너, 지금으로 가지고 나오지 않으면 낼은 가만 안 둔다. 도적질했다 하구 똑바루 써 놀 테야."

문기는 여전히 못 들은 척 걸음만 옮긴다. 자기 집 마당엘 들어섰다. 숙모는 뒤곁에서 화초 모종을 하는지 여기 심어라, 저기 심어라 하고 아랫집 심부름을 하는 아이와 이야기하는 소리가 날 뿐 집 안엔 아무도 없다.

그리고 눈앞에 보이는 붙장 안 앞턱에 잔돈 얼마와 지전 몇 장이 놓여 있다. 그리고 문밖엔 지금 수만이가 돈을 가지고 나오기를 기다리고 섰다. 여기서 문기는 ㉠두 번째 허물을 범하고 말았다.

"진작 듣지."

하고 빙그레 웃는 수만이 얼굴에다 뺨을 때리듯 돈을 던져 주고 문기는 달아났다. 급한 걸음으로 문기는 네거리 하나를 지났다. 또 하나를 지났다. 또 하나를 지났다. 걸음은 차차 풀이 죽는다. 그리고 문기는 이런 생각을 하였다.

'나는 몰래 작은어머니 돈을 축냈다. 그러나 갚으면 고만 아니냐. 그 돈 값어치만큼 밥도 덜 먹고 학용품도 아껴 쓰고 옷도 조심해 입고, 이렇게 갚으면 고만 아니냐.'

몇 번이고 이 소리를 속으로 되뇌며 문기는 떳떳이 얼굴을 들고 집으로 들어갈 수 있을 만한 뱃심을 만들려 한다. 그러나 일없이 공원으로 거리로 돌며 해를 보낸다.

생략된 부분의 줄거리 | 날이 저물어서 집에 돌아온 문기에게 숙모는 점순이가 붙장 안의 돈을 집어 갔다고 말하지만 문기는 잠잠히 듣기만 하였다.

[A] 그날 밤이었다. 아랫방 들창 밑에서 훌쩍훌쩍 우는 어린아이 울음소리가 났다. 아랫집 심부름하는 아이 점순이 음성이었다. 숙모가 직접 그 집에 가서 무슨 말을 한 것은 아니로되 자연 그 말이 한 입 건너 두 입 건너 그 집에까지 들어갔고, 그리고 그 집 주인 여자는 점순이를 때려 쫓아낸 것이다. 먼저는 동네 아이들이 모여 지껄지껄하더니 차차 하나 가고 둘 가고 훌쩍훌쩍 우는 그 소리만 남는다. 방 안의 문기는 그 밤을 뜬눈으로 새웠다.

어휘 풀이

- **조지다** 일이나 말이 허술하게 되지 않도록 단단히 단속하다.
- **붙장** 부엌 벽의 안쪽이나 바깥쪽에 붙여 만든 장. 간단한 그릇 따위를 간직하는 데 쓴다.
- **축내다** 일정한 수나 양에서 모자람이 생기게 하다.
- **뱃심** 염치나 두려움이 없이 제 고집대로 버티는 힘.
- **들창** 벽의 위쪽에 자그맣게 만든 창.

1-1 이 글에 나타난 인물 간의 갈등을 다음과 같이 정리할 때, 빈칸에 알맞은 말을 쓰시오.

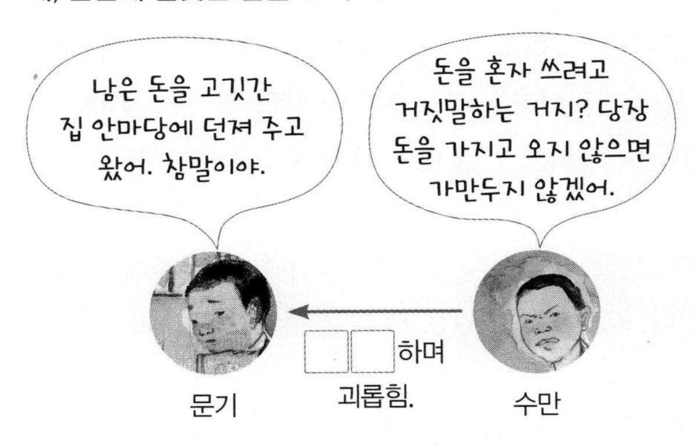

남은 돈을 고깃간 집 안마당에 던져 주고 왔어. 참말이야.
돈을 혼자 쓰려고 거짓말하는 거지? 당장 돈을 가지고 오지 않으면 가만두지 않겠어.
□□하며 괴롭힘.
문기
수만

1-2 문기가 수만이와 갈등을 일으킨 원인으로 알맞은 것은?

① 문기가 숙모의 돈을 훔쳐서
② 문기가 도둑질을 안 했다고 발뺌해서
③ 수만이가 점순이의 일로 문기를 협박해서
④ 수만이가 문기에게 돈을 가져오라고 위협해서
⑤ 수만이가 문기에게 잘못을 고백하라고 강요해서

2-1 ㉠의 의미로 알맞은 것은?

① 잘못 받은 거스름돈을 마음대로 쓴 것
② 숙모의 돈을 훔쳐서 수만이에게 준 것
③ 수만이가 괴롭힌 사실을 알리지 않은 것
④ 숙모에게 거스름돈을 가져다주지 않은 것
⑤ 수만이와 상의하지 않고 거스름돈을 처리한 것

2-2 ㉠에 대한 설명으로 알맞지 않은 것은?

① 문기와 수만이가 친밀해지는 계기가 된다.
② 수만이 협박 때문에 문기가 저지른 잘못이다.
③ 문기가 일없이 거리를 방황하는 원인이 된다.
④ 문기 대신에 점순이가 누명을 쓰게 된 일이다.
⑤ 문기가 숙모 돈을 훔쳤다는 죄책감을 갖게 한다.

3-1 [A]에서 문기가 느꼈을 감정으로 보기 어려운 것을 모두 고르시오.

걱정	분노	원망
괴로움	미안함	죄책감

3-2 점순이가 누명을 쓴 일이 사건 전개에 미친 영향으로 알맞은 것은?

① 문기의 내적 갈등이 해소되었다.
② 숙모가 내적 갈등을 겪게 되었다.
③ 문기의 내적 갈등이 더 깊어졌다.
④ 문기와 숙모의 갈등이 심화되었다.
⑤ 문기와 점순이의 갈등이 발생하였다.

[4~6] 다음 글을 읽고 물음에 답하시오.

발단 | 전개 | 위기 | 절정 | 결말

이 장면은

죄책감으로 괴로워하다가 집으로 돌아오는 길에 교통사고를 당한 문기가 삼촌에게 그동안의 모든 일을 고백하는 장면이다.

여기에 주목해 봐!

- 문기의 갈등 해소 방법
- 문기의 심리 변화
- 제목의 의미

학교엘 갔다. 첫 시간은 ⓐ수신 시간, 그리고 공교로이 제목이 '정직'이다. ⓑ선생님은 뒷짐을 지고 교단 위를 왔다 갔다 하며 거짓이라는 것이 얼마나 악한 것이고 정직이 얼마나 귀하고 중한 것인가를 누누이 말씀한다. 그리고 안경 쓴 선생님의 그 눈이 번쩍하고 문기 얼굴에 머물렀다 가고 가고 한다.

[A] 그럴 때마다 문기는 가슴이 뜨끔뜨끔해진다. 문기는 자기 한 사람에게만 들리기 위한 정직이요 수신 시간인 듯싶었다. 그만치 선생님은 제 속을 다 들여다보고 하는 말인 듯싶었다.

ⓒ운동장에서도 문기는 풀이 없다. 사람 없는 교실 뒤 버드나무 옆 그런 데만 찾아다니며 고개를 숙이고 깊은 생각에 잠기거나 팔짱을 찌르고 왔다 갔다 하기도 한다. 그러다 누가 등을 치면 소스라쳐 깜짝깜짝 놀란다.

언제나 다름없이 ⓓ하늘은 맑고 푸르건만 문기는 어쩐지 그 하늘조차 쳐다보기가 두려워졌다. 자기는 감히 떳떳한 얼굴로 그 하늘을 쳐다볼 만한 사람이 못 된다 싶었다.

생략된 부분의 줄거리 | 문기는 선생님에게 모든 것을 자백하러 가지만 차마 말을 하지 못한다. 집으로 돌아오는 길에 문기는 자동차에 치여 정신을 잃고 만다.

문기는 ⓔ병원 침대 위에 누워 있었다. 어디 아픈 데는 없으면서도 몸을 움직일 수는 없다. 삼촌은 근심스러운 얼굴로 내려다본다.

"작은아버지." 하고 문기는 입을 열었다. 그리고,

"저는 마땅히 받아야 할 벌을 받은 거예요."

하고 문기는 눈을 감으며 한 마디 한 마디 그러나 똑똑하게 처음서부터 끝까지 먼저 고깃간 주인이 일 원을 십 원으로 알고 거슬러 준 것, 그 돈을 써 버린 것, 그리고 또 붙장 안의 돈을 자기가 훔쳐 낸 것, 이렇게 하나하나 숨김없이 자백을 하자 이때까지 겹겹으로 몸을 싸고 있던 허물이 한 꺼풀 한 꺼풀 벗어지면서 따라 마음속의 어둠도 차차 사라지며 맑아 가는 것을, 문기는 확실히 깨달을 수 있었다. 마음이 맑아지며 따라 몸도 가뜬해진다.

내일도 해는 뜨고 하늘은 맑아지리라. 그리고 ㉠문기는 그 하늘을 떳떳이 마음껏 쳐다볼 수 있을 것이다.

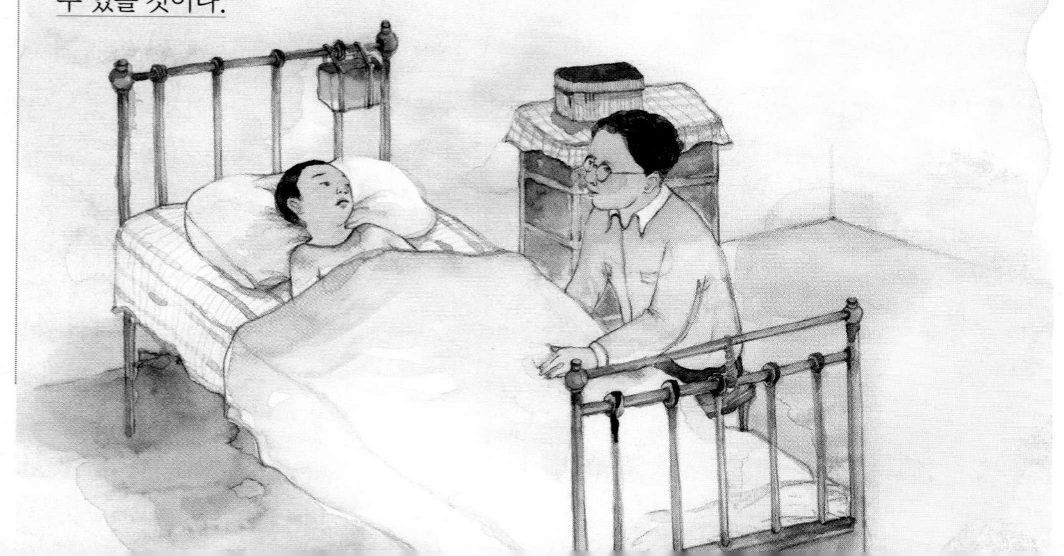

어휘 풀이

- **수신** 마음과 행실을 바르게 닦아 수양함. 여기서는 바른 품성을 기르려고 만든 과목을 가리킴. 지금의 도덕 과목.
- **공교로이** 생각지 않았거나 뜻하지 않았던 사실이나 사건과 우연히 마주치게 된 것이 기이하다고 할 만하게.
- **자백하다** 자기가 저지른 죄나 자기의 허물을 남들 앞에서 스스로 고백하다.
- **가뜬해지다** 몸과 마음이 가벼워 기분이 좋아지다.

4-1 이 글의 내용을 다음과 같이 정리할 때, 빈칸에 알맞은 말을 쓰시오.

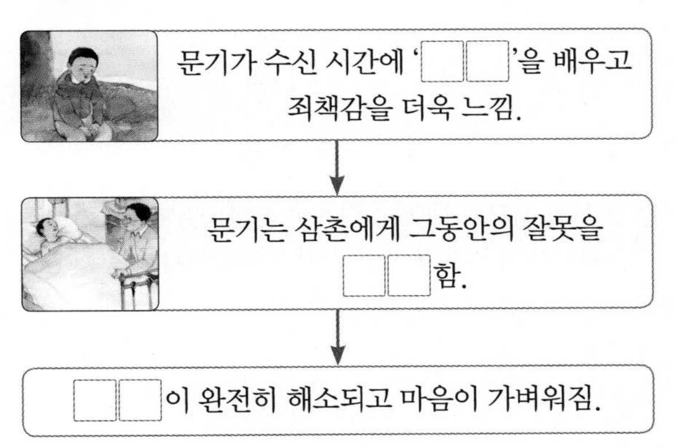

문기가 수신 시간에 '□□'을 배우고 죄책감을 더욱 느낌.

□□이 완전히 해소되고 마음이 가벼워짐.

4-2 이 글을 통해 생각해 볼 수 있는 바람직한 삶의 태도로 알맞지 않은 것은?

① 정직하는 사는 태도
② 불의에 맞서는 태도
③ 양심을 속이지 않는 태도
④ 잘못을 솔직하게 고백하는 태도
⑤ 잘못에 대해 용서를 구하는 태도

1주 2일

5-1 이 글에 나타난 문기의 갈등을 다음과 같이 정리할 때, 빈칸에 알맞은 말을 쓰시오.

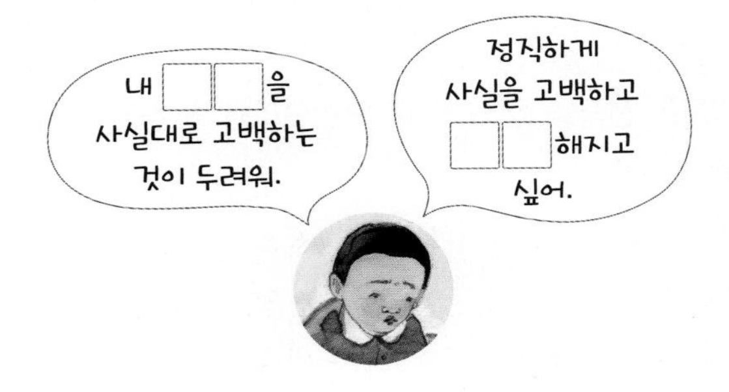

내 □□을 사실대로 고백하는 것이 두려워.
정직하게 사실을 고백하고 □□해지고 싶어.

5-2 [A]에서 알 수 있는, 문기의 속마음으로 가장 알맞은 것은?

① 맑은 하늘이 어두워질까 봐 두려워.
② 선생님이 내 잘못을 어떻게 아셨을까?
③ 선생님께 내 잘못을 들키고 싶지 않아.
④ 선생님이 큰 벌을 내리실까 봐 걱정돼.
⑤ 잘못을 저지르기 전의 떳떳한 상태로 돌아가고 싶어.

6-1 ㉠의 의미로 알맞은 것은?

① 문기가 자신의 잘못을 깨달았다.
② 문기와 삼촌의 갈등이 해소되었다.
③ 문기가 죄책감에서 벗어나 홀가분해졌다.
④ 문기가 수남이를 용서하기로 결심하였다.
⑤ 문기가 삼촌에게 고마운 마음을 전하였다.

6-2 ⓐ~ⓔ 중에서 〈보기〉에서 설명하는 소재에 해당하는 것은?

보기
• 언제나 맑고 푸른 속성을 지닌 대상으로, 죄책감에 시달리고 있는 문기의 어두운 마음과 대조된다.
• 문기가 회복하고 싶은 양심을 의미한다.

① ⓐ　② ⓑ　③ ⓒ　④ ⓓ　⑤ ⓔ

1주 3일 홍길동전 ①

| 전체 줄거리 |

발단

홍 판서의 서자로 태어난 길동은 천한 대우를 받으며 자란다. 그러던 중 조란의 사주를 받은 특재가 자신을 죽이려고 하자 이를 물리치고 집을 떠난다.

서자: 본부인이 아닌 여자에게서 태어난 아들.

전개

길동은 도적의 무리를 만나 그들의 우두머리가 되고, 무리의 이름을 '활빈당'이라고 짓는다.

위기

길동은 전국을 돌아다니며 탐관오리를 벌하고 가난한 백성을 돕는다.

탐관오리: 백성의 재물을 탐내어 빼앗는 타락한 관리.

절정

조정에서 길동을 잡을 것을 명령하지만 재주가 뛰어난 길동을 잡을 수 없었다. 임금은 길동을 잡기 위해 그의 소원대로 병조 판서 벼슬을 내린다.

결말

활빈당 무리를 이끌고 조선을 떠난 길동은 율도국의 왕이 되어 태평성대를 이룬다.

태평성대: 어진 임금이 잘 다스려 아무 걱정이나 탈이 없는 세상이나 시대.

| 주요 인물 |

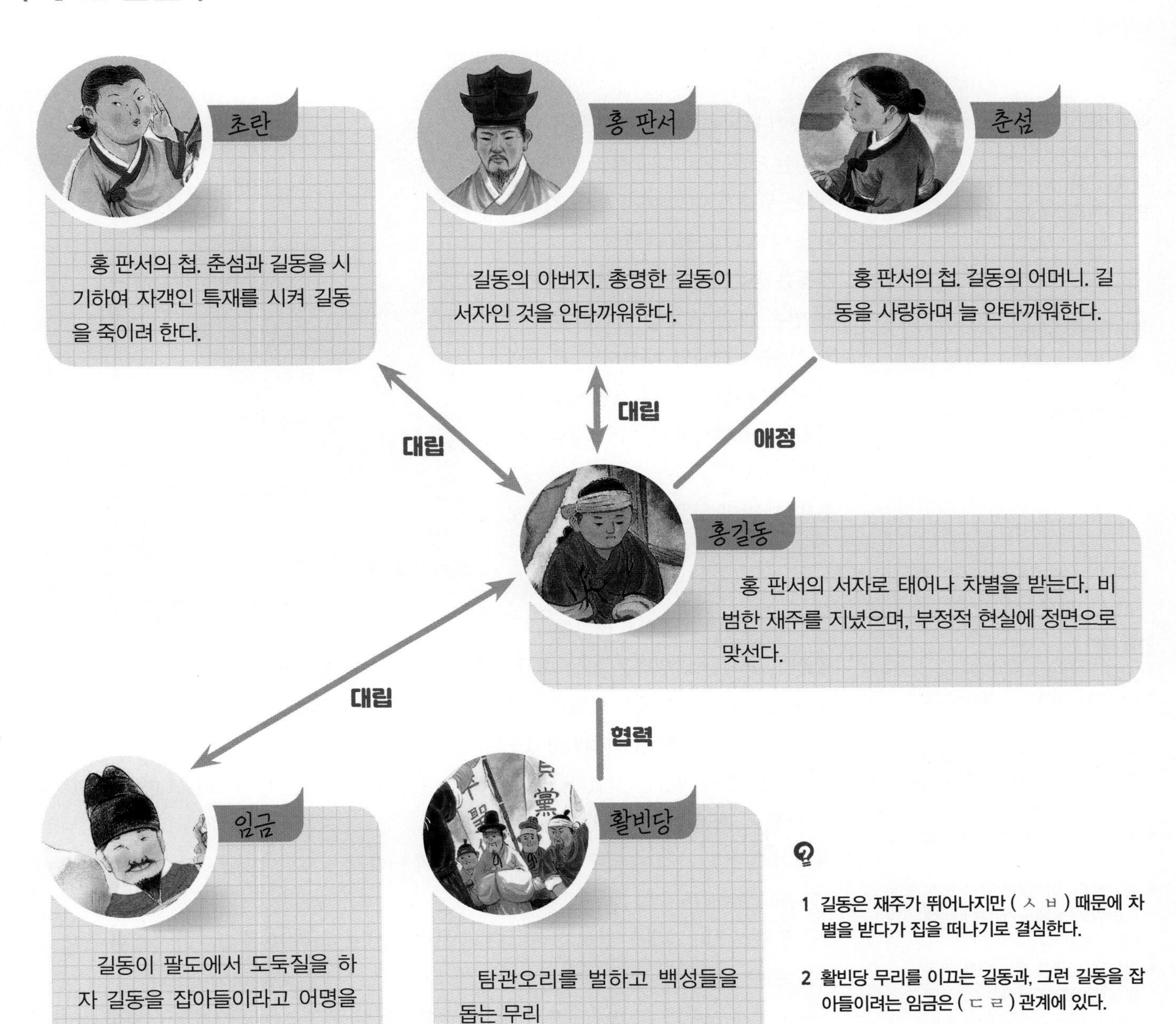

초란
홍 판서의 첩. 춘섬과 길동을 시기하여 자객인 특재를 시켜 길동을 죽이려 한다.
홍 판서
길동의 아버지. 총명한 길동이 서자인 것을 안타까워한다.
춘섬
홍 판서의 첩. 길동의 어머니. 길동을 사랑하며 늘 안타까워한다.
대립
대립
애정
홍길동
홍 판서의 서자로 태어나 차별을 받는다. 비범한 재주를 지녔으며, 부정적 현실에 정면으로 맞선다.
대립
협력
임금
길동이 팔도에서 도둑질을 하자 길동을 잡아들이라고 어명을 내린다.
활빈당
탐관오리를 벌하고 백성들을 돕는 무리

1 길동은 재주가 뛰어나지만 (ㅅ ㅂ) 때문에 차별을 받다가 집을 떠나기로 결심한다.

2 활빈당 무리를 이끄는 길동과, 그런 길동을 잡아들이려는 임금은 (ㄷ ㄹ) 관계에 있다.

답 1 신분 2 대립

이제부터 여러분은 〈홍길동전〉의 주요 장면을 읽게 됩니다. 전체 줄거리를 참고하면서 '길동'이 어떤 상황에 놓여 있으며, 그 속에서 어떤 갈등을 겪고 있는지를 살피며 읽어 봅시다.

기초 집중 연습

발단 | 전개 | 위기 | 절정 | 결말

이 장면은
서자로 태어나 설움을 겪은 길동이 아버지인 홍 판서와 어머니인 춘섬에게 하소연하는 장면이다.

여기에 주목해 봐!
- 당시의 시대 상황
- 길동의 신분과 처지
- 길동과 홍 판서의 외적 갈등

[1~3] 다음 글을 읽고 물음에 답하시오.

앞부분의 줄거리 | 조선 세종 임금 시절, 홍 판서에게는 정실부인 유씨가 낳은 아들 인형과 여종 춘섬이 낳은 아들 길동이 있었다. 홍 판서는 총명한 길동이 서자(庶子)의 신분인 것을 안타까워하였다.

홍 공이 달빛을 구경하다가 길동이 서성거리는 것을 보고 즉시 불러 물었다.

"너는 무슨 흥이 있어서 밤이 깊도록 잠을 자지 않고 있느냐?"

길동은 공손한 태도로 대답하였다.

"소인은 마침 달빛을 즐기는 중입니다. 만물이 생겨날 때부터 오직 사람이 귀하게 태어났으나 소인에게는 이런 귀함이 없사오니 어찌 사람이라 하겠는지요?"

공은 그 말의 뜻을 짐작은 했지만 모른 척하고 꾸짖기를,

"그게 무슨 말이냐?"

하니 길동이 절하고 말씀드리기를,

"소인이 평생 서러워하는 바는 대감의 정기를 받아 당당한 남자로 태어났고, 낳으시고 길러 주신 부모님의 은혜를 입었음에도 아버지를 아버지라 부르지 못하옵고 형을 형이라 부르지 못하오니, 어찌 사람이라 하겠습니까?"

하고 눈물을 흘려 적삼을 적셨다. 공이 듣고 보니 불쌍한 생각은 들었으나 그 마음을 위로하면 방자(放恣)해질까 염려되어 크게 꾸짖었다.

"재상가의 천한 자식이 너뿐이 아닌데, 네 어찌 이다지 방자하냐? 앞으로 다시 이런 말을 하면 내 눈앞에 두지 않겠다."

이렇게 꾸짖으니 길동은 감히 한마디도 더 하지 못하고, 다만 땅에 엎드려 눈물만 흘릴 뿐이었다. 공이 물러가라 하자 그제야 길동은 잠자리로 돌아와 슬퍼해 마지않았다.

길동이 본래 재주가 뛰어나고 도량(度量)이 활달하여 마음을 가라앉히지 못하고 밤이면 잠을 이루지 못하다가 하루는 어머니 방에 가 울면서 아뢰었다.

"소자가 모친과 전생의 인연이 중하여 이승에서 모자 사이가 되었으니 그 은혜가 지극합니다. 그러나 소자의 팔자가 기박(奇薄)하여 천한 몸이 되었으니 품은 한이 깊사옵니다. 대장부가 세상에 살면서 남의 천대를 받음이 불가한지라, 소자는 이 설움을 억제하지 못하여 모친 슬하를 떠나려 하옵니다. 엎드려 바라건대 모친께서는 소자를 염려하지 마시고 귀하신 몸을 잘 돌보십시오."

그 어미가 듣고 나서 깜짝 놀랐다.

어휘 풀이
- **서자** 본부인이 아닌 여자에게서 태어난 아들. ↔ **적자** 본부인이 낳은 아들.
- **공** 주로 남자의 성이나 성명 뒤에 쓰여 그 사람을 높여 부르거나 이르는 말.
- **소인** 신분이 높은 사람에게 자기를 낮추어 이르던 말.
- **방자하다** 어려워하거나 조심스러워하는 태도가 없이 무례하고 건방지다.
- **재상가** 임금을 돕고 모든 관원을 지휘하고 감독하는 일을 맡아보던 이품 이상의 벼슬에 있던 벼슬아치의 집이나 집안.
- **도량** 사물이나 상황을 받아들이는 마음의 크기.
- **소자** 아들이 부모를 상대하여 자기를 낮추어 이르는 말.
- **기박하다** 팔자, 운수 따위가 사납고 복이 없다.
- **슬하** 어버이나 조부모의 보살핌 아래. 주로 부모의 보호를 받는 테두리 안을 이른다.

1주 3일

1-1 이 글의 내용을 파악하여 빈칸에 알맞은 말을 쓰시오.

인물 길동, 홍 판서(홍 공), 춘섬

사건 신분 때문에 ☐☐을/를 받는 길동은 자신의 처지를 괴로워한다.

배경 ☐☐ 제도가 존재하던 조선 초기

1-2 이 글의 배경에 대한 설명으로 알맞지 않은 것은?

① 신분 제도가 존재했다.
② 시대적 배경은 조선 초기이다.
③ 신분이 낮으면 남의 천대를 받았다.
④ 양반은 본부인 외에 첩을 둘 수 있었다.
⑤ 가정 내에서 적자와 서자는 평등하였다.

2-1 '길동'의 신분이나 처지를 드러내는 말이 아닌 것은?

① 서자(庶子)
② 소인
③ 대감
④ 재상가의 천한 자식
⑤ 전생의 인연

도움말
조선 시대에 서자는 아무리 양반의 자식이라 해도 천한 신분으로 여겨졌어요. 이 때문에 서자인 길동은 홍 판서가 아버지인데도 '대감'이라 부르고 자신을 '소자'가 아닌 '소인'이라 칭하였어요.

2-2 '길동'에 대한 설명으로 알맞지 않은 것은?

① 서자의 신분이다.
② 호부호형을 하지 못한다.
③ 어머니를 원망하고 있다.
④ 자신의 처지를 서러워한다.
⑤ 총명하고 재주가 뛰어나다.

• 호부호형 아버지를 아버지라고 부르고 형을 형이라고 부름.

3-1 이 글에 나타난 갈등을 다음과 같이 정리할 때, 빈칸에 알맞은 말을 쓰시오.

길동

소인은 아버지를 아버지라 부르고 형을 형이라 부르고 싶습니다.

↕ 대립

홍 판서

엄연히 사회 질서가 있거늘 ☐☐☐☐을 허락할 수 없다.

3-2 이 글에 나타난 '길동'과 '홍 판서'의 관계로 알맞은 것은?

① 길동은 홍 판서를 아버지로 인정하지 않았다.
② 길동은 홍 판서와 친밀한 관계를 유지하였다.
③ 홍 판서는 천한 신분인 길동에게 애정을 갖지 않았다.
④ 길동은 호부호형을 허락하지 않는 홍 판서와 대립하였다.
⑤ 홍 판서는 호부호형을 포기하는 길동을 안타깝게 여겼다.

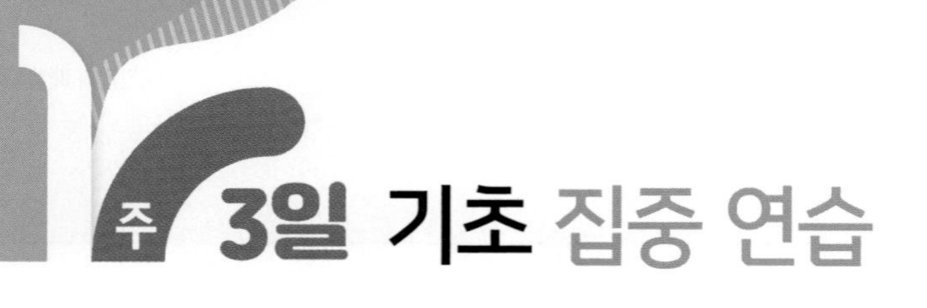

1주 3일 기초 집중 연습

[4~6] 다음 글을 읽고 물음에 답하시오.

발단 | 전개 | 위기 | 절정 | 결말

앞부분의 줄거리 | 홍 판서의 첩인 초란은 길동을 낳아 사랑을 받는 춘섬에게 앙심을 품고 자객인 특재를 시켜 길동을 없애려 한다.

이 장면은

길동이 초란의 사주를 받고 자신을 죽이려 하는 특재를 도술로 물리치는 장면이다.

여기에 주목해 봐!

- 길동의 비범한 능력
- 길동과 특재의 외적 갈등

한편 길동은 그 원통한 일을 생각하면 잠시를 머물지 못할 테지만, 상공의 엄명이 지중하므로 어쩔 수가 없어 밤마다 잠을 이루지 못하고 있었다. 그날 밤, 촛불을 밝혀 놓고 《주역(周易)》을 골똘히 읽고 있는데 ㉠까마귀가 세 번 울고 갔다. 길동은 이상한 예감이 들어 혼잣말로,

"저 짐승은 본래 밤을 꺼리는데 이제 울고 가니 심히 불길하구나."

하면서 잠시 《주역》의 팔괘(八卦)로 점을 쳐 보고는, 크게 놀라 책상을 밀치고 둔갑법으로 몸을 숨긴 채 동정을 살피고 있었다. 밤중이 지나자 한 사람이 비수를 들고 천천히 방문으로 들어오기에 ㉡길동이 급히 몸을 감추고 주문을 외니, 문득 한 줄기 음산한 바람이 일어나면서 집은 간데없고 첩첩산중(疊疊山中)에 풍경이 굉장했다. 특재는 크게 놀라 길동의 무궁한 조화인 줄 알고 비수를 감추고 피하고자 했으나 갑자기 길이 끊어지면서 층암절벽(層巖絶壁)이 가로막아 오도 가도 못 하는 처지가 되었다.

사방으로 방황하다가 피리 소리를 듣고서야 정신을 차리고 살펴보니 어떤 소년이 나귀를 타고 오며 피리 불기를 그치고 꾸짖었다.

"너는 무엇 때문에 나를 죽이려 하느냐? 무죄한 사람을 해치면 어찌 천벌이 없겠느냐?"

그러고는 주문을 외니 문득 검은 구름이 일어나며 비가 퍼붓듯이 쏟아지고 모래와 자갈이 날리었다. 특재가 정신을 가다듬고 살펴보니 길동이었다. 재주가 대단하다고는 여기면서도 '저까짓 게 어찌 나를 대적하겠는가.' 하고 달려들면서,

"너는 죽어도 나를 원망하지 마라. 초란이 무녀와 관상녀를 시켜 상공에게 알리고 너를 죽이려 한 것이니 어찌 나를 원망하겠느냐?"

소리치며 칼을 들고 달려드니 길동이 분함을 참지 못해 요술로 특재의 칼을 빼앗아 들고 꾸짖기를,

"네가 재물을 탐내어 사람 죽이기를 좋아하니 너같이 무도(無道)한 놈은 죽여서 후환(後患)을 없애겠다."

하고 칼을 들어 내리치니 특재의 머리가 방 가운데 떨어졌다.

어휘 풀이

- **지중하다** 더할 수 없이 귀중하다.
- **주역** 세상 모든 사물을 음(陰)과 양(陽)에 따라 풀이한 옛 중국의 철학책.
- **팔괘** 《주역》에서 음과 양을 겹쳐 나타낸 여덟 가지의 괘.
- **둔갑법** 마음대로 자기 몸을 감추거나 다른 것으로 변하게 하는 술법.
- **동정** 일이나 현상이 벌어지고 있는 낌새.
- **비수** 날이 예리하고 짧은 칼.
- **음산하다** 분위기 따위가 을씨년스럽고 썰렁하다.
- **첩첩산중** 여러 산이 겹치고 겹친 산속.
- **무궁하다** 공간이나 시간 따위가 끝이 없다
- **층암절벽** 몹시 험한 바위가 겹겹으로 쌓인 낭떠러지.
- **무도하다** 말이나 행동이 인간으로서 지켜야 할 도리에 어긋나서 막되다.
- **후환** 어떤 일로 말미암아 뒷날 생기는 걱정과 근심.

4-1 '길동'과 '특재'의 관계를 다음과 같이 정리할 때, 빈칸에 알맞은 말을 쓰시오.

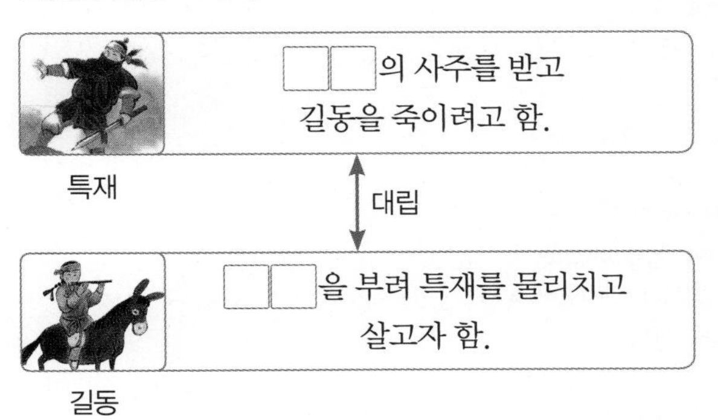
□□의 사주를 받고 길동을 죽이려고 함.
특재
대립
□□을 부려 특재를 물리치고 살고자 함.
길동

4-2 이 글에 나타난 주된 갈등에 해당하는 것은?

① 특재의 내적 갈등
② 길동과 무녀 사이의 갈등
③ 길동과 특재 사이의 갈등
④ 길동과 자연 사이의 갈등
⑤ 특재와 초란 사이의 갈등

5-1 〈보기〉를 참고해 ㉠의 역할을 파악하여 빈칸을 채우시오.

보기

예로부터 까마귀가 울면 안 좋은 일이 생긴다고 하여 까마귀는 흉조로 인식되어 왔다.

흉조로 인식되어 온 까마귀가 세 번 울고 갔다는 것은 길동에게 □□한 일이 닥칠 것임을 암시해.

5-2 ㉠을 통해 알 수 있는, 이 글의 서술상 특징으로 알맞은 것은?

① 사건을 요약하여 제시하고 있다.
② 사건을 객관적으로 서술하고 있다.
③ 과거 일을 회상하여 서술하고 있다.
④ 인물의 외양을 생생하게 묘사하고 있다.
⑤ 특정 소재를 통해 앞으로 일어날 일을 암시하고 있다.

6-1 '길동'의 비범한 능력을 드러내는 행동이 아닌 것은?

① 주문을 외워 주변의 환경을 바꾸었다.
② 둔갑법으로 몸을 숨기고 동정을 살폈다.
③ 점을 쳐서 자객의 침입을 미리 알아챘다.
④ 도술을 부려 특재를 충암절벽에 가두었다.
⑤ 밤늦게 책을 읽다가 까마귀의 울음소리를 들었다.

6-2 ㉡을 통해 알 수 있는, 이 글의 특징으로 알맞은 것은?

① 현실적인 이야기를 다룬다.
② 비범한 주인공이 등장한다.
③ 사건이 우연하게 일어난다.
④ 인물을 우스꽝스럽게 묘사한다.
⑤ 권선징악(勸善懲惡)을 주제로 한다.

● **권선징악** 착한 일을 권장하고 악한 일을 징계함.

4일 홍길동전 ②

| <홍길동전>에 나타난 당대 사회의 모습 |

“저는 본래 천한 종의 몸에서 났기에 그 아비를 아비라 못하옵고 그 형을 형이라 못하와 평생 한이 맺혔기에 집을 버리고 도적의 무리에 참여하였사옵니다. …… 각 읍 수령이 백성들에게서 착취한 재물만 빼앗았을 뿐입니다.”

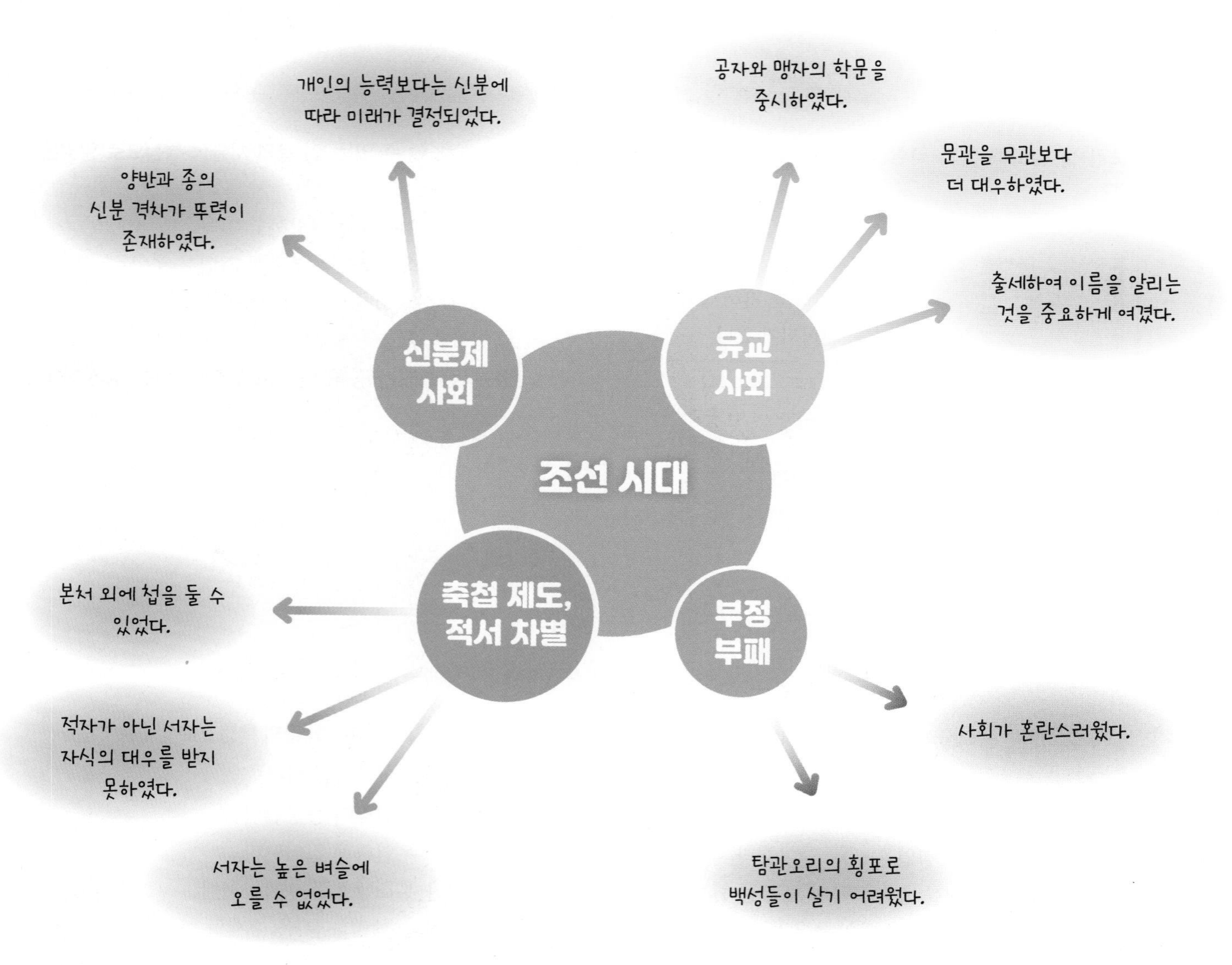

조선 시대
신분제 사회
개인의 능력보다는 신분에 따라 미래가 결정되었다.
양반과 종의 신분 격차가 뚜렷이 존재하였다.
유교 사회
공자와 맹자의 학문을 중시하였다.
문관을 무관보다 더 대우하였다.
출세하여 이름을 알리는 것을 중요하게 여겼다.
축첩 제도, 적서 차별
본처 외에 첩을 둘 수 있었다.
적자가 아닌 서자는 자식의 대우를 받지 못하였다.
서자는 높은 벼슬에 오를 수 없었다.
부정부패
사회가 혼란스러웠다.
탐관오리의 횡포로 백성들이 살기 어려웠다.

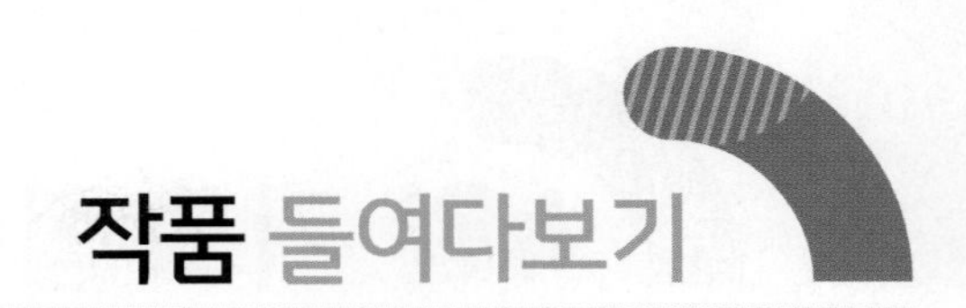

작품 들여다보기

| <홍길동전>에 나타난 영웅의 일대기적 구성 |

영웅의 일대기	홍길동전
고귀한 혈통을 지님.	태몽에 용이 나왔으며, 홍 판서의 아들로 태어남.
비정상적으로 출생함.	여종인 춘섬에게서 서자로 태어남.
비범한 능력을 지님.	학식이 높고 무술 실력이 뛰어남.
어려서 위기에 빠져 죽을 고비를 겪음.	초란의 음모로 자객에게 생명의 위협을 받음.
조력자의 도움으로 위기에서 벗어남.	도술을 부려 위기에서 벗어남.
자라서 다시 위기에 처함.	탐관오리의 재물을 빼앗은 길동을 나라에서 잡아들이려 함.
위기를 극복하고 위대한 업적을 세움.	병조 판서에 임명된 후, 조선을 떠나 율도국의 왕이 됨.

1 이 글에는 적서 차별이 존재하고 부정부패로 혼란스러웠던 (ㅈㅅ) 사회의 모습이 나타난다.

2 이 글은 영웅의 (ㅇㄷㄱ)적 구성에 따라 길동의 영웅적 일생을 이야기하고 있다.

답 1 조선 2 일대기

이 소설에는 조선 시대 초기의 사회 모습이 반영되어 있으며, 주인공 '홍길동'의 일생을 시간의 흐름에 따라 서술하고 있습니다. 소설 속에 반영된 당대의 사회 모습과 홍길동의 활약상에 주목하며 작품을 감상해 봅시다.

1주 4일 기초 집중 연습

[1~3] 다음 글을 읽고 물음에 답하시오.

발단 | 전개 | 위기 | 절정 | 결말

이 장면은

길동이 이끄는 활빈당이 조선 팔도를 다니며 탐관오리의 재물을 빼앗는 장면이다.

여기에 주목해 봐!
- 당대의 사회 모습
- 길동의 영웅적 면모

앞부분의 줄거리 | 길동은 초란의 흉악한 계략을 물리치고 집을 나온다. 그리고 자신의 능력을 알아보고 스스로 부하가 되고자 하는 도둑들의 청을 받아들여 도둑 무리의 우두머리가 된다.

길동은 스스로 '활빈당(活貧黨)'이라 이름하고 ⓐ조선 팔도로 다니며 각 읍 수령이 불의로 모은 재물이 있으면 탈취(奪取)하고, 가난하고 의지할 데 없는 사람이 있으면 구제하면서 ⓑ백성은 침범하지 않고 나라의 재산에는 추호도 손을 대지 않으니 부하들은 그 뜻에 감복하였다.

"㉠탐관오리인 함경 감사가 백성을 착취해 백성들이 이제 이를 견딜 수 없게 되었다. 우리가 이를 그대로 둘 수 없으니 그대들은 나의 지휘대로 하라."

이렇게 말하고는 ⓒ아무 날 밤으로 약속을 정하고 하나씩 흘러 들어가 함흥 남문 밖에 불을 질렀다. 감사가 크게 놀라 불을 끄라 하니 관리며 백성들이 한꺼번에 달려 나와 불을 끄느라 정신이 없는데, ⓓ길동의 부대 수백 명이 성안으로 몰려가 창고를 열고 곡식과 무기를 찾아내어 북문으로 달아나니, 성중이 물 끓듯 소란하였다. 감사가 뜻밖의 변을 당하여 어쩔 줄을 모르다가 날이 밝은 후 살펴보고서야 창고의 무기와 곡식이 없어졌음을 알고 크게 놀라 도적 잡기에 힘을 기울였다. / 그런데 북문에 방이 붙기를,

> 아무 날 돈과 곡식을 도적한 자는 활빈당 당수(黨首) 홍길동이다.

하였기에 감사가 군사를 뽑아 보내어 도적을 잡으려 하였다. 길동은 여러 부하와 함께 곡식을 많이 탈취했으나 행여 길에서 잡힐까 염려하여 둔갑법과 축지법(縮地法)을 써서 처소로 돌아왔더니 날이 새려 하였다.

하루는 길동이 여러 부하를 모으고,

"이제 우리가 합천 해인사에 가 재물을 탈취하고 함경감영에 가 돈과 곡식을 훔친 까닭에 소문이 파다하고, 또 나의 이름을 써서 감영에 붙였으니, 오래지 않아 잡히게 될 테지만 그대들은 나의 재주를 보라."

하고 즉시 ⓔ초인(草人) 일곱을 만들어 주문을 외며 혼백을 붙였다. 일곱 길동이 한꺼번에 팔을 뽐내며 크게 소리치고 한곳에 모여 야단스럽게 지껄이니 어느 것이 참 길동인지 알 수가 없었다. 팔도에 하나씩 흩어져 각각 부하 수백 명씩을 거느리고 다니니 그중에서도 어느 것이 진짜인지 알 수가 없었다.

어휘 풀이
- **활빈당** 가난한 사람들을 살리는 무리.
- **불의** 의리, 도의, 정의 따위에 어긋남.
- **탈취하다** 빼앗아 가지다.
- **추호** 매우 적거나 조금인 것을 비유적으로 이르는 말.
- **감복하다** 감동하여 충심으로 탄복하다.
- **탐관오리** 백성의 재물을 탐내어 빼앗는 타락한 관리.
- **감사** 조선 시대에, 각 도의 모든 일을 책임지던 관리.
- **당수** 정당의 우두머리.
- **축지법** 도술을 부려 땅을 좁혀서 먼 거리를 아주 빨리 갈 수 있게 하는 방법.
- **감영** 조선 시대에, 관찰사가 직무를 보던 관아.
- **초인** 짚으로 만든 사람 모양의 물건.
- **혼백** 사람의 몸에 있으면서 몸을 거느리고 정신을 다스리는 비물질적인 것. = 넋

1-1 ㉠을 통해 알 수 있는 당시의 사회상으로 알맞은 것은?

① 탐관오리의 횡포가 매우 심하였다.

② 전국 각지에서 도적들이 많이 생겨났다.

1-2 이 글에 나타난 당시의 사회 모습으로 알맞은 것은?

① 백성들의 저항 운동이 일어났다.
② 부패한 관리들의 횡포가 심하였다.
③ 이민족들이 우리나라를 쳐들어왔다.
④ 가난해서 굶어 죽는 사람들이 많았다.
⑤ 탐관오리의 죄상을 밝혀 처벌을 내렸다.

● 이민족 언어나 풍습 등이 다른 민족.

2-1 이 글에 나타난 길동의 활약상에 해당하면 ○, 그렇지 않으면 ×에 표시하시오.

(1) 길동은 부패한 관리들의 재물을 빼앗았다. 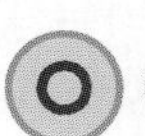 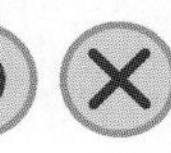

(2) 길동은 관리를 도와 가난한 백성을 구제하였다. 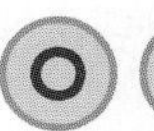

2-2 영웅의 일대기적 구성 가운데 이 글의 내용에 해당하는 것은?

① 고귀한 혈통을 지님.
② 어려서 죽을 위기를 겪음.
③ 비범한 능력을 발휘하여 활약함.
④ 조력자의 도움으로 위기에서 벗어남.
⑤ 모든 위기를 극복하고 위대한 업적을 세움.

3-1 ⓐ~ⓔ 중, 〈보기〉에서 설명하는 고전 소설의 특징이 잘 나타나 있는 것은?

> 보기
> 전기성(傳奇性)이란 귀신이나 신선이 등장하거나 도술을 부리는 등 현실에서 일어나기 힘든 일들이 일어나는 것을 의미한다.

① ⓐ ② ⓑ ③ ⓒ ④ ⓓ ⑤ ⓔ

3-2 ⓔ에서 알 수 있는 고전 소설의 특징으로 알맞은 것은?

① 비현실적인 사건이 전개된다.
② 사건이 우연적으로 발생한다.
③ 권선징악의 주제가 제시된다.
④ 주인공이 행복한 결말을 맞는다.
⑤ 인물의 출생부터 죽음까지를 다룬다.

1주 4일 기초 집중 연습

발단 | 전개 | 위기 | 절정 | 결말

이 장면은

서울로 잡혀 온 길동이 임금에게 불합리한 현실에 대해 말하고, 병조 판서의 벼슬에 임명된 후 조선을 떠나는 장면이다.

여기에 주목해 봐!

- 길동과 임금의 외적 갈등
- 길동의 갈등 해결 과정

[4~6] 다음 글을 읽고 물음에 답하시오.

앞부분 줄거리 | 조정에서는 길동을 잡으려 하지만 신출귀몰한 길동을 잡을 수 없었다. 임금의 명을 받은 홍 판서의 적자인 인형은 길동을 잡아 서울로 올려 보낸다. 그러나 팔도에서 다 길동을 잡아 올리니 조정과 백성들은 어찌 된 영문인지 몰라 한다.

임금이 놀라서 온 조정 신하들을 모으고 몸소 죄인을 다스리는데, 여덟 길동을 잡아 올리니 그들이 서로 진짜 길동이 아니라고 하며 싸우니 어느 것이 진짜 길동인지 분간할 수가 없었다. (중략)

여덟 길동이 임금께 아뢰었다.

[A] "저는 본래 천한 종의 몸에서 났기에 그 아비를 아비라 못하옵고 그 형을 형이라 못하와 평생 한이 맺혔기에 집을 버리고 도적의 무리에 참여하였사옵니다. 그러나 백성을 추호도 범하지 않고 각 읍 수령이 백성들에게서 착취한 재물만 빼앗았을 뿐입니다. 이제 십 년이 지나면 조선을 떠나 갈 곳이 있사오니 엎드려 빌건대 성상께서는 근심하지 마시고 저를 잡으라는 공문을 거두어주시옵소서."

하고 말을 마치자 여덟 명이 한꺼번에 넘어지기에 자세히 보니 다 초인이었다. 임금이 더욱 놀라며 진짜 길동을 잡으라는 공문을 다시 팔도에 내렸다.

길동이 초인을 없애고 두루 다니다가 사대문에 글을 써 붙였다.

> 길동은 아무리 하여도 잡지 못할 것이오니 병조 판서 벼슬을 내려 주시면 잡히겠습니다.

생략된 부분의 줄거리 | 신하들의 의견이 맞서는 가운데 임금은 길동을 잡기 위해 길동에게 병조 판서 벼슬을 내린다는 글을 사대문에 써 붙인다. 이를 본 길동은 임금을 찾아온다.

길동이 궐내에 들어가 임금께 인사를 드리고 아뢰기를,

"저의 죄악이 지중하온데 도리어 은혜를 입사와 평생의 한을 풀고 돌아가옵니다. 이제 전하와 영원히 작별하오니 부디 만수무강하소서."

하고 말을 마치자 몸을 공중에 솟구쳐 구름에 싸여 가니 가는 곳을 알 수가 없었다. 임금이 보고 도리어 감탄하기를,

"길동의 신기한 재주는 고금에 드문 일이로다. 제가 지금 조선을 떠나노라 하였으니 다시는 폐 끼칠 일이 없을 것이다. 비록 미심쩍기는 하나 대장부다운 통쾌한 마음을 가졌으니 염려 없을 것이로다."

하고 팔도에 글을 내려 길동 잡는 일을 거두어들였다.

어휘 풀이

- **조정** 임금이 나라의 정치를 신하들과 의논하거나 집행하는 곳. 또는 그런 기구.
- **신출귀몰하다** 귀신처럼 움직임을 쉽게 알 수 없을 만큼 자유자재로 나타나고 사라지다.
- **성상** 살아 있는 자기 나라의 임금을 높여 이르는 말.
- **공문** 공공 기관이나 단체에서 공식으로 작성한 서류.
- **사대문** 조선 시대에, 서울에 있던 네 개의 대문. 동쪽의 흥인지문, 서쪽의 돈의문, 남쪽의 숭례문, 북쪽의 숙정문.
- **병조 판서** 조선 시대에 둔, 병조의 으뜸 벼슬. 품계는 정이품으로, 군사와 국방에 관한 일을 총괄하였다.
- **지중하다** 더할 수 없이 무겁다.
- **만수무강하다** 병이나 사고 없이 건강하게 오래 살다.
- **고금** 예전과 지금.

4-1 이 글의 내용과 일치하면 ○, 틀리면 ×에 표시하시오.

(1) 길동이 신출귀몰하여 조정에서 길동을 잡는 데 어려움을 겪었다. 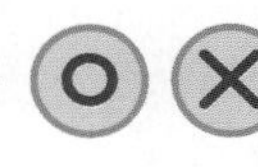

(2) 길동은 임금께 탐관오리의 처벌을 강력하게 요구하였다. 

4-2 이 글의 내용과 일치하지 않는 것은?

① 조정에서는 길동을 잡아들이려 하였다.
② 팔도에서 잡아 올린 길동이 여덟 명이었다.
③ 길동은 자기 소원을 이루자 조선을 떠났다.
④ 임금과 길동의 갈등은 끝내 해결되지 않았다.
⑤ 길동은 사대문에 글을 붙여 자신이 원하는 바를 요구하였다.

5-1 이 글의 내용으로 보아, 길동이 품었을 소원으로 적절한 것을 모두 고르시오.

5-2 [A]에서 길동이 임금께 말하고자 하는 바가 아닌 것은?

① 자신이 신분적 차별을 받았다는 것
② 호부호형을 하지 못해 한스럽다는 것
③ 자신이 백성에게 해를 끼치지 않았다는 것
④ 자신은 탐관오리가 부정한 방법으로 쌓은 재물만 빼앗았다는 것
⑤ 적서 차별 문제를 근본적으로 해결할 수 있는 대책을 마련해 달라는 것

6-1 이 글에 나타난 길동의 태도로 알맞은 것을 고르시오.

6-2 이 글에서 길동이 사회 현실에 대응하는 방식으로 알맞은 것은?

① 사회 질서에 순응하였다.
② 새로운 조선 사회를 세웠다.
③ 부조리한 현실에 저항하였다.
④ 신분 제도와 적서 차별을 개혁하였다.
⑤ 상황의 변화에 따라 자신에게 이로운 쪽으로 행동하였다.

작품 한번더 체크

<하늘은 맑건만>

갈등 진행에 따른 사건 전개 과정

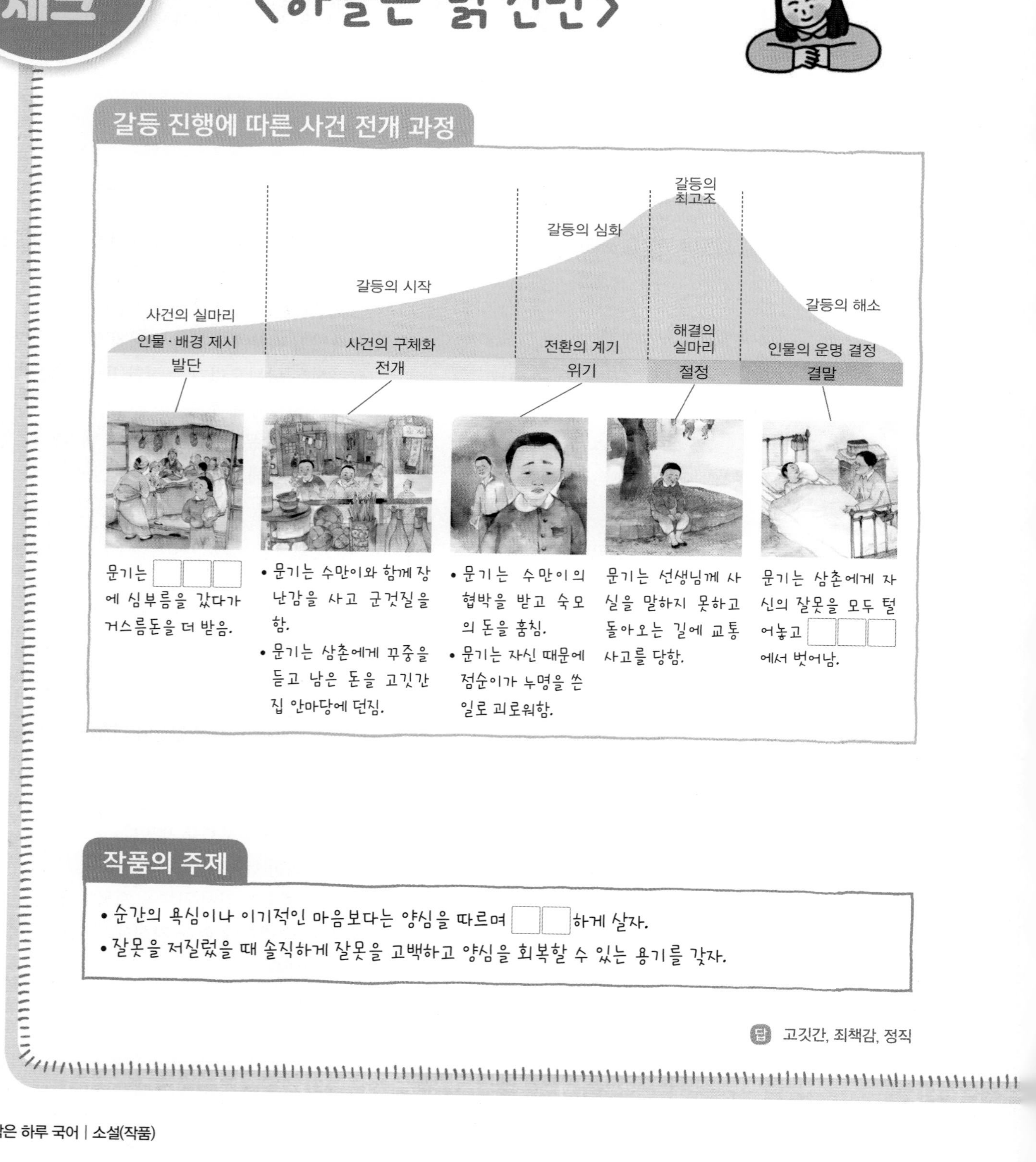

문기는 ☐☐☐에 심부름을 갔다가 거스름돈을 더 받음.

- 문기는 수만이와 함께 장난감을 사고 군것질을 함.
- 문기는 삼촌에게 꾸중을 듣고 남은 돈을 고깃간 집 안마당에 던짐.

- 문기는 수만이의 협박을 받고 숙모의 돈을 훔침.
- 문기는 자신 때문에 점순이가 누명을 쓴 일로 괴로워함.

문기는 선생님께 사실을 말하지 못하고 돌아오는 길에 교통사고를 당함.

문기는 삼촌에게 자신의 잘못을 모두 털어놓고 ☐☐☐에서 벗어남.

작품의 주제

- 순간의 욕심이나 이기적인 마음보다는 양심을 따르며 ☐☐하게 살자.
- 잘못을 저질렀을 때 솔직하게 잘못을 고백하고 양심을 회복할 수 있는 용기를 갖자.

답 고깃간, 죄책감, 정직

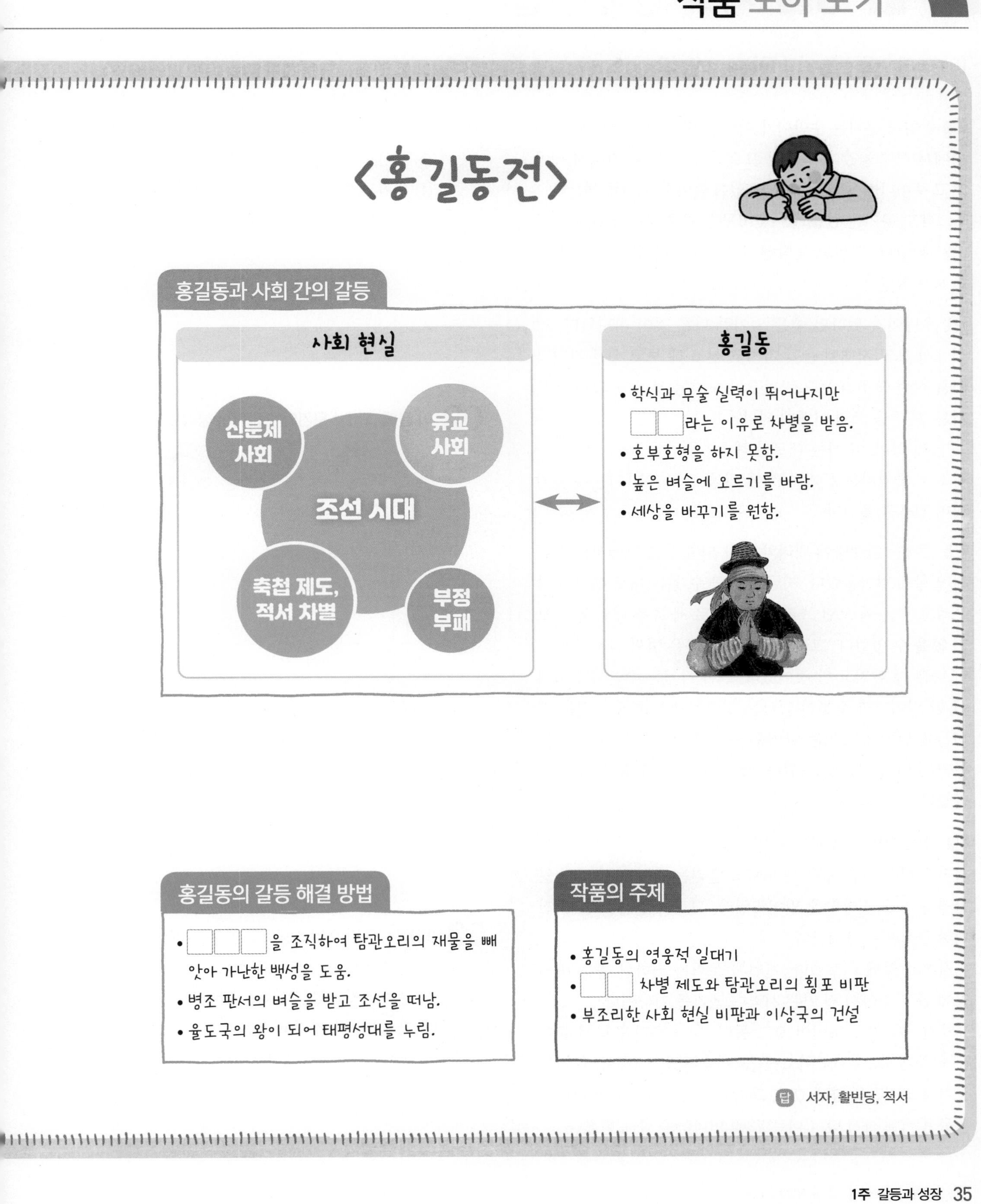

<홍길동전>

홍길동과 사회 간의 갈등

사회 현실

↔

홍길동

- 학식과 무술 실력이 뛰어나지만 □□라는 이유로 차별을 받음.
- 호부호형을 하지 못함.
- 높은 벼슬에 오르기를 바람.
- 세상을 바꾸기를 원함.

홍길동의 갈등 해결 방법

- □□□을 조직하여 탐관오리의 재물을 빼앗아 가난한 백성을 도움.
- 병조 판서의 벼슬을 받고 조선을 떠남.
- 율도국의 왕이 되어 태평성대를 누림.

작품의 주제

- 홍길동의 영웅적 일대기
- □□ 차별 제도와 탐관오리의 횡포 비판
- 부조리한 사회 현실 비판과 이상국의 건설

답 서자, 활빈당, 적서

1주 5일 기초 집중 연습

[01~03] 다음 글을 읽고 물음에 답하시오.

가 마침내 문기는 수만이가 이르는 대로 잔돈만 양복 주머니에서 꺼내 놓았다. 숙모는 그 돈을 받아 두 번 자세히 세어 보고 주머니에 넣고는 아무 말 없이 돌아서 고기를 씻는다.

그래도 문기는 한동안 머뭇머뭇 눈치를 보다가 슬며시 밖으로 나갔다. 그리고 문밖엔 수만이가 이상한 웃음으로 그를 맞이하였다.

나 수만이가 있다던 좋은 일이란 다른 것이 아니었다. 거리에서 보고 지내던 온갖 가지고 싶고 해 보고 싶은 가지가지를 한번 모조리 돈으로 바꾸어 보자는 것이다. 그러나 문기는, / "돈을 쓰면 어떻게 되니?"

"염려 없어. 나 하는 대로만 해."

하고 머뭇거리는 문기 어깨에 팔을 걸고 수만이는 우쭐거리며 걸음을 옮긴다.

다 문기는 아랫방에 내려와 혼자 되자 삼촌 앞에서보다 갑절 얼굴이 달아올랐다. 지금까지 될 수 있는 대로 생각지 않으려고 힘을 써 오던 그편에 정면으로 제 몸을 세워 놓고 보지 않을 수 없었다. 그러자 자기라는 몸은 벌써 삼촌의 이른바 나쁜 데 빠지고 만 것이었다. 그야 자기는 수만이가 시켜서 한 일이니까 잘못이 없다는 것이지만 당초에 그것은 제 허물을 남에게 밀려는 얄미운 구실이 아니고 뭐냐. 그리고 문기는 이미 삼촌을 속였다. 또 써서는 아니 될 돈을 쓰고 말았다.

라 쌍안경이 든 불룩한 주머니가 또 성화다. 골목 하나를 돌아서 나올 즈음, 문기는 모르고 흘리는 것인 양 슬며시 쌍안경을 꺼내 길바닥에 떨어뜨렸다. 그리고 걸음을 빨리 건너편 골목으로 들어간다.

개천가 앞에 이르렀다. 거기서 문기는 커다란 공을 바지 앞에 품고 앉아서 길 가는 사람이 없기를 기다린다.

자전거가 가고 노인이 오고 동이 뜬 그 중간을 타서 문기는 허옇게 흐르는 물 위로 공을 던져 버렸다. (중략) 문기는 삼거리 고깃간을 향해 갔다. 그리고 골목으로 돌아가 나머지 돈을 종이에 싸서 담 너머로 그 집 안마당을 향해 던졌다.

01 이 글의 내용과 일치하지 않는 것은?

① 문기는 잔돈을 받은 숙모의 반응을 살폈다.
② 수만이는 문기와 잔돈을 쓸 궁리를 하였다.
③ 문기는 삼촌을 속인 것에 부끄러움을 느꼈다.
④ 문기는 쌍안경과 공을 집 밖에서 몰래 버렸다.
⑤ 문기는 고깃간 주인에게 돈을 직접 돌려주었다.

02 이 글에 드러난 문기와 수만이의 성격으로 알맞은 것은?

	문기	수만
①	소심하다.	영악하다.
②	영리하다.	순진하다.
③	영악하다.	어리숙하다.
④	적극적이다.	소극적이다.
⑤	의심이 많다.	우유부단하다.

• 영악하다 이익과 손해에 대한 계산이 빠르며 약다.
• 우유부단하다 망설이기만 하고 결정을 짓지 못하는 점이 있다.

03 (다)에 나타난 주된 갈등으로 알맞은 것은?

① 서로를 탓하는 문기와 수만이의 외적 갈등
② 문기의 장래를 걱정하는 삼촌의 내적 갈등
③ 거스름돈을 가지고 싶은 수만이의 내적 갈등
④ 문기의 친구 관계와 관련한 문기와 삼촌의 외적 갈등
⑤ 삼촌에게 꾸중을 듣고 괴로움을 느끼는 문기의 내적 갈등

[04~06] 다음 글을 읽고 물음에 답하시오.

가 "난 인제 돈 가진 것 없다." / "뭐?"
하고 수만이는 의외라는 듯 눈이 둥그레지다가는 금세 능청스러운 웃음을 지으며
"너 혼자 두고 쓰잔 말이지? 그러지 말구 어서 가자."
"정말 없어. 지금 고깃간 집 안마당으로 던져 주고 오는 길야. 공두 쌍안경두 버리구."
하고 문기는 증거를 보이느라고 이쪽저쪽 주머니를 털어 보이는 것이나 수만이는 흥 하고 코웃음을 친다.

나 칠판 한가운데, "김문기는 ○○○했다."가 커다랗게 쓰여 있다. (중략) 그러나 수만이는 그것으로 그만두지 않았다. 학교를 파해 거리로 나와서는 한층 심했다. 두어 간 문기를 앞세워 놓고 따라오면서 연해 수만이는,
"앞에 가는 아이는 공공공했다지."
그리고 점점 더해 나중엔 도적질을 거꾸로 붙여서,
"앞에 가는 아이는 질적도 했다지."
하고 거리거리 외며 따라오는 것이다.

다 눈앞에 보이는 붙장 안 앞턱에 잔돈 얼마와 지전 몇 장이 놓여 있다. 그리고 문밖엔 지금 수만이가 돈을 가지고 나오기를 기다리고 섰다. 여기서 문기는 두 번째 허물을 범하고 말았다.
"진작 듣지."
하고 빙그레 웃는 수만이 얼굴에다 빰을 때리듯 돈을 던져 주고 문기는 달아났다.

라 삼촌은 근심스러운 얼굴로 내려다본다.
"작은아버지."
하고 문기는 입을 열었다. 그리고,
"저는 마땅히 받아야 할 벌을 받은 거예요."
하고 문기는 눈을 감으며 한 마디 한 마디 그러나 똑똑하게 처음서부터 끝까지 (㉠), 이렇게 하나하나 숨김없이 자백을 하자 이때까지 겹겹으로 몸을 싸고 있던 허물이 한 꺼풀 한 꺼풀 벗어지면서 따라 마음속의 어둠도 차차 사라지며 맑아 가는 것을, 문기는 확실히 깨달을 수 있었다. 마음이 맑아지며 따라 몸도 가뜬해진다.

04 이 글에 나타난 갈등 전개 과정으로 알맞지 않은 것은?

① 문기가 고깃간 집 안마당에 돈을 던졌다고 말함.
→ ② 돈을 다 써 버린 문기에게 수만이가 화를 냄.
→ ③ 수만이는 문기의 잘못을 언급하며 괴롭힘.
→ ④ 문기는 수만이의 요구대로 돈을 가져다줌.
→ ⑤ 문기는 삼촌에게 모든 잘못을 고백하고 갈등이 완전히 해소됨.

05 ㉠에 들어갈 알맞은 내용을 모두 골라 묶은 것은?

ㄱ. 거저 생긴 돈을 수만이와 함께 쓴 것
ㄴ. 붙장 안에 있던 돈을 자기가 훔쳐 낸 것
ㄷ. 수만이가 도둑질한 사실을 알고도 숨긴 것
ㄹ. 수만이가 숙모의 돈을 훔쳐 오라고 시킨 것

① ㄱ, ㄴ ② ㄱ, ㄹ ③ ㄴ, ㄷ
④ ㄴ, ㄹ ⑤ ㄷ, ㄹ

06 이 글에 대한 학생들의 감상으로 알맞지 않은 것은?

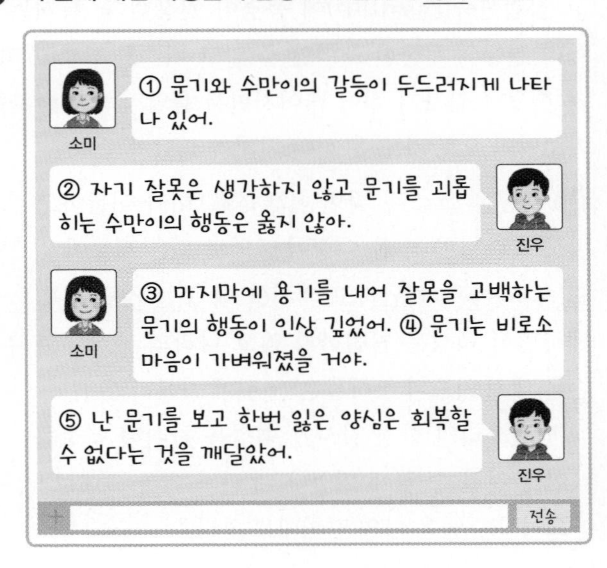

① 문기와 수만이의 갈등이 두드러지게 나타나 있어.
소미
② 자기 잘못은 생각하지 않고 문기를 괴롭히는 수만이의 행동은 옳지 않아.
진우
③ 마지막에 용기를 내어 잘못을 고백하는 문기의 행동이 인상 깊었어. ④ 문기는 비로소 마음이 가벼워졌을 거야.
소미
⑤ 난 문기를 보고 한번 잃은 양심은 회복할 수 없다는 것을 깨달았어.
진우
전송

1주
5일

1주 5일 기초 집중 연습

[07~09] 다음 글을 읽고 물음에 답하시오.

가 **앞부분의 줄거리 |** 조선 세종 임금 시절, ㉠홍 판서에게는 정실 부인 유씨가 낳은 아들 인형과 여종 춘섬이 낳은 아들 길동이 있었다. 홍 판서는 총명한 길동이 서자(庶子)의 신분인 것을 안타까워하였다.

나 길동이 열 살이 넘도록 감히 아버지와 형을 부르지 못하는 데다가 종들로부터도 천대받는 것을 뼈에 사무치게 한탄하면서 마음 둘 바를 몰랐다.

"대장부가 세상에 나서 공자와 맹자를 본받지 못할 바에야 차라리 병법이라도 익혀 대장인(大將印)을 허리춤에 비스듬히 차고 동서로 정벌하여 나라에 큰 공을 세우고 이름을 만대에 빛내는 것이 장부의 통쾌한 일이 아니겠는가? ㉡나는 어찌하여 이렇게 외롭고, 아버지와 형이 있는데도 아버지를 아버지라 부르지 못하고 형을 형이라 부르지 못하니 심장이 터질 지경이라, 이 어찌 통탄할 일이 아니겠는가!"

다 "까마귀는 본래 밤을 꺼리는데 이제 울고 가니 심히 불길하구나."

하면서 잠시 ㉢《주역》의 팔괘(八卦)로 점을 쳐 보고는, 크게 놀라 책상을 밀치고 둔갑법으로 몸을 숨긴 채 동정을 살피고 있었다. 밤중이 지나자 한 사람이 비수를 들고 천천히 방문으로 들어오기에 ㉣길동이 급히 몸을 감추고 주문을 외니, 문득 한 줄기 음산한 바람이 일어나면서 집은 간데없고 첩첩산중(疊疊山中)에 풍경이 굉장했다. 특재는 크게 놀라 길동의 무궁한 조화인 줄 알고 비수를 감추고 피하고자 했으나 갑자기 길이 끊어지면서 층암절벽(層巖絶壁)이 가로막아 오도 가도 못 하는 처지가 되었다.

라 길동은 스스로 '활빈당(活貧黨)'이라 이름하고 ㉤조선 팔도로 다니며 각 읍 수령이 불의로 모은 재물이 있으면 탈취(奪取)하고, 가난하고 의지할 데 없는 사람이 있으면 구제하면서 백성은 침범하지 않고 나라의 재산에는 추호도 손을 대지 않으니 부하들은 그 뜻에 감복하였다.

"탐관오리인 함경 감사가 백성을 착취해 백성들이 이제 이를 견딜 수 없게 되었다. 우리가 이를 그대로 둘 수 없으니 그대들은 나의 지휘대로 하라."

이렇게 말하고는 아무 날 밤으로 약속을 정하고 하나씩 흘러 들어가 함흥 남문 밖에 불을 질렀다.

---

07 '홍길동'에 대한 설명으로 알맞지 않은 것은?

① 총명하고 도술에 능했다.
② 자신의 처지를 원통하게 생각했다.
③ 특재로부터 목숨의 위협을 받았다.
④ 아버지가 없어 아버지를 불러 보지 못했다.
⑤ 종들에게조차 천대받는 것을 몹시 서러워했다.

08 이 글에서 알 수 있는, 당시의 사회 모습으로 알맞지 않은 것은?

① 신분 제도가 존재하였다.
② 탐관오리들의 횡포가 심했다.
③ 서자에 대한 차별이 존재하였다.
④ 입신양명하는• 것을 중요하게 생각했다.
⑤ 신분에 관계 없이 높은 벼슬을 얻을 수 있었다.

• **입신양명하다** 사회적으로 성공하여 이름을 세상에 널리 알리다.

09 ㉠~㉤에 대한 설명으로 알맞지 않은 것은?

① ㉠: 길동이 서자의 신분임이 드러난다.
② ㉡: 길동의 내적 갈등이 나타난 부분이다.
③ ㉢: 길동은 주역 점을 쳐서 자객의 침입을 미리 알았다.
④ ㉣: 길동이 비범한 능력을 지녔음이 나타난다.
⑤ ㉤: 길동이 백성의 재물을 빼앗아 부를 쌓았음을 알 수 있다.

[10~12] 다음 글을 읽고 물음에 답하시오.

(가) 길동은 초인 일곱을 만들어 주문을 외며 혼백을 붙였다. 일곱 길동이 한꺼번에 팔을 뽐내며 크게 소리치고 한곳에 모여 야단스럽게 지껄이니 어느 것이 참 길동인지 알 수가 없었다. 팔도에 하나씩 흩어져 각각 부하 수백 명씩을 거느리고 다니니 그중에서도 어느 것이 진짜인지 알 수가 없었다. 여덟 길동이 팔도를 다니며 바람과 비를 부르는 술법을 부려 각 읍 창고에 있던 곡식을 하룻밤 사이에 종적 없이 가져가고 지방에서 서울로 올려 보내는 뇌물 꾸러미를 모조리 탈취해 갔다.

(나) 여덟 길동이 임금께 아뢰었다.

"저는 본래 천한 종의 몸에서 났기에 그 아비를 아비라 못 하옵고 그 형을 형이라 못하와 평생 한이 맺혔기에 집을 버리고 도적의 무리에 참여하였사옵니다. 그러나 백성을 추호도 범하지 않고 각 읍 수령이 백성들에게서 착취한 재물만 빼앗았을 뿐입니다. 이제 십 년이 지나면 조선을 떠나 갈 곳이 있사오니 엎드려 빌건대 성상께서는 근심하지 마시고 저를 잡으라는 공문을 거두어주시옵소서."

하고 말을 마치자 여덟 명이 한꺼번에 넘어지기에 자세히 보니 다 초인이었다.

(다) 길동이 궐내에 들어가 임금께 인사를 드리고 아뢰기를,

"저의 죄악이 지중하온데 도리어 은혜를 입사와 평생의 한을 풀고 돌아가옵니다. 이제 전하와 영원히 작별하오니 부디 만수무강하소서."

하고 말을 마치자 몸을 공중에 솟구쳐 구름에 싸여 가니 가는 곳을 알 수가 없었다. 임금이 보고 도리어 감탄하기를,

"길동의 신기한 재주는 고금에 드문 일이로다. 제가 지금 조선을 떠나노라 하였으니 다시는 폐 끼칠 일이 없을 것이다. 비록 미심쩍기는 하나 대장부다운 통쾌한 마음을 가졌으니 염려 없을 것이로다."

하고 팔도에 글을 내려 길동 잡는 일을 거두어들였다.

(라) **뒷부분의 줄거리** | 이후 길동은 임금께 벼 일천 석을 청하여 활빈당 무리를 이끌고 조선을 떠나, 남쪽에 있는 율도국의 왕위에 올라 태평성대(太平聖代)를 누린다.

10 이 글에서 길동의 비범한 면모를 드러내는 것이 아닌 것은?

① 몸을 공중에 솟구쳐 구름에 싸여 사라졌다.
② 팔도를 다니며 비바람을 부르는 술법을 부렸다.
③ 초인 일곱을 만들어 주문을 외며 혼백을 붙였다.
④ 읍 창고의 곡식을 하룻밤 새에 종적 없이 가져갔다.
⑤ 궐내로 들어가 임금께 하직• 인사를 드리고 조선을 떠났다.

• 하직 서울을 떠나는 벼슬아치가 임금에게 작별을 아뢰던 일.

11 (나)를 통해 알 수 있는, 이 글의 주된 갈등으로 알맞은 것은?

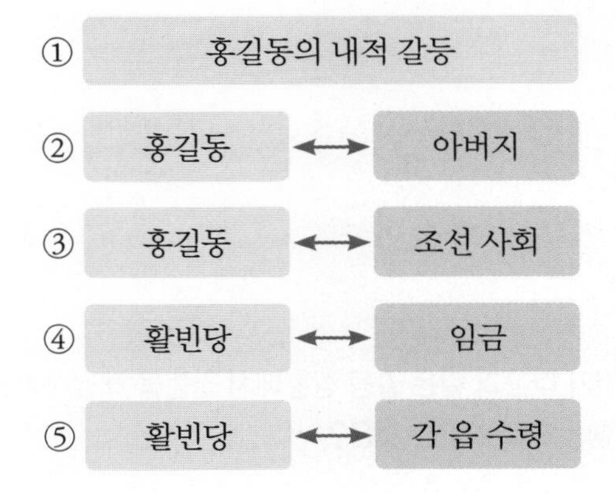

12 이 글에서 길동이 갈등을 해결하는 과정에서 한 행동으로 알맞지 않은 것은?

① 탐관오리의 재물을 빼앗았다.
② 임금께 탐관오리의 횡포를 말하였다.
③ 율도국의 왕이 되어 나라를 다스렸다.
④ 활빈당 무리를 이끌고 조선을 떠났다.
⑤ 임금께 신분 제도를 없애 달라고 건의했다.

1주 누구나 100점 테스트

<하늘은 맑건만>

01 이 소설의 등장인물과 그의 성격을 바르게 연결하시오.

(1)  문기 • • ㉠ 바르고 엄격함.

(2)  수만 • • ㉡ 영악하고 계산적임.

(3)  삼촌 • • ㉢ 소심하고 순진함.

02 문기가 다음과 같은 갈등 상황에서 갈등을 해결하기 위해 한 행동으로 알맞은 것은?

남은 돈은 고깃간 집에 던져 주고 왔어. 더는 양심을 속이는 행동은 안 할 거야.
문기

돈을 혼자 쓰려는 속셈이지? 그렇다면 나도 가만있지 않겠어.
수만

① 공과 쌍안경을 집 밖에 버렸다.
② 고깃간 집 안마당에 남은 돈을 던졌다.
③ 숙모의 돈을 훔쳐서 수만이에게 주었다.
④ 삼촌에게 거짓말을 하여 잘못을 감추었다.
⑤ 담임 선생님에게 그동안의 일을 고백하였다.

03 이 소설의 시대적 배경이 1930년대임을 짐작하게 하는 것이 아닌 것은?

① 수신 시간
② 공과 쌍안경
③ 지금은 잘 쓰이지 않은 '등구미'
④ 고깃간에서 고기를 종이에 말아 파는 모습
⑤ '지전 아홉 장, 은전 몇 닢, 일 원'과 같은 화폐

04 사건 진행에 따른 문기의 심리 변화를 정리한 표이다. 빈칸에 들어갈 알맞은 내용을 <보기>에서 찾아 쓰시오.

보기
미안함, 부끄러움, 불안함, 의아함, 후련함

사건	문기의 심리
거스름돈을 더 받음.	( )
수만이와 함께 돈을 씀.	두려움, 기쁨
삼촌에게 꾸중을 들음.	( )
남은 돈을 고깃간 집에 던짐.	후련함, 홀가분함
수만이에게 협박을 받음.	( ), 괴로움
점순이가 누명을 씀.	죄책감, ( )
삼촌에게 잘못을 털어놓음.	( ), 홀가분함

05 다음은 이 소설의 제목의 의미와 주제를 정리한 것이다. 빈칸에 알맞은 말을 쓰시오.

제목 '하늘은 맑건만'의 의미
( )을 속인 행동을 한 뒤 ( )을 떳떳이 볼 수 없었던 문기의 괴로운 심리를 나타냄.

↓

주제
양심을 속이지 않고 ( )하게 사는 삶의 중요성

〈홍길동전〉

06 이 소설에 나타난 당시 사회의 모습을 정리한 것이다. 빈칸에 들어갈 알맞은 내용을 〈보기〉에서 찾아 쓰시오.

> 보기
> 서자, 임금, 입신양명, 첩, 탐관오리

(1) (   )이 나라를 다스렸다.
(2) 적자와 (   )를 차별하였다.
(3) 양반은 본부인 외에 (   )을 둘 수 있었다.
(4) (   )을 최고의 삶으로 여기며 출세를 중시하였다.
(5) (   )들의 횡포가 심해 백성들의 생활이 어려웠다.

07 주인공 '길동'에 대해 잘못 파악한 사람의 이름을 쓰시오.

길동은 홍 판서를 '아버지'라고 부르고, 스스로를 '소자'라고 칭하였어.

재훈

길동은 부조리한 사회 현실에 맞서서 적극적으로 저항하는 태도를 취하였어.

시영

길동은 활빈당을 만들어 탐관오리의 재물을 탈취하고 가난한 백성들을 도왔어.

예지

길동은 임금께 병조 판서의 벼슬을 요구하여 마침내 입신양명의 꿈을 이루었어.

민재

08 다음은 길동이 겪은 갈등을 정리한 것이다. 빈칸에 들어갈 알맞은 내용을 〈보기〉에서 찾아 쓰시오.

> 보기
> 소원, 임금, 차별, 홍 판서

(1) 내적 갈등: 자신의 (   )을 가로막는 현실에서 고민하고 괴로워함.
(2) 외적 갈등

- 적자와 서자를 (   )하는 사회와의 갈등
- 호부호형을 허락하지 않는 (   )와의 갈등
- 길동을 죽이려는 특재와의 갈등
- 전국 각지에서 도적질하는 길동을 잡아들이려는 (   )과의 갈등

09 영웅의 일대기적 구성 가운데 〈보기〉의 내용과 관련 깊은 것은?

> 보기
> 길동은 초란의 사주를 받아 자신을 죽이려고 하는 특재에게 생명의 위협을 받는다.

① 고귀한 혈통으로 태어남.
② 비범한 지혜와 능력을 지님.
③ 어려서 위기에 빠져 죽을 고비를 겪음.
④ 조력자의 도움을 받아 위기에서 벗어남.
⑤ 모든 위기를 극복하여 위대한 업적을 세움.

10 〈보기〉에서 설명하는 고전 소설의 특징과 관련된 말을 괄호 안에서 고르시오.

> 보기
> 〈홍길동전〉에서는 길동이 둔갑법, 축지법, 분신술 등을 펼치는 모습이 나온다. 이처럼 고전 소설에서는 현실에서 일어나기 힘든 사건이 전개되는 것이 특징인데, 이를 '(우연성 / 전기성)'이라 한다.

특강 | 창의·융합·코딩

1 위기 상황과 관련된 한자 성어

〈하늘은 맑건만〉의 '문기', 〈홍길동전〉의 '길동'과 같이 소설에서 인물은 다양한 위기 상황에 부딪히게 됩니다. 위기 상황과 관련된 한자 성어를 살펴보고, 두 작품의 주인공이 처한 상황과 관련 깊은 한자 성어를 찾아봅시다.

사면초가

四 넉 사, 面 낯 면, 楚 초나라 초, 歌 노래 가

고사 초나라 왕 항우가 해하에서 한나라 군사에 의해 사면이 포위되었을 때, 한나라 군사 쪽에서 들려오는 초나라의 노랫소리를 듣고 초나라 군사가 이미 항복한 줄 알고 놀라서 자결했다는 데서 유래하였다.

의미 아무에게도 도움이나 지지를 받을 수 없는 고립된 상태에 처하게 된 것을 이르는 말.

예문 도둑은 경찰들에게 포위되어 사면초가에 처했다.

풍전등화

風 바람 풍, 前 앞 전, 燈 등잔 등, 火 불 화

고사 백제의 마지막 왕인 의자왕이 간신들과 방탕한 생활을 하다가 신라와 당나라 연합군이 쳐들어오는 것을 알고 그 처지가 바람 앞에 등불과 같다고 한 데서 유래하였다.

의미 바람 앞의 등불이라는 뜻으로, 사물이 매우 위태로운 처지에 놓여 있음을 비유적으로 이르는 말.

유사 표현 풍전등촉(風前燈燭)

예문 장맛비로 강가의 둑이 무너져 마을의 운명이 풍전등화에 처했다.

설상가상

雪 눈 설, 上 위 상, 加 더할 가, 霜 서리 상

의미 눈 위에 서리가 덮인다는 뜻으로, 난처한 일이나 불행한 일이 잇따라 일어남을 이르는 말.

유사 표현 엎친 데 덮친 격, 눈 위에 서리 친다.

예문 시간도 없는데 설상가상으로 길까지 막혔다.

오리무중

五 다섯 오, 里 마을 리, 霧 안개 무, 中 가운데 중

고사 중국 후한의 장해가 도술로 안개를 오 리나 퍼지도록 하는 '오리무'를 만들어서 자신을 찾아오는 사람들이 오리무 속을 헤매게 만들었다는 데서 유래하였다.

의미 오 리나 되는 짙은 안개 속에 있다는 뜻으로, 무슨 일에 대하여 방향이나 갈피를 잡을 수 없음을 이르는 말.

예문 여전히 범인의 정체가 오리무중이다.

Q (가), (나)에서 인물이 처한 상황과 관련 깊은 한자 성어를 각각 쓰시오.

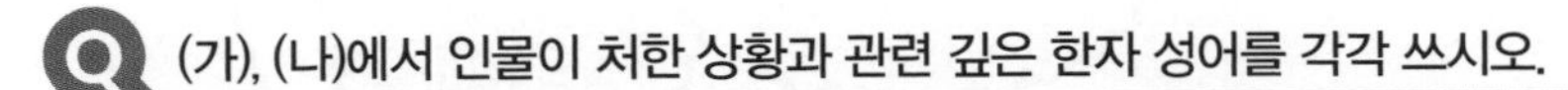

가

<하늘은 맑건만>의 문기: 숙모의 돈을 훔친 사람은 나인데, 점순이가 누명을 쓰고 말았어. 이제 와서 내가 한 짓이라고 밝힐 수도 없고 그렇다고 계속 모른 척할 수도 없으니, 그야말로 ㅅ ㅁ ㅊ ㄱ 의 상황이구나.

나

<홍길동전>의 길동: 임금께옵서 팔도에 공문을 내려 나를 잡아들이라 명하시더니, ㅅ ㅅ ㄱ ㅅ 으로 이제는 아버님과 형님을 불러 나를 잡아들이라 명하셨구나.

❷ 뇌 구조도 그리기

소설에서 등장인물 개개인은 저마다 독특한 성격을 지니고 있으며, 말과 행동을 통해 심리를 드러내기도 하고, 사건 전개 과정에서 갈등을 겪기도 합니다. 다음 예를 살펴보고, 이번 주에 공부한 작품에 등장하는 인물 가운데 한 사람을 골라 뇌 구조도를 그려 봅시다.

예

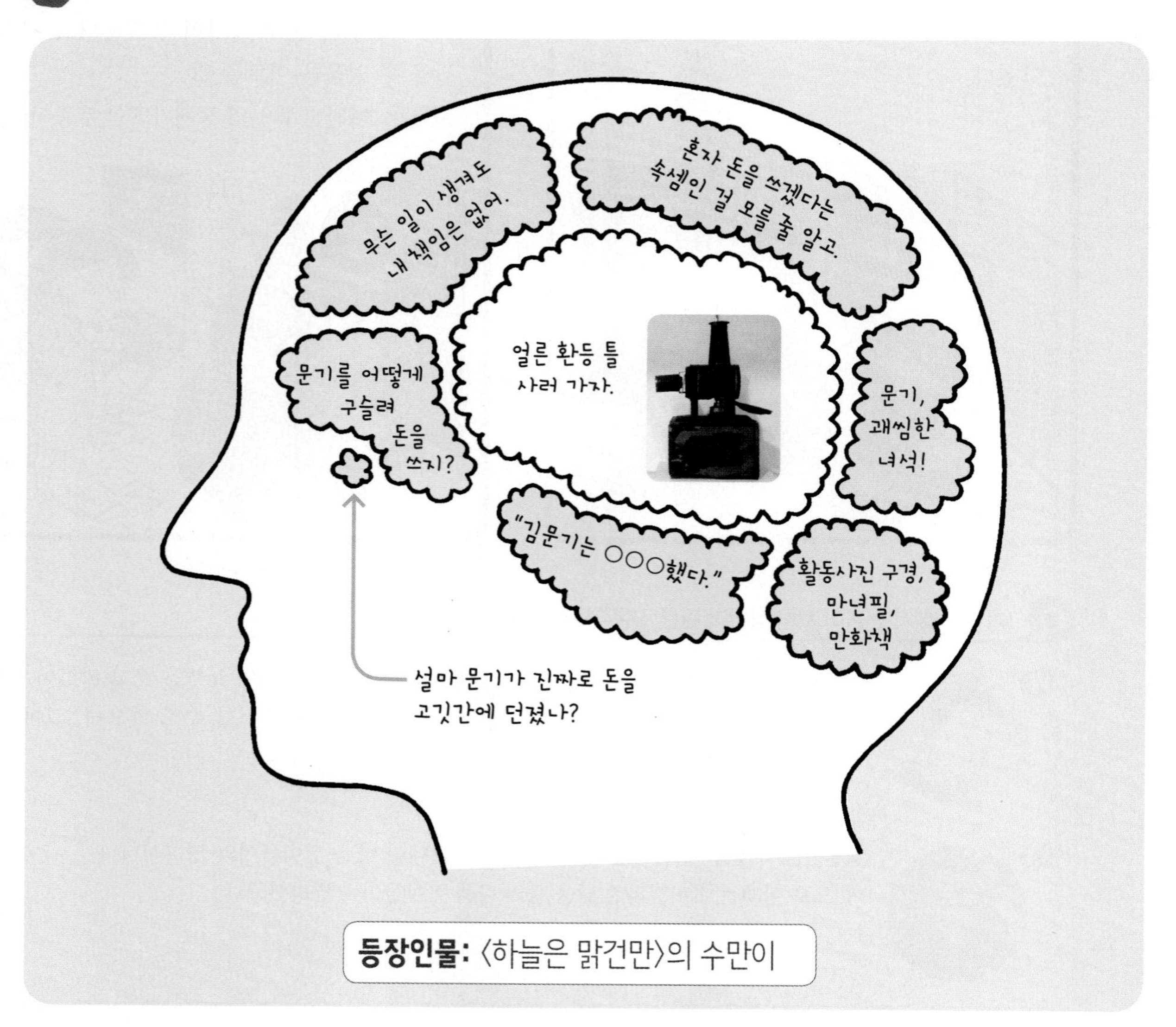

등장인물: 〈하늘은 맑건만〉의 수만이

뇌 구조도 그리는 방법

1. 뇌 구조도를 그릴 인물을 고른다.
2. 인물의 특성(예 성격, 좋아하거나 싫어하는 것, 주변 인물들과의 관계, 겪은 일, 심리 등)을 떠올려 본다.
3. 인물이 중요하게 생각하는 것은 크게, 그렇게 않은 것은 작게 그린다. 한두 단어 또는 짧은 문장으로 핵심 내용을 적거나 그림으로 표현할 수도 있다.

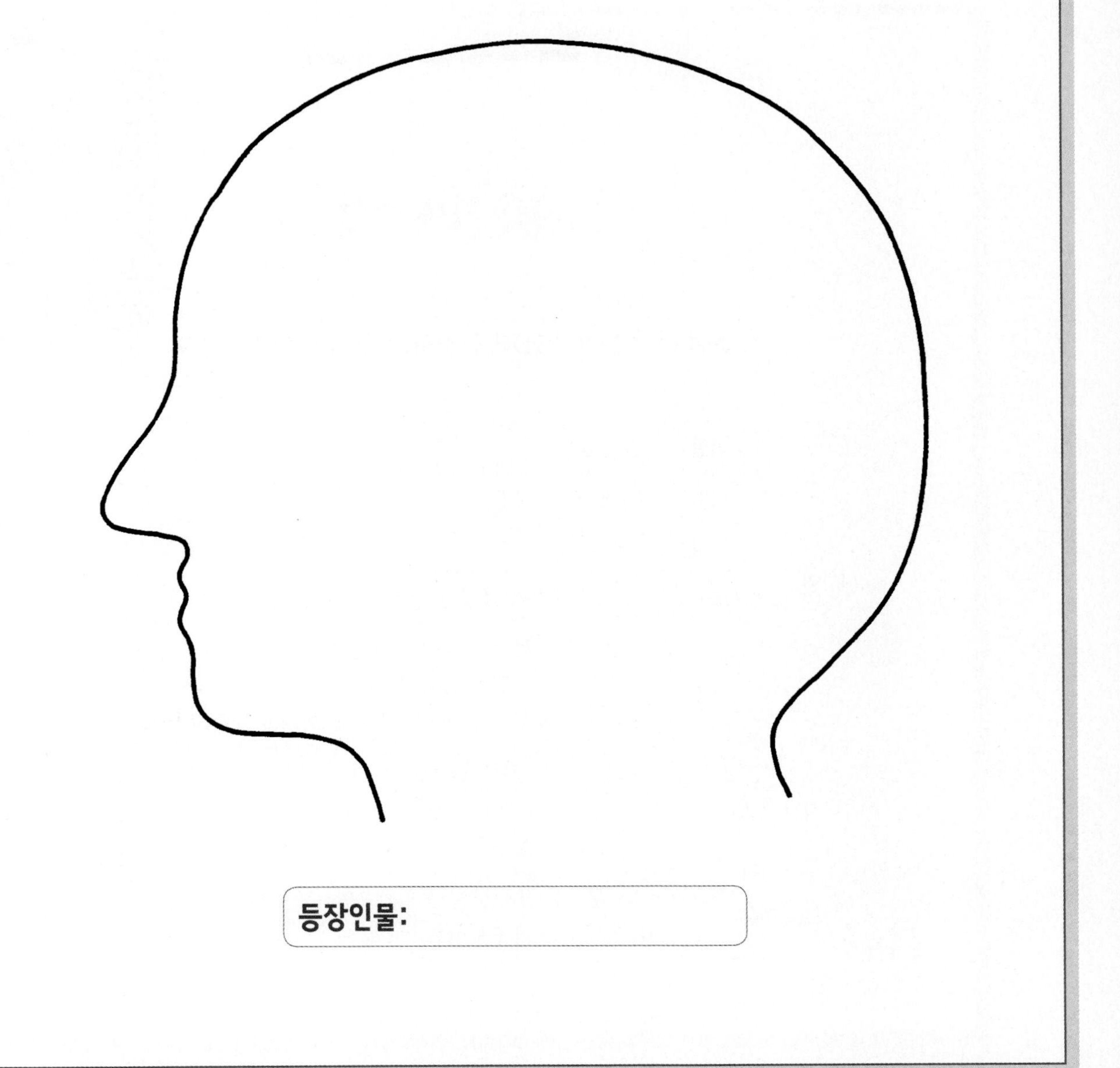

등장인물:

❸ 문기는 유죄인가, 무죄인가?

〈하늘이 맑건만〉에서 잘못 받은 거스름돈을 써 버린 문기의 행동은 법적으로 유죄일까요, 무죄일까요? 다음 모의 재판 과정을 살펴보고, 여러분이 판사라면 어떤 판결을 내릴지 써 봅시다.

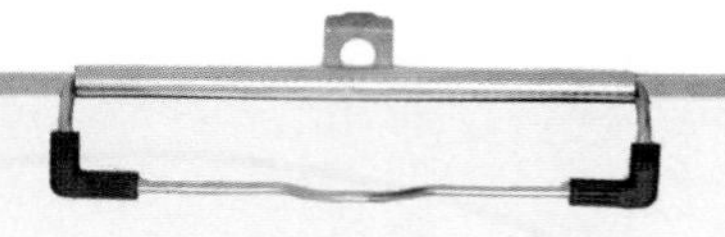

사건 기록 수첩

소설 〈하늘은 맑건만〉에 등장하는 '문기'를 고발합니다.

피고인 범죄를 저질렀을 가능성이 있어 검사의 공소에 의해 재판을 받는 사람.	이름	김문기
	나이	10대(*미성년자)
	직업	초등학생
	사는 곳	○○시 삼거리 고깃간 근처
	특징	• 삼촌과 숙모 아래에서 자람. • 소심하고 순진한 성격임. • 자신이 저지른 일에 죄책감을 느끼며 반성하고 있음.
사건 경위		• 고깃간에 심부름을 갔다가 거스름돈을 더 받게 됨. • 거스름돈으로 더 받은 돈을 친구인 수만이와 흥청망청 씀. • 거스름돈 일부를 종이에 싸서 고깃간 집 안마당에 던져 놓음.
고발 이유		거스름돈을 잘못 받은 줄 알았으면서도 주인에게 돌려주지 않아 고깃간 주인에게 큰 피해를 입힘.

○ 정답과 해설 6쪽

사건 기록 수첩은 잘 읽어 보았습니다. 그럼 변호사와 검사는 차례대로 발언해 주십시오.

판사

문기 군은 억울합니다. 문기 군이 일부러 남의 돈을 훔친 것도 아니고, 고깃간 주인의 실수로 거스름돈을 많이 받은 것뿐입니다.

변호사

비록 주인의 실수가 있었지만 문기는 이 사실을 알리지 않고 부당한 이득을 취했습니다. 민법 제741조에 의하면 뚜렷한 이유 없이 남의 돈을 함부로 챙겨 이익을 얻고 타인에게 손해를 가하는 것을 위법으로 보고 있습니다.

검사

문기 군은 처음에 거스름돈을 잘못 받은 것인지 정확히 알지 못했습니다. 그리고 순전히 수남이의 꼬임에 빠져 이러한 일탈 행위를 저지른 것입니다. 문기 군은 죄책감에 시달리며 진심으로 반성하고 있습니다. 부디 선처해 주시길 바랍니다.

변호사

문기 군은 처음에 거스름돈 액수를 보고 의아함을 느꼈고, 숙모에게 잔돈을 주는 과정에서 자신이 거스름돈을 더 받았다는 것을 알았을 것입니다. 그러나 문기 군은 돈을 돌려주지 않고 친구와 흥청망청 써 버렸습니다. 형법 제355조에 의하면 타인의 재물을 보관하는 자가 그 재물을 횡령하거나 반환을 거부할 때 5년 이하의 징역 또는 1,500만 원 이하의 벌금에 처한다고 규정하고 있습니다. 문기 군의 행동은 엄연한 횡령에 해당하므로 유죄입니다.

검사

그럼 판결을 내리겠습니다. 피고 문기 군이 ____________________

____

____

____

____

판사

2주 이번 주에는 무엇을 공부할까? ①

● 사랑

◐ '사랑'이란 무엇인지 자신의 생각을 정리해 보세요.

배울 내용

이번 주에는 무엇을 공부할까? ❷

사랑은 인간이라면 누구나 느끼는 보편적인 감정 가운데 하나입니다. 이 때문에 사랑 특히 남녀 간의 사랑은 소설의 주제로 자주 사용됩니다. 이번 주에는 사랑의 풋풋한 감정을 잘 표현한 두 작품을 읽어 보면서 사랑에 대처하는 인물의 태도, 심리 등을 살펴봅시다.

❶ 〈소나기〉 | 황순원

이 작품은 서울에서 온 소녀와 시골 소년의 소나기처럼 짧지만 아름다운 사랑 이야기를 담은 소설입니다. 소년과 소녀가 점점 가까워지면서 서로에 대한 감정을 전하려는 마음이 순수하고 담백하게 펼쳐집니다.

단발머리를 나풀거리는 소녀
조약돌로 보내는
소녀의 시그널
순수해서 예쁘다.

만약 내가 소년이라면 징검다리 중간에 앉아 있는 소녀에게 어떻게 할 것인가요?

① 길을 비켜 달라고 말한다.

② 소녀가 길을 비켜 주기를 기다린다.

② 〈동백꽃〉 | 김유정

이 작품은 순박한 '나'와 사랑에 눈뜬 점순이가 겪는 사건들이 재미를 주는 소설입니다. 적극적으로 애정을 표현하는 점순이와 그런 점순이의 마음을 눈치채지 못하는 '나'의 대조적인 모습에 웃음을 짓게 됩니다.

어제도 오늘도 티격태격
알콩달콩 지내고픈데.
감자로 시그널 보내 본다.
'실은, 나 너 좋아해.'

점순이가 '나'에게 호감을 표현한 방법은 무엇인가요?

① 감자를 건네었다. ② '나'의 일을 도와주었다.

 ①

2주 1일 소나기 ①

| 전체 줄거리 |

발단

소녀와 소년이 개울가에서 처음 마주친다. 다음 날 소녀는 소년에게 조약돌을 던지며 '바보'라고 말한다.

전개

소녀와 소년은 산 너머로 가면서 논길을 달리고, 산에서 무를 뽑고, 꽃을 꺾으며 어울린다.

위기

소나기가 내리자 소녀와 소년은 수숫단 속에서 비를 피하게 되고, 이 과정에서 소녀의 꽃묶음이 망그러진다.

절정

소녀네가 집안 사정으로 이사를 가게 되자, 소년과 소녀는 헤어지는 것을 안타까워한다.

결말

소년은 부모님의 대화를 듣고 소녀가 입던 옷을 그대로 묻어 달라는 유언을 남기고 죽었다는 사실을 알게 된다.

작품 미리 보기

| 주요 인물 |

2주 1일

소년

시골에서 부모님과 함께 사는 5학년 초등학생이다. 순진하고 착한 성격을 지녔다. 소녀에게 처음에는 소극적으로 대하지만 차츰 적극적으로 대한다.

소녀

서울에서 살다가 증조할아버지가 사는 시골로 전학 온 5학년 초등학생이다. 몸이 약한 편이다. 소년과 친해지고 싶어 적극적으로 관심을 표현한다.

1 소년과 소녀가 개울가에서 처음 만나는 사건은 구성 단계상 (ㅂㄷ)에 해당한다.

2 소녀는 소년과 친해지고 싶어서 소년에게 (ㅈㄱㅈ)으로 관심을 표현한다.

답 1 발단 2 적극적

이제부터 여러분은 〈소나기〉의 주요 장면을 읽게 됩니다. 전체 줄거리를 참고하면서 소녀와 소년이 서로를 대하는 태도가 어떠한지, 두 사람의 관계가 어떻게 변화하는지를 살피며 읽어 봅시다.

2주 1일 기초 집중 연습

[1~3] 다음 글을 읽고 물음에 답하시오.

발단 | 전개 | 위기 | 절정 | 결말

이 장면은

소녀가 개울 기슭에서 물장난을 하고, 소년은 그런 소녀를 지켜보는 장면으로 소년과 소녀가 만나게 되는 장면이다.

여기에 주목해 봐!

- 소년과 소녀의 성격
- 소년과 소녀가 서로를 대하는 태도
- 조약돌을 던지는 소녀의 심리
- 조약돌의 의미

소년은 개울가에서 소녀를 보자 곧 윤 초시네 증손녀딸이라는 걸 알 수 있었다. 소녀는 개울에다 손을 잠그고 물장난을 하고 있는 것이다. 서울서는 이런 개울물을 보지 못하기나 한 듯이.

벌써 며칠째 소녀는, 학교에서 돌아오는 길에 물장난이었다. 그런데 어제까지는 개울 기슭에서 하더니, 오늘은 징검다리 한가운데 앉아서 하고 있다.

소년은 개울둑에 앉아 버렸다. 소녀가 비키기를 기다리자는 것이다.

요행 지나가는 사람이 있어, 소녀가 길을 비켜 주었다.

다음 날은 좀 늦게 개울가로 나왔다.

이날은 소녀가 징검다리 한가운데 앉아 세수를 하고 있었다. 분홍 스웨터 소매를 걷어 올린 팔과 목덜미가 마냥 희었다.

한참 세수를 하고 나더니, 이번에는 물속을 빤히 들여다본다. 얼굴이라도 비추어 보는 것이리라. 갑자기 물을 움켜 낸다. 고기 새끼라도 지나가는 듯.

소녀는 소년이 개울둑에 앉아 있는 걸 아는지 모르는지, 그냥 날쌔게 물만 움켜 낸다. 그러나 번번이 허탕이다. 그대로 재미있는 양, 자꾸 물만 움킨다. 어제처럼 개울을 건너는 사람이 있어야 길을 비킬 모양이다.

그러다가 소녀가 물속에서 무엇을 하나 집어낸다. 하얀 조약돌이었다. 그러고는 벌떡 일어나 팔짝팔짝 징검다리를 뛰어 건너간다.

다 건너가더니만 홱 이리로 돌아서며,

"이 바보."

조약돌이 날아왔다.

소년은 저도 모르게 벌떡 일어섰다.

단발머리를 나풀거리며 소녀가 막 달린다. 갈밭 사잇길로 들어섰다. 뒤에는 청량한 가을 햇살 아래 빛나는 갈꽃뿐.

어휘 풀이

- **초시** 과거의 첫 시험. 또는 그 시험에 합격한 사람.
- **증손녀딸** 손자의 딸 또는 아들의 손녀를 귀엽게 이르는 말.
- **요행** 뜻밖에 얻는 행운.
- **움키다** 손가락을 우그리어 물건 따위를 놓치지 않도록 힘 있게 잡다.
- **청량하다** 맑고 서늘하다.

1-1 다음 자기소개서의 내용과 관련 깊은 인물이 누구인지 쓰시오.

저는 초등학생으로 얼마 전까지 서울에서 살다가 증조할아버지가 사시는 시골로 내려왔습니다. 저는 친해지고 싶은 친구가 있으면 표현하는 성격입니다.

1-2 소녀에 대한 정보로 알맞지 않은 것은?

소녀

① 흰 피부를 지님.
② 서울에서 살다가 옴.
③ 윤 초시의 증손녀딸임.
④ 소년에게 관심을 보임.
⑤ 조약돌을 모으는 취미가 있음.

2-1 소년과 소녀가 개울가에서 한 행동을 바르게 연결하시오.

소년

소녀

① 시골 아이와 친해지고 싶어 징검다리 한가운데에서 세수하고 물만 움켜 냄.

② 서울 아이가 개울둑에서 물장난을 그만두고 비키기를 바라며 기다림.

2-2 다음과 같은 소년과 소녀의 행동에서 알 수 있는 성격으로 알맞은 것은?

소년은 소녀가 비키기를 기다리고, 소녀는 소년에게 조약돌을 던짐.

① 소년은 엉뚱하고, 소녀는 순박하다.
② 소년은 활달하고, 소녀는 차분하다.
③ 소년은 다정하고, 소녀는 냉정하다.
④ 소년은 소극적이고, 소녀는 적극적이다.
⑤ 소년은 이기적이고, 소녀는 배려심이 깊다.

3-1 '조약돌'의 의미로 알맞은 것을 고르시오.

조약돌

① 소년에 대한 소녀의 관심

② 소년과 소녀의 갈등의 시작

3-2 소녀가 소년에게 조약돌을 던진 까닭으로 알맞은 것은?

① 소년에 대한 서운함을 표현하려고
② 소년에게 조약돌을 줍도록 시키려고
③ 징검다리를 먼저 건너도록 양보하려고
④ 소년이 화를 잘 참는 성격인지 알아보려고
⑤ 자신의 던지기 실력을 소년에게 보여 주려고

도움말

소재의 역할

이 글에서는 소재를 활용하여 인물의 심리를 간접적으로 드러내고 있어요.

[4~6] 다음 글을 읽고 물음에 답하시오.

발단 | 전개 | 위기 | 절정 | 결말

앞부분 줄거리 | 소년과 소녀가 다시 만나고 소녀가 소년에게 산 너머에 놀러 가자고 제안을 한다. 둘은 논 사잇길에서 허수아비를 흔들거나 무를 뽑아 먹으며 논다.

이 장면은
소녀가 소년에게 산 너머에 가 보자고 먼저 말을 건네고 둘이 산 너머로 가는 과정에서 서로 가까워지는 장면이다.

여기에 주목해 봐!
- 소녀를 대하는 소년의 태도 변화
- 소년과 소녀의 관계 변화
- 소년과 소녀의 심리

소녀가 산을 향해 달려갔다. 이번은 소년이 뒤따라 달리지 않았다. 그러고도 곧 소녀보다 더 많은 꽃을 꺾었다.

"이게 들국화, 이게 싸리꽃, 이게 도라지꽃……."

"도라지꽃이 이렇게 예쁜 줄은 몰랐네. 난 보랏빛이 좋아! …… 근데 이 양산같이 생긴 노란 꽃이 뭐지?"

"마타리꽃."

㉠ 소녀는 마타리꽃을 양산 받듯이 해 보인다. 약간 상기된 얼굴에 살폿한 보조개를 떠올리며.

다시 소년은 꽃 한 옴큼을 꺾어 왔다. 싱싱한 꽃가지만 골라 소녀에게 건넨다.

그러나 소녀는

"하나두 버리지 말어."

산마루께로 올라갔다. / 맞은편 골짜기에 오손도손 초가집이 몇 모여 있었다.

누가 말한 것도 아닌데, 바위에 나란히 걸터앉았다. 별로 주위가 조용해진 것 같았다. 따가운 가을 햇살만이 말라가는 풀 냄새를 퍼뜨리고 있었다.

"저건 또 무슨 꽃이지?"

적잖이 비탈진 곳에 칡덩굴이 엉키어 꽃을 달고 있었다.

"꼭 등꽃 같네. 서울 우리 학교에 큰 등나무가 있었단다. 저 꽃을 보니까 등나무 밑에서 놀던 동무들 생각이 난다."

소녀가 조용히 일어나 비탈진 곳으로 간다. 꽃송이가 달린 줄기를 잡고 끊기 시작한다. 좀처럼 끊어지지 않는다. ㉡안간힘을 쓰다가 그만 미끄러지고 만다. 칡덩굴을 그러쥐었다.

소년이 놀라 달려갔다. 소녀가 손을 내밀었다. 손을 잡아 이끌어 올리며, 소년은 제가 꺾어다 줄 것을 잘못했다고 뉘우친다.

소녀의 오른쪽 무릎에 핏방울이 내맺혔다. 소년은 저도 모르게 생채기에 입술을 가져다 대고 빨기 시작했다. 그러다가, 무슨 생각을 했는지 홱 일어나 저쪽으로 달려간다.

좀 만에 숨이 차 돌아온 소년은

"이걸 바르면 낫는다."

송진을 생채기에다 문질러 바르고는 그 달음으로 칡덩굴 있는 데로 내려가, 꽃 달린 줄기를 이빨로 끊어 가지고 올라온다. 그러고는

"저기 송아지가 있다. 그리 가 보자."

싸리꽃

도라지꽃

마타리꽃

어휘 풀이
- **별로** 따로 별나게 또는 따로 특별히.
- **생채기** 손톱 따위로 할퀴어지거나 긁히어서 생긴 작은 상처.
- **송진** 소나무나 잣나무에서 분비되는 끈적끈적한 액체.

4-1 시간의 흐름에 따른 소년의 성격 변화를 바르게 나타낸 그래프를 고르시오.

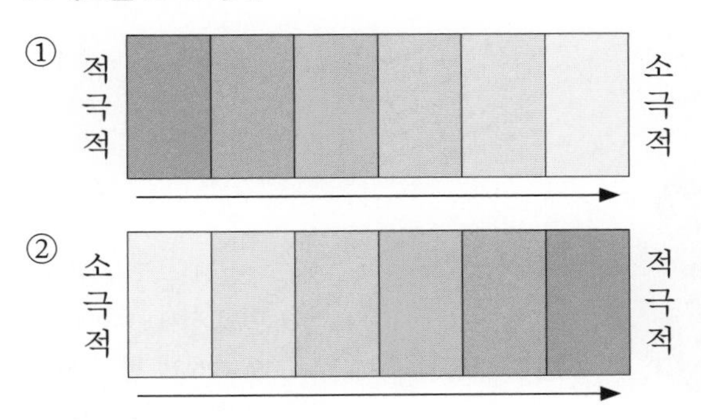

● 시간의 흐름 작품 속 상황에서 시간이 달라지는 것.

4-2 다음으로 보아, 소녀에 대한 소년의 태도 변화로 알맞은 것은?

징검다리에서 소녀가 길을 비켜 줄 때까지 기다림.

↓

미끄러진 소녀에게 손을 먼저 내밀고 송아지를 보러 가자고 먼저 제안함.

① 소녀를 점차 함부로 대함.
② 소녀에게 점차 관심을 두지 않음.
③ 소녀와 가까워지지 않으려고 노력함.
④ 소녀에게 점차 소극적인 태도를 보임.
⑤ 소녀에게 점차 적극적인 태도를 보임.

5-1 소년이 소녀에게 꽃묶음을 만들어 주었을 때, 소년과 소녀가 느꼈을 공통된 심리를 고르시오.

5-2 ㉠을 바르게 이해하지 못한 것은?

① 소녀를 향한 소년의 마음이 느껴져.
② 소년은 소녀에게 주려고 꽃을 꺾은 거겠지?
③ 소년은 소녀에게 꽃묶음을 주면서 즐거웠을 거야.
④ 소녀는 소년을 안타깝게 여겨 꽃을 받아 주었구나.
⑤ 소녀는 자신을 위해 정성스럽게 꽃을 꺾어 온 소년에게 고마움을 느끼는구나.

6-1 소년과 소녀의 관계 변화를 나타낼 때, 빈칸에 들어갈 알맞은 말을 찾아 쓰시오.

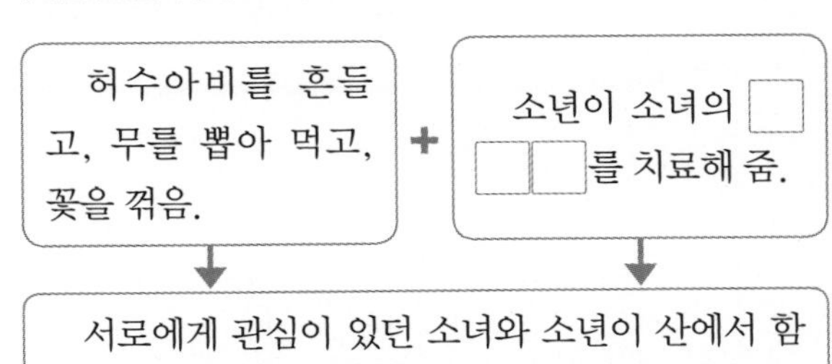

허수아비를 흔들고, 무를 뽑아 먹고, 꽃을 꺾음. + 소년이 소녀의 □□□를 치료해 줌.

↓

서로에게 관심이 있던 소녀와 소년이 산에서 함께 다양한 경험을 하며 더욱 가까운 관계로 발전함.

6-2 ㉡과 같이 소녀가 꽃을 꺾다가 다친 사건의 역할로 알맞은 것은?

① 소년과 소녀가 가까워진다.
② 소녀가 소년에게 실망하게 된다.
③ 소년과 소녀가 싸워 갈등하게 된다.
④ 소년과 소녀가 처음처럼 어색해진다.
⑤ 새로운 인물이 등장하여 사이가 멀어진다.

소나기 ②

| 소녀와 소년의 마음을 나타내는 소재 |

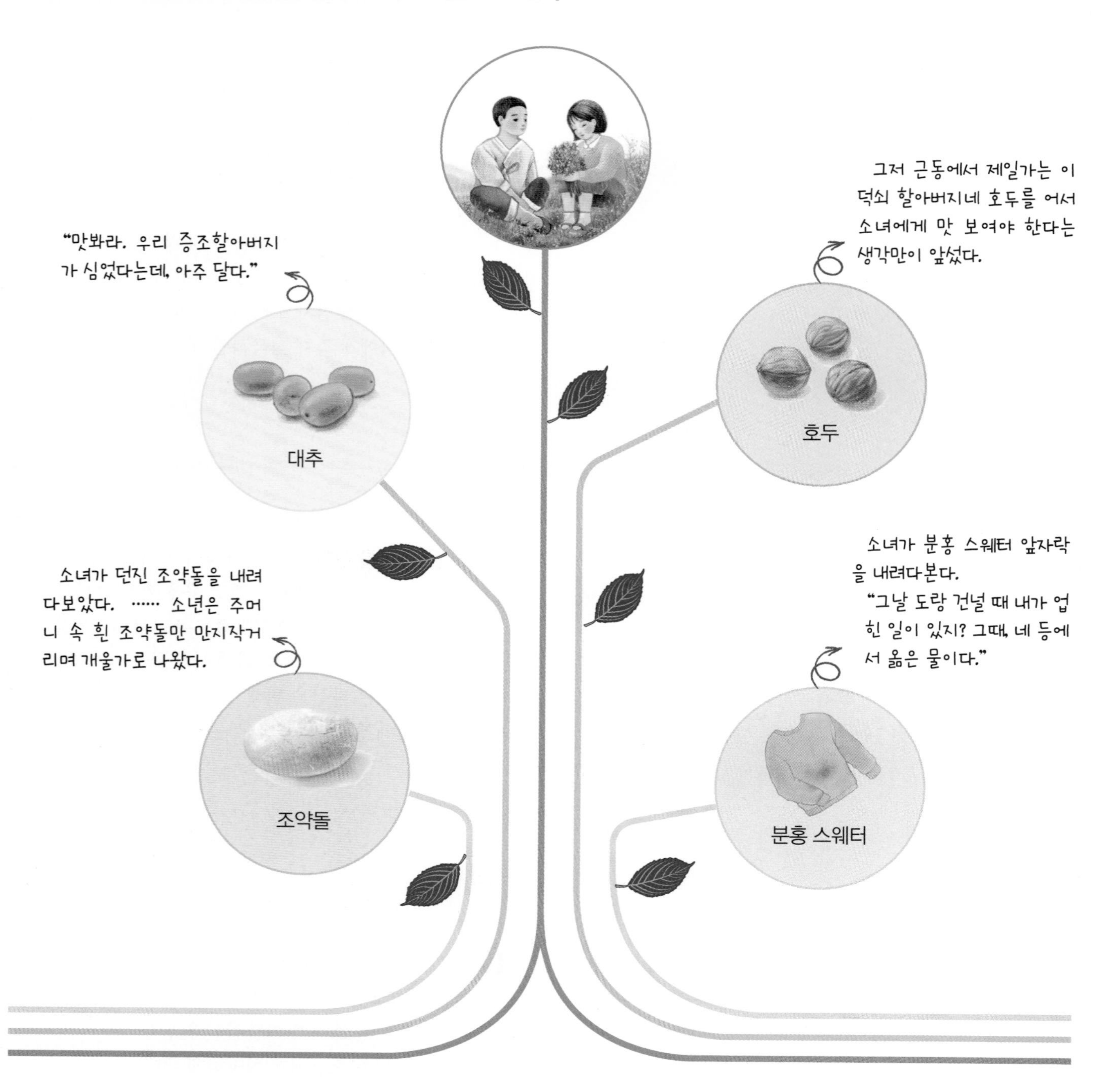

"맛봐라. 우리 증조할아버지 가 심었다는데, 아주 달다."
대추
소녀가 던진 조약돌을 내려다보았다. …… 소년은 주머니 속 흰 조약돌만 만지작거리며 개울가로 나왔다.
조약돌
그저 근동에서 제일가는 이 덕쇠 할아버지네 호두를 어서 소녀에게 맛 보여야 한다는 생각만이 앞섰다.
호두
소녀가 분홍 스웨터 앞자락을 내려다본다.
"그날 도랑 건널 때 내가 업힌 일이 있지? 그때, 네 등에서 옮은 물이다."
분홍 스웨터

1 소녀는 (ㄷ ㅊ)를 통해 소년에 대한 자신의 마음을 전달한다.

2 소년은 (ㅎ ㄷ)를 통해 소녀에 대한 자신의 마음을 표현하려고 한다.

답 1 대추 2 호두

작품 들여다보기

| '소나기'의 역할 |

소녀가 속삭이듯이, 이리 들어와 앉으라고 했다. 괜찮다고 했다. 소녀가 다시, 들어와 앉으라고 했다.
소나기가 내리기 시작하면서 분위기가 어두워졌어. 하지만 소녀와 소년이 가까워졌지.

갑자기 세차게 내렸다가 곧 그치는 비 _ 소나기

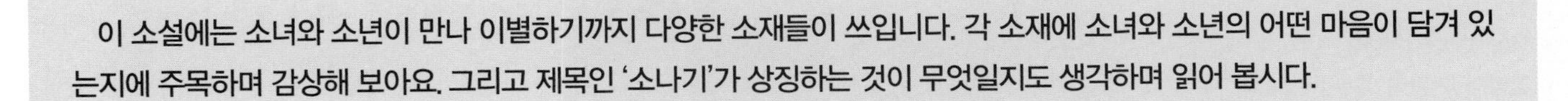

이 소설에는 소녀와 소년이 만나 이별하기까지 다양한 소재들이 쓰입니다. 각 소재에 소녀와 소년의 어떤 마음이 담겨 있는지에 주목하며 감상해 보아요. 그리고 제목인 '소나기'가 상징하는 것이 무엇일지도 생각하며 읽어 봅시다.

2주 2일 기초 집중 연습

[1~3] 다음 글을 읽고 물음에 답하시오.

발단 | 전개 | 위기 | 절정 | 결말

이 장면은

소녀와 소년이 소나기를 만나 원두막과 수숫단 속에서 비를 피하는 장면이다.

여기에 주목해 봐!

- 소나기가 사건 전개에서 하는 역할
- 소년과 소녀의 성격 변화
- 소년과 소녀의 심리

앞부분 줄거리 | 소녀와 소년이 산에 가서 꽃을 따고 송아지를 타며 즐겁게 노는 가운데 갑자기 하늘에 먹장구름이 낀다.

산을 내려오는데, 떡갈나무 잎에서 빗방울 듣는 소리가 난다. 굵은 빗방울이었다. 목덜미가 선뜻선뜻했다. 그러자 대번에 눈앞을 가로막는 빗줄기.

비안개 속에 원두막이 보였다. 그리로 가 비를 그을 수밖에.

그러나 원두막은 기둥이 기울고 지붕도 갈래갈래 찢어져 있었다. 그런대로 비가 덜 새는 곳을 가려 소녀를 들어서게 했다. 소녀는 입술이 파랗게 질려 있었다. 어깨를 자꾸 떨었다.

무명 겹저고리를 벗어 소녀의 어깨를 싸 주었다. 소녀는 비에 젖은 눈을 들어 한 번 쳐다보았을 뿐, 소년이 하는 대로 잠자코 있었다. 그러면서 안고 온 꽃묶음 속에서 가지가 꺾이고 꽃이 일그러진 송이를 골라 발밑에 버린다.

소녀가 들어선 곳도 비가 새기 시작했다. 더 거기서 비를 그을 수 없었다.

밖을 내다보던 소년이 무엇을 생각했는지 수수밭 쪽으로 달려간다. 세워 놓은 수숫단 속을 비집어 보더니, 옆의 수숫단을 날라다 덧세운다. 다시 속을 비집어 본다. 그러고는 소녀 쪽을 향해 손짓을 한다.

수숫단 속은 비는 안 새었다. 그저 어둡고 좁은 게 안됐다. 앞에 나앉은 소년은 그냥 비를 맞아야만 했다. 그런 소년의 어깨에서 김이 올랐다.

소녀가 속삭이듯이, 이리 들어와 앉으라고 했다. 괜찮다고 했다. 소녀가 다시, 들어와 앉으라고 했다. 할 수 없이 뒷걸음질을 쳤다. 그 바람에, 소녀가 안고 있는 꽃묶음이 우그러들었다. 그러나 소녀는 상관없다고 생각했다. 비에 젖은 소년의 몸 내음새가 확 코에 끼얹혀졌다. 그러나 고개를 돌리지 않았다. 도리어 소년의 몸기운으로 해서 떨리던 몸이 적이 누그러지는 느낌이었다.

소란하던 수숫잎 소리가 뚝 그쳤다. 밖이 멀게졌다.

수숫단 속을 벗어 나왔다. 멀지 않은 앞쪽에 햇빛이 눈부시게 내리붓고 있었다.

도랑 있는 곳까지 와 보니, 엄청나게 물이 불어 있었다. 빛마저 제법 붉은 흙탕물이었다. 뛰어 건널 수가 없었다.

소년이 등을 돌려 댔다. 소녀가 순순히 업히었다. 걷어 올린 소년의 잠방이까지 물이 올라왔다. 소녀는 "어머나!" 소리를 지르며 소년의 목을 그러안았다.

어휘 풀이

- **먹장구름** 먹빛같이 시꺼먼 구름.
- **듣다** 눈물, 빗물 따위의 액체가 방울져 떨어지다.
- **긋다** 비를 잠시 피하여 그치기를 기다리다.
- **무명** 목화솜으로 만든 실로 짠 천.
- **적이** 꽤 어지간한 정도로.
- **잠방이** 가랑이가 무릎까지 내려오도록 짧게 만든 홑바지.

1-1 이 글에서 사건이 일어난 순서대로 배열하시오.

(1)
소년과 소녀가 산으로 놀러 감.
(2)
소년이 소녀를 업고 물이 불어난 도랑을 건넘.
(3)
소년과 소녀가 수숫단 속에서 소나기를 피함.

1-2 소년과 소녀가 겪은 일이 아닌 것은?

① 산에서 갑자기 내리는 비를 맞았다.
② 소년이 소녀를 원두막에 들어서게 했다.
③ 수숫단 속에 들어가 앉아서 소나기를 피했다.
④ 소녀는 소년의 몸에서 냄새가 나서 고개를 돌렸다.
⑤ 소년이 소녀를 업고 물이 불어 있는 도랑을 건넜다.

2-1 수숫단 속에서 소년이 느꼈을 감정으로 알맞은 것을 두 개 고르시오.

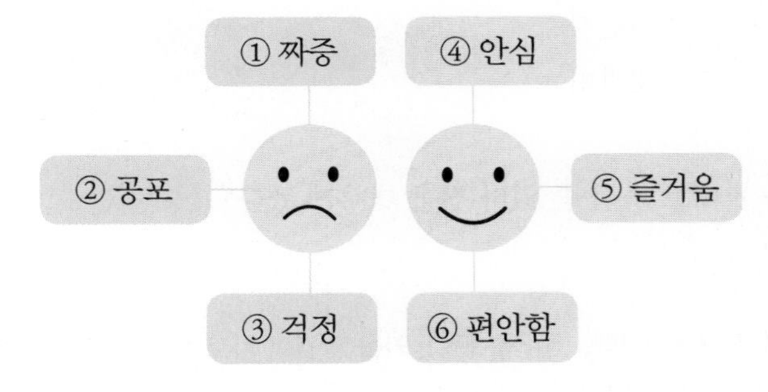

2-2 수숫단 속에서 비를 피하는 소녀와 소년의 마음으로 알맞지 않은 것은?

① 소녀: 소년이 내가 비를 맞지 않게 해 주니 고맙네.
② 소녀: 소년이 나 때문에 비를 맞아서 미안하네.
③ 소년: 소녀가 추울까 봐 많이 걱정이 되네.
④ 소년: 수숫단 속에서 비를 피하게 되어 안심이야.
⑤ 소년: 소녀가 산에 오자고 해서 비를 맞게 되었으니 원망스럽네.

3-1 다음과 같은 의미를 지닌 소재를 〈보기〉에서 찾아 쓰시오.

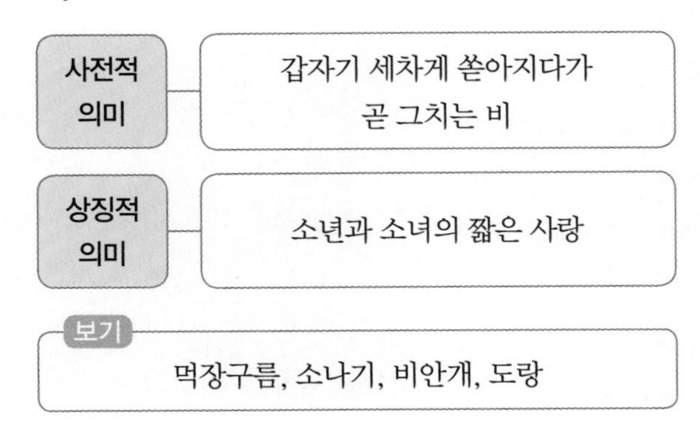

사전적 의미
갑자기 세차게 쏟아지다가 곧 그치는 비
상징적 의미
소년과 소녀의 짧은 사랑
보기
먹장구름, 소나기, 비안개, 도랑

3-2 갑자기 내린 '소나기'의 역할과 의미에 대한 설명으로 알맞지 않은 것은?

소나기

① 불길함과 위기감을 느끼게 함.
② 소년과 소녀를 더 가깝게 만들어 줌.
③ 소녀가 소년을 오해하는 계기가 됨.
④ 소년과 소녀의 짧은 사랑을 상징함.
⑤ 밝은 분위기에서 어두운 분위기로 바뀌게 함.

2주 2일 기초 집중 연습

발단 | 전개 | 위기 | 절정 | 결말

이 장면은

소나기를 맞은 후 앓았던 소녀가 소년에게 이사를 간다고 말하는 장면과 소년의 부모님의 대화를 통해 소녀의 죽음이 드러나는 장면이다.

여기에 주목해 봐!

- 소년과 소녀의 심리
- 소재의 상징적 의미
- 결말의 특징
- 글의 주제

[4~6] 다음 글을 읽고 물음에 답하시오.

"그동안 앓았다." / 알아보게 소녀의 얼굴이 해쓱해져 있었다.

"그날, 소나기 맞은 것 땜에?" / 소녀가 가만히 고개를 끄덕이었다.

"인제 다 났냐?" / "아직두……." / "그럼 누워 있어야지."

"너무 갑갑해서 나왔다. …… 그날 참 재밌었어. …… 근데 그날 어디서 이런 물이 들었는지 잘 지지 않는다."

소녀가 분홍 스웨터 앞자락을 내려다본다. 거기에 검붉은 진흙물 같은 게 들어 있었다.

소녀가 가만히 보조개를 떠올리며,

"이게 무슨 물 같니?" / 소년은 스웨터 앞자락만 바라다보고 있었다.

"내, 생각해 냈다. 그날, 도랑 건널 때 내가 업힌 일이 있지? 그때, 네 등에서 옮은 물이다."

소년은 얼굴이 확 달아오름을 느꼈다.

갈림길에서 소녀는,

"저, 오늘 아침에 우리 집에서 대추를 땄다. 낼 제사 지낼려구……."

대추 한 줌을 내어 준다. / 소년은 주춤한다.

"맛봐라. 우리 증조할아버지가 심었다는데, 아주 달다." / 소년은 두 손을 오그려 내밀며,

"참, 알두 굵다!"

"그리구 저, 우리 이번에 제사 지내고 나서 좀 있다 집을 내주게 됐다." 〈중략〉

㉠"왜 그런지 난 이사 가는 게 싫어졌다."

중략 부분 줄거리 | 소년은 소녀에게 주기 위해 몰래 호두를 딴다. 가을이 깊어 가고 소년은 호두를 만지작거리다 까무룩 잠이 들려는데 소년의 아버지와 어머니의 목소리가 들린다.

"윤 초시 댁두 말이 아니여. 그 많던 전답을 다 팔아 버리구, 대대로 살아오던 집마저 남의 손에 넘기더니, 또 악상까지 당하는 걸 보면……."

남폿불 밑에서 바느질감을 안고 있던 어머니가

"증손이라곤 계집애 그 애 하나뿐이었지요?"

"그렇지, 사내애 둘 있던 건 어려서 잃구……."

"어쩌믄 그렇게 자식 복이 없을까."

"글쎄 말이지. 이번 앤 꽤 여러 날 앓는 걸 약두 변변히 못 써 봤다더군. 지금 같애서는 윤 초시네두 대가 끊긴 셈이지. 그런데 참, 이번 계집애는 어린 것이 여간 잔망스럽지가 않어. 글쎄, 죽기 전에 이런 말을 했다지 않어? ㉡자기가 죽거든 자기 입던 옷을 꼭 그대루 입혀서 묻어 달라구……."

어휘 풀이 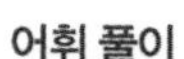

- **해쓱하다** 얼굴에 핏기나 생기가 없어 파리하다.
- **전답** 밭과 논.
- **악상** 수명을 다 누리지 못하고 젊어서 죽은 사람의 상사. 흔히 젊어서 부모보다 먼저 자식이 죽는 경우를 이른다.
- **남폿불** 남포등에 켜 놓은 불.
- **잔망스럽다** 얄밉도록 맹랑한 데가 있다.

4-1 ㉠의 소녀의 말에 담긴 소녀의 심리로 알맞은 것을 고르시오.

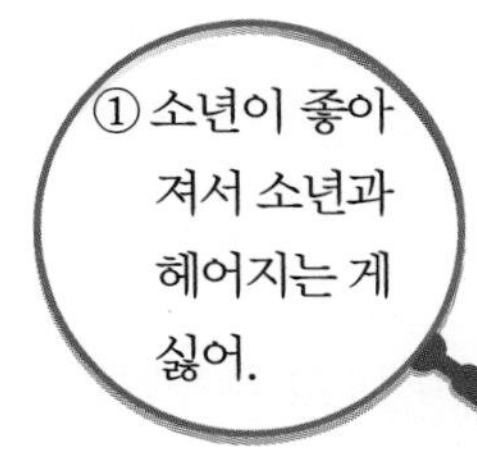

① 소년이 좋아
져서 소년과
헤어지는 게
싫어.

② 소년의 등에 업혔던 일을 하루빨리 잊고 싶어.

4-2 소년과 소녀의 대화 장면을 표현할 때, 알맞지 않은 것은?

S# 83 개울가

소녀: 그동안 몸이 많이 아팠어. …………………… ①

소년: 산에서 소나기를 맞은 것 때문에 그렇구나. ‥ ②

소녀: 그래도 소나기를 맞은 날 재미있었어. ……③

(분홍 스웨터 앞에 물든 검붉은 진흙물을 가리키며) 도랑에서 네게 업히면서 옮은 물이다. …④

소년: (얼굴을 붉힌다.)

소녀: (대추를 주며) 맛봐라. 그리고 이사 갈 것 같아. 서울 친구들이 그리웠는데 다행이야. ……⑤

5-1 '대추'와 '호두'에 담긴 의미를 바르게 연결하시오.

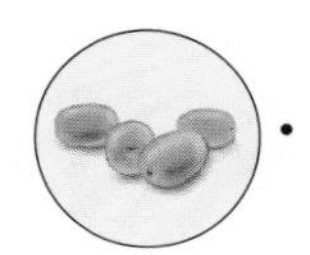
대추

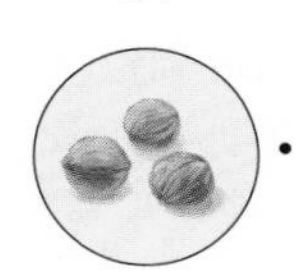
호두

① 소녀를 생각하는 소년의 마음

② 소년을 생각하는 소녀의 마음

5-2 소녀가 소년에게 대추를 준 까닭으로 알맞지 않은 것은?

① 소년이 맛있는 대추를 맛보았으면 해서
② 이별하기 전에 마지막 선물을 주고 싶어서
③ 소년에게 좋아하는 마음을 표현하고 싶어서
④ 소년의 마음을 모른 척한 것을 사과하고 싶어서
⑤ 소년과 헤어지게 되어 아쉬움을 전하고 싶어서

6-1 '분홍 스웨터'에 담긴 의미가 맞으면 ○, 틀리면 ×표에 표시하시오.

소재	의미
분홍 스웨터	소녀가 죽을 때 함께 묻어 달라고 한 소재로, 소녀를 향한 소년의 그리움을 의미함.

(○ , ×)

6-2 ㉡의 유언에 담긴 소녀의 속마음으로 알맞은 것은?

① 부모님과 지냈던 일을 기억하고 싶어.
② 소년에게 내 죽음을 알리고 싶지 않아.
③ 소년과의 추억을 영원히 간직하고 싶어.
④ 십대의 예뻤던 내 모습을 기억하고 싶어.
⑤ 형편이 어려우니 장례 비용을 줄이고 싶어.

도움말

이 소설의 결말의 특징

이 글은 소녀의 유언으로 마무리되며 말줄임표로 끝나 독자에게 안타까움과 감동을 주면서 여운을 남겨요.

2주 3일 동백꽃 ①

| 전체 줄거리 |

발단

점순이가 자기 집 수탉을 몰고 와서 '나'의 집 수탉과 닭싸움을 붙이며 '나'를 약 올린다.

전개

점순이는 자신이 주는 감자를 '나'가 거절하자, '나'의 집 씨암탉을 때리고 '나'에게 욕을 하며 괴롭힌다.

위기

'나'는 닭싸움에서 이기려고 수탉에게 고추장을 먹인 뒤 점순네 수탉과 싸움을 붙이지만 또다시 패한다.

절정

'나'는 죽을 지경에 이른 자기 집 수탉을 보고 화가 나서 점순네 수탉을 단매로 때려죽인다.

결말

점순이에게 떠밀려 '나'는 점순이와 함께 동백꽃 속으로 파묻힌다.

| 주요 인물 |

'나'

17세로 강원도 산골 마을에 산다. 소작농의 아들로 마름집인 점순네 눈치를 보는 처지이다. 순박하고 어수룩하며 자신을 좋아하는 점순이의 마음을 알아채지 못한다.

점순이

17세로 '나'와 같은 강원도 산골 마을에 산다. '나'의 집에 경제적 도움을 주는 마름집의 딸이다. 활달하고 적극적인 성격을 지녔으며 '나'를 좋아하여 '나'의 관심을 끌려고 한다.

1 점순이는 '나'에게 (ㄱ ㅈ)를 건네 주거나 닭싸움을 걸며 '나'에게 관심을 표현한다.

2 '(ㄴ)'는 어수룩하고 (ㅈ ㅅ ㅇ)는 활달하여 둘은 성격이 다르다.

답 1 감자 2 나, 점순이

이제부터 여러분은 〈동백꽃〉의 주요 장면을 읽게 됩니다. 이 글은 '나'가 겪는 갈등의 이유를 설명해 주기 위해 '나'와 점순이 사이에 있었던 일을 회상하는 구성으로 전개되고 있습니다. 점순이와 '나' 사이에 갈등이 생긴 이유가 무엇일지 생각하면서 읽어 봅시다.

3일 기초 집중 연습

[1~3] 다음 글을 읽고 물음에 답하시오.

발단 | 전개 | 위기 | 절정 | 결말

앞부분 줄거리 | 점순이는 한 번도 아니고 계속하여 '나'의 집 수탉한테 닭싸움을 붙여 '나'를 괴롭힌다. '나'의 집 수탉은 점순네 수탉에 비해 몸집이 작아 닭싸움에서 늘 쪼임을 당한다.

나흘 전 감자 쪼간만 하더라도 나는 저에게 조금도 잘못한 것은 없다.

계집애가 나물을 캐러 가면 갔지 남 울타리 엮는데 쌩이질을 하는 것은 다 뭐냐. 그것도 발소리를 죽여 가지고 등 뒤로 살며시 와서

"얘! 너 혼자만 일하니?" 하고 긴치 않은 수작을 하는 것이다.

어제까지도 저와 나는 이야기도 잘 않고 서로 만나도 본척만척하고 이렇게 점잖게 지내던 터이련만 오늘로 갑작스레 대견해졌음은 웬일인가. 항차 망아지만 한 계집애가 남 일하는 놈 보고…….

"그럼 혼자 하지 떼루 하디?"

내가 이렇게 내뱉은 소리를 하니까

[A]

"너 일하기 좋니?"

또는 / "한여름이나 되거던 하지 벌써 울타리를 하니?"

잔소리를 두루 늘어놓다가 남이 들을까 봐 손으로 입을 틀어막고는 그 속에서 깔깔댄다. 별로 우스울 것도 없는데 날씨가 풀리더니 이놈의 계집애가 미쳤나 하고 의심하였다. 게다가 조금 뒤에는 즈 집께를 할금할금 돌아다보더니 행주치마의 속으로 꼈던 바른손을 뽑아서 나의 턱 밑으로 불쑥 내미는 것이다. 언제 구웠는지 아직도 더운 김이 확 끼치는 굵은 감자 세 개가 손에 뿌듯이 쥐였다.

㉠"느 집엔 이거 없지?" 하고 생색 있는 큰소리를 하고는 제가 준 것을 남이 알면 큰일 날 테니 여기서 얼른 먹어 버리란다. 그리고 또 하는 소리가

"너 봄 감자가 맛있단다."

"난 감자 안 먹는다. 너나 먹어라."

나는 고개도 돌리려 하지 않고 일하던 손으로 그 감자를 도로 어깨 너머로 쑥 밀어 버렸다.

그랬더니 그래도 가는 기색이 없고, 그뿐만 아니라 쌔근쌔근하고 심상치 않게 숨소리가 점점 거칠어진다. 이건 또 뭐야 싶어서 그때에야 비로소 돌아다보니 나는 참으로 놀랐다. 우리가 이 동리에 들어온 것은 근 삼 년째 되어 오지만 여지껏 가무잡잡한 점순이의 얼굴이 이렇게까지 홍당무처럼 새빨개진 법이 없었다. 게다 눈에 독을 올리고 한참 나를 요렇게 쏘아보더니 나중에는 눈물까지 어리는 것이 아니냐. 그리고 바구니를 다시 집어 들더니 이를 꼭 악물고는 엎어질 듯 자빠질 듯 논둑으로 횡하니 달아나는 것이다.

이 장면은

'나'를 좋아하는 점순이가 '나'에게 감자를 주면서 관심을 표현하지만, '나'가 점순이의 호의를 거절하면서 둘의 갈등이 시작되는 장면이다.

여기에 주목해 봐!

- '나'와 점순이의 성격
- 점순이의 말과 행동에 드러난 점순이의 의도
- '나'와 점순이의 갈등 원인
- 감자의 의미

어휘 풀이

- **쪼간** 어떤 사건이나 일.
- **쌩이질** 한창 바쁠 때에 쓸데없는 일로 남을 귀찮게 구는 짓.
- **긴치 않다** '긴하지 않다'의 준말. 꼭 필요하지 않다.
- **수작** 남의 말이나 행동, 계획을 낮잡아 이르는 말.
- **항차** '황차(況且)'의 변한말. '하물며'의 뜻.
- **할금할금** 곁눈으로 살그머니 계속 할겨 보는 모양.
- **바른손** 오른손.
- **생색(生色)** 다른 사람 앞에 당당히 나설 수 있거나 자랑할 수 있는 체면.
- **기색** 마음의 작용으로 얼굴에 드러나는 빛.
- **어리다** 눈에 눈물이 조금 괴다.
- **횡하다** 중도에서 지체하지 아니하고 곧장 빠르게 가는 모양.

1-1 이 글의 서술자를 바르게 말한 사람을 고르시오.

이 글의 서술자는 점순이로, '나'를 관찰하여 이야기를 전달해요.
나은

이 글의 서술자는 '나'로, 자신에게 벌어진 일을 이야기하고 있어요.
종우

1-2 '나'의 특징으로 알맞지 않은 것은?

'나'

① 이야기의 서술자이다.
② 이야기 안에 등장한다.
③ 점순이의 행동과 속마음을 서술한다.
④ 자신의 행동과 속마음을 서술한다.
⑤ 자신과 점순이 사이에 벌어진 일에 대한 자신의 생각을 자세히 서술한다.

도움말

이 글의 서술자와 시점

소설에서 독자에게 이야기를 전달하는 이를 '서술자'라고 해요.

서술자가 주인공이고, 자신에게 벌어진 일을 이야기하고 있는 소설은 1인칭 주인공 시점이지요.

2-1 ㉠의 점순이가 한 말에 대한 '나'의 생각과 점순이의 의도가 바르게 연결된 것을 고르시오.

	'나'의 생각	점순이의 의도
①	정이 많군.	'나'를 놀리고 싶다.
②	생색내고 있군.	'나'와 이야기 나누고 싶다.

2-2 [A]의 점순이의 말과 행동에 나타난 점순이의 속마음으로 알맞지 않은 것은?

① 우리 집이 잘사는 것을 생색내야지.
② '나'와 대화하고 싶으니 말을 걸어야지.
③ '나'에게 맛있는 감자를 맛보게 해야지.
④ 감자를 주기 전에 분위기를 좋게 해야지.
⑤ '나'를 좋아하는 마음을 간접적으로 전달해야지.

3-1 '감자'의 의미로 알맞은 것을 고르시오.

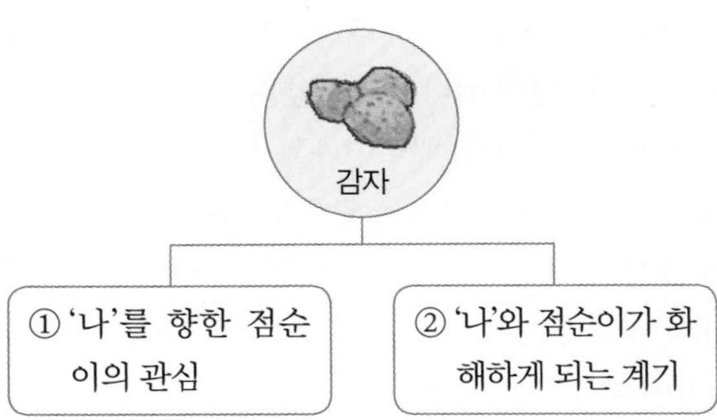
감자
① '나'를 향한 점순이의 관심
② '나'와 점순이가 화해하게 되는 계기

3-2 '감자'에 대한 설명으로 알맞지 않은 것은?

① 강원도 농촌의 정서를 느끼게 한다.
② '나'의 일을 점순이가 도와주게 만든다.
③ '나'에 대한 점순이의 관심을 보여 준다.
④ '나'와 점순이가 갈등하게 되는 계기가 된다.
⑤ '나'가 점순이의 자존심을 상하게 하는 사건의 원인이 된다.

발단 | 전개 | 위기 | 절정 | 결말

이 장면은

점순이가 자신의 호의를 거절한 '나'에게 분풀이를 하려고 '나'의 집 씨암탉을 잡아 때리면서 '나'를 괴롭히는 장면이다.

여기에 주목해 봐!

- '나'와 점순이의 성격
- 점순이의 행동과 속마음
- '나'와 점순이의 신분 차이

어휘 풀이

- **마름** (옛날에) 땅 주인을 대신하여 농지를 관리하는 사람.
- **배재** 마름과 소작인이 주고받는 소작권 위임 문서.
- **부치다** 논밭을 이용하여 농사를 짓다.
- **사납다** 상황이나 사정 따위가 순탄하지 못하고 나쁘다.
- **봉당** 안방과 건넌방 사이의 마루를 놓을 자리에 마루를 놓지 않고 흙바닥 그대로 둔 곳.
- **암팡스레** 몸은 작아도 야무지고 다부진 면이 있게.
- **볼기짝** '볼기'를 낮잡아 이르는 말. 뒤쪽 허리 아래, 허벅다리 위의 양쪽으로 살이 불룩한 부분.
- **쥐어지르다** 주먹으로 힘껏 내지르다.
- **울섶** 울타리를 만드는 데 쓰는 섶나무.

[4~6] 다음 글을 읽고 물음에 답하시오.

설혹 주는 감자를 안 받아먹은 것이 실례라 하면, 주면 그냥 주었지 "느 집엔 이거 없지?"는 다 뭐냐. 그렇잖아도 즈이는 마름이고 우리는 그 손에서 배재를 얻어 땅을 부치므로 일상 굽실거린다. 우리가 이 마을에 처음 들어와 집이 없어서 곤란으로 지낼 제, 집터를 빌리고 그 위에 집을 또 짓도록 마련해 준 것도 점순네의 호의였다. 그리고 우리 어머니, 아버지도 농사 때 양식이 달리면 점순네한테 가서 부지런히 꾸어다 먹으면서 인품 그런 집은 다시 없으리라고 침이 마르도록 칭찬하곤 하는 것이다. 그러면서도 열일곱씩이나 된 것들이 수군수군하고 붙어 다니면 동리의 소문이 사납다고 주의를 시켜 준 것도 또 어머니였다. 왜냐하면 내가 점순이하고 일을 저질렀다가는 점순네가 노할 것이고, 그러면 우리는 땅도 떨어지고 집도 내쫓기고 하지 않으면 안 되는 까닭이었다.

그런데 이놈의 계집애가 까닭 없이 기를 복복 쓰며 나를 말려 죽이려고 드는 것이다.

[A] 눈물을 흘리고 간 그담 날 저녁나절이었다. 나무를 한 짐 잔뜩 지고 산을 내려오려니까 어디서 닭이 죽는 소리를 친다. 이거 뉘 집에서 닭을 잡나 하고 점순네 울 뒤로 돌아오다가 나는 고만 두 눈이 뚱그렜다. 점순이가 즈 집 봉당에 홀로 걸터앉았는데, 아, 이게 치마 앞에다 우리 씨암탉을 꼭 붙들어 놓고는

"이놈의 닭! 죽어라. 죽어라."

요렇게 암팡스레 패 주는 것이 아닌가. 그것도 대가리나 치면 모른다마는 아주 알도 못 낳으라고 그 볼기짝께를 주먹으로 콕콕 쥐어박는 것이다.

나는 눈에 쌍심지가 오르고 사지가 부르르 떨렸으나 사방을 한번 휘돌아보고야 그제서 점순이 집에 아무도 없음을 알았다. 잡은 참 지게막대기를 들어 울타리의 중턱을 후려치며

"이놈의 계집애! 남의 닭 알 못 낳으라구 그러니?" 하고 소리를 빽 질렀다.

그러나 점순이는 조금도 놀라는 기색이 없고 그대로 의젓이 앉아서 제닭 가지고 하듯이 또 죽어라, 죽어라 하고 패는 것이다. 이걸 보면 내가 산에서 내려올 때를 겨냥해 가지고 미리부터 닭을 잡아 가지고 있다가 네 보란 듯이 내 앞에 쥐어지르고 있음이 확실하다.

그러나 나는 그렇다고 남의 집에 뛰어 들어가 계집애하고 싸울 수도 없는 노릇이고 형편이 썩 불리함을 알았다. 그래 닭이 맞을 적마다 지게막대기로 울타리나 후려칠 수밖에 별도리가 없다. 왜냐하면 울타리를 치면 칠수록 울섶이 물러앉으며 뼈대만 남기 때문이다. 하나 아무리 생각하여도 나만 밑지는 노릇이다.

"아, 이년아! 남의 닭 아주 죽일 터이냐?"

4-1 '나'와 점순이의 관계를 나타낼 때, 빈칸에 들어갈 알맞은 말을 찾아 쓰시오.

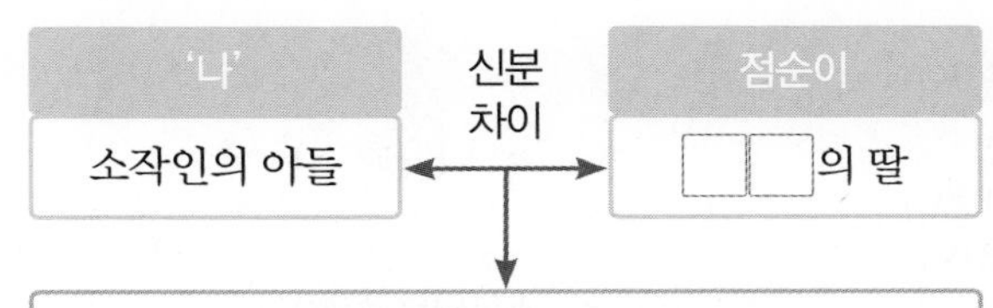

- '나'는 점순네에 잘 보여야 하는 처지임.
- '나'는 점순이와 붙어 다니면 안 됨.

4-2 점순이가 '나'의 닭을 괴롭히는 행동에 대해 '나'가 화를 제대로 못 내는 까닭으로 알맞은 것은?

① 점순이와 항상 붙어 다녀야 해서
② 점순네 눈치를 봐야 하는 처지여서
③ 점순네와 서로 경쟁하며 살아야 해서
④ '나'의 어머니가 화를 내지 말라고 해서
⑤ '나'가 점순이를 좋아하는 마음이 생겨서

5-1 [A]의 행동에 담긴 점순이의 속마음으로 알맞은 것을 고르시오.

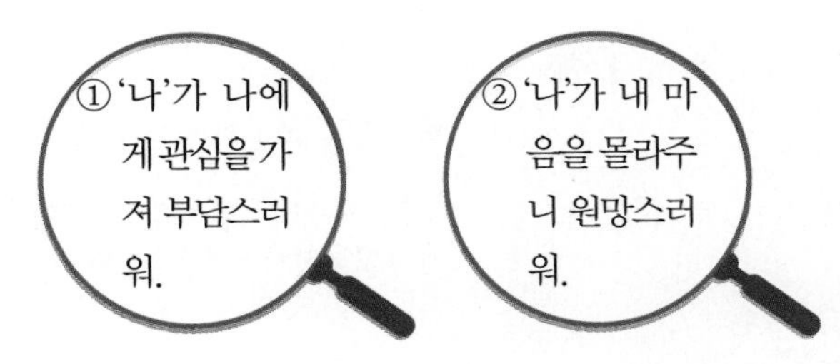

① '나'가 나에게 관심을 가져 부담스러워.
② '나'가 내 마음을 몰라주니 원망스러워.

5-2 점순이가 '나'의 닭을 괴롭히는 까닭으로 알맞은 것은?

① '나'가 자신을 싫어하게 만들려고
② 자신의 마을에서 '나'를 내쫓으려고
③ '나'의 집 닭이 알을 못 낳게 하려고
④ 자신에게 욕을 하는 '나'를 타이르려고
⑤ 자신의 호의를 거절한 '나'에게 복수하려고

6-1 '나'와 점순이의 성격을 바르게 연결하시오.

'나'

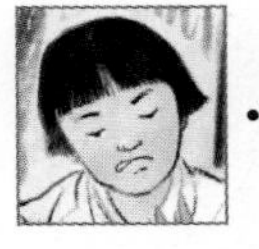
점순이

- ① 당돌하고 활달하다.
- ② 순박하고 어수룩하다.

6-2 '나'와 점순이의 특징으로 알맞지 않은 것은?

'나'	점순이
ㄱ. 눈치 없고 순박하다.	ㄴ. 적극적이고 씩씩하다.
ㄷ. 자신을 괴롭히는 점순이에게 적극적으로 대응하지 못한다.	ㄹ. '나'를 좋아해서 '나'의 관심을 끌고 싶어 한다.
ㅁ. 점순이의 마음을 알면서도 모른 척한다.	

① ㄱ ② ㄴ ③ ㄷ ④ ㄹ ⑤ ㅁ

동백꽃 ②

| '나'와 점순이의 갈등 |

봄 감자를 주면서 관심을 드러내야지.
그동안 본척만척하더니 오늘 왜 그러지?
봄 감자가 맛있단다.
니나 먹어라.
4일전

♥ 애정에 눈뜬 점순이

점순이는 '나'에게 관심을 보이지만 '나'는 눈치채지 못한다.

내 호의를 거절하다니. 닭한테 분풀이할 거야.
3일전

♥ '나'를 괴롭히는 점순이

점순이는 '나'의 집 씨암탉을 괴롭히고, 틈틈이 수탉을 잡아 싸움을 붙인다.

♥ 점순이의 마음을 몰라주는 '나'

'나'는 점순이가 자신의 집 닭을 괴롭히는 것에 화가 난다.

점순이는 왜 자꾸 닭싸움을 붙이는 거야!
어제

| '나'와 점순이의 화해 |

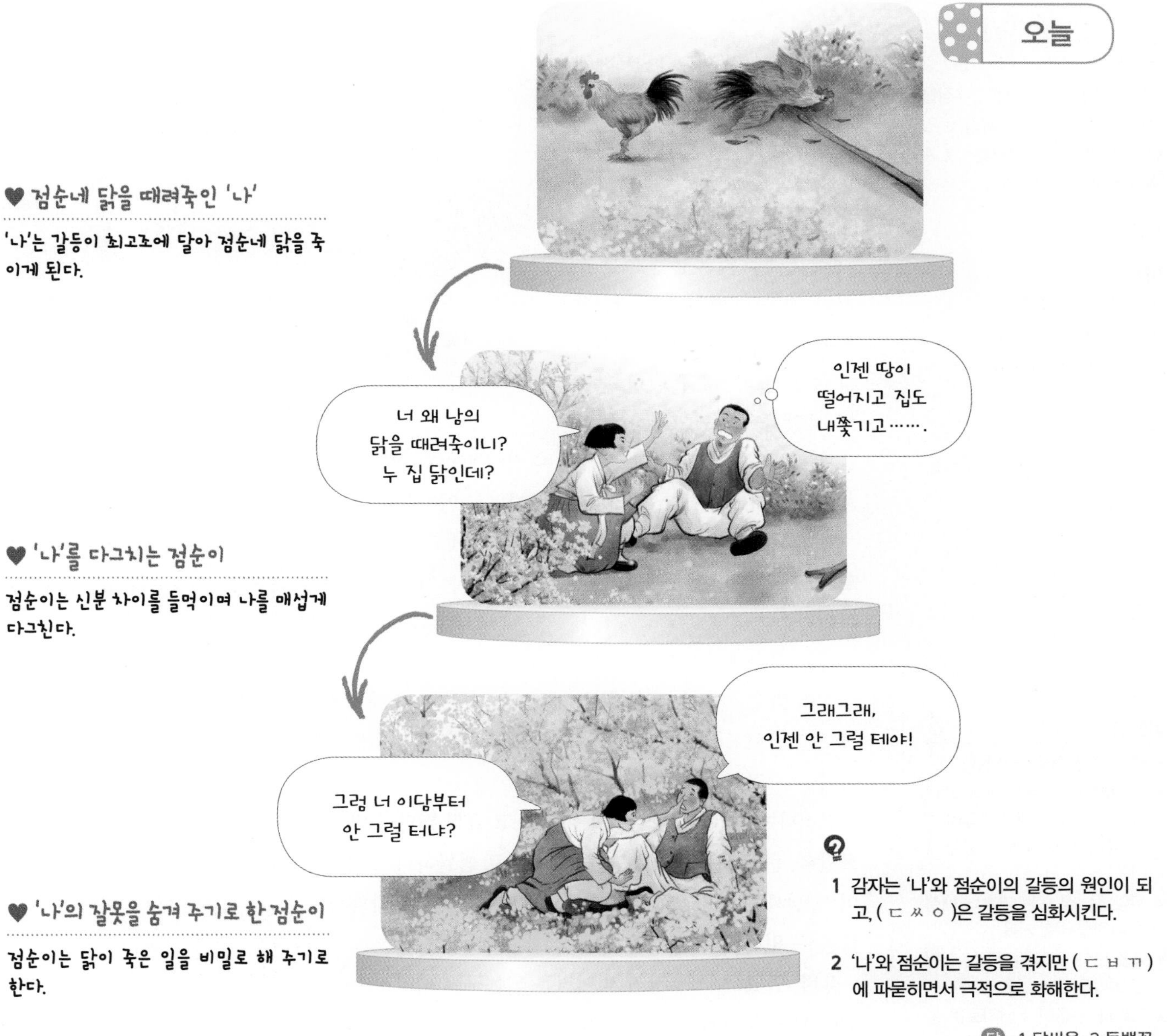

오늘
너 왜 남의 닭을 때려죽이니? 누 집 닭인데?
인젠 땅이 떨어지고 집도 내쫓기고…….
그래그래, 인젠 안 그럴 테야!
그럼 너 이담부터 안 그럴 터냐?

♥ 점순네 닭을 때려죽인 '나'

'나'는 갈등이 최고조에 달아 점순네 닭을 죽이게 된다.

♥ '나'를 다그치는 점순이

점순이는 신분 차이를 들먹이며 나를 매섭게 다그친다.

♥ '나'의 잘못을 숨겨 주기로 한 점순이

점순이는 닭이 죽은 일을 비밀로 해 주기로 한다.

1 감자는 '나'와 점순이의 갈등의 원인이 되고, (ㄷ ㅆ ㅇ)은 갈등을 심화시킨다.

2 '나'와 점순이는 갈등을 겪지만 (ㄷ ㅂ ㄲ)에 파묻히면서 극적으로 화해한다.

답 1 닭싸움 2 동백꽃

이 소설에는 '나'를 좋아하는 점순이와 눈치가 없어 점순이의 마음을 알지 못하는 '나' 사이에 갈등이 나타납니다. 이러한 '나'와 점순이의 갈등이 어떻게 해결되는지를 주목하여 봅시다. 그리고 '감자', '닭싸움', '동백꽃'은 두 남녀의 사이에서 어떤 역할을 하는지도 생각하며 읽어 봅시다.

2주 4일 기초 집중 연습

발단 | 전개 | 위기 | 절정 | 결말

이 장면은

'나'가 자기네 수탉한테 고추장을 먹이면 점순네 수탉을 이길 수 있다고 판단하여 실행하지만 그 계획이 실패하는 장면이다.

여기에 주목해 봐!
- '나'의 성격과 심리
- '나'의 행동과 그 이유
- 닭싸움의 의미와 역할

[1~3] 다음 글을 읽고 물음에 답하시오.

앞부분 줄거리 | '나'에게 관심이 있는 점순이는 욕을 하거나 계속해서 자기 집 닭과 '나'의 집 닭끼리 싸움을 붙여 '나'를 괴롭힌다. 그래도 '나'는 점순이에게 적극적으로 대응하지 못한다.

이렇게 되면 나도 다른 배채를 차리지 않을 수 없다. 하루는 우리 수탉을 붙들어 가지고 넌지시 장독께로 갔다. 쌈닭에게 고추장을 먹이면 병든 황소가 살모사를 먹고 용을 쓰는 것처럼 기운이 뻗친다 한다. 장독에서 고추장 한 접시를 떠서 닭 주둥아리께로 들이밀고 먹여 보았다. 닭도 고추장에 맛을 들였는지 거스르지 않고 거진 반 접시 턱이나 곧잘 먹는다.

그리고 먹고 금세는 용을 못 쓸 터이므로 얼마쯤 기운이 돌도록 홰 속에다 가두어 두었다.

밭에 두엄을 두어 짐 져 내고 나서 쉴 참에 그 닭을 안고 밖으로 나왔다. 마침 밖에는 아무도 없고 점순이만 즈 울 안에서 헌 옷을 뜯는지 혹은 솜을 타는지 웅크리고 앉아서 일을 할 뿐이다.

나는 점순네 수탉이 노는 밭으로 가서 닭을 내려놓고 가만히 맥을 보았다. 두 닭은 여전히 얼리어 쌈을 하는데 처음에는 아무 보람이 없다. 멋지게 쪼는 바람에 우리 닭은 또 피를 흘리고 그러면서도 날갯죽지만 푸드득푸드득하고 올라 뛰고 할 뿐으로 제법 한 번 쪼아 보도 못한다.

그러나 한번은 어쩐 일인지 용을 쓰고 펄쩍 뛰더니 발톱으로 눈을 하비고 내려오며 면두를 쪼았다. 큰 닭도 여기에는 놀랐는지 뒤로 멈씰하며 물러난다. 이 기회를 타서 작은 우리 수탉이 또 날쌔게 덤벼들어 다시 면두를 쪼니 그제서는 감때사나운 그 대강이에서도 피가 흐르지 않을 수 없다.

옳다. 알았다. 고추장만 먹이면은 되는구나 하고 나는 속으로 아주 쟁그라워 죽겠다. 그때에는 뜻밖에 내가 닭쌈을 붙여 놓는 데 놀라서 울 밖으로 내다보고 섰던 점순이도 입맛이 쓴지 살을 찌푸렸다.

나는 두 손으로 볼기짝을 두드리며 연방

"잘한다! 잘한다!" 하고 신이 머리끝까지 뻗치었다.

그러나 얼마 되지 않아서 나는 넋이 풀리어 기둥같이 묵묵히 서 있게 되었다. 왜냐면 큰 닭이 한 번 쪼인 앙갚음으로 호들갑스레 연거푸 쪼는 서슬에 우리 수탉은 찔끔 못 하고 막 곯는다. 이걸 보고서 이번에는 점순이가 깔깔거리고 되도록 이쪽에서 많이 들으라고 웃는 것이다.

어휘 풀이
- **배채** 어떤 일을 하기 위한 꾀.
- **홰** 새장이나 닭장 속에 새나 닭이 앉을 수 있게 가로질러 놓은 막대기. 여기서는 '닭장'을 이름.
- **두엄** 풀, 짚 또는 가축의 배설물 따위를 썩힌 거름.
- **맥을 보다** 일이 돌아가는 형편을 살피다.
- **하비다** 손톱이나 날카로운 물건 따위로 조금 긁어 파다.
- **멈씰하다** '멈칫하다'의 방언.
- **감때사납다** 억세고 사납다.
- **쟁그랍다** 원래는 '징그럽다'보다 작은 느낌을 주는 말이지만, 여기서는 '고소하다'의 뜻으로 쓰였다.
- **살** 주름이나 구김으로 생기는 금.

1-1 ‘나’가 점순이의 괴롭힘에 대응하기 위해 계획한 행동으로 알맞은 것을 고르시오.

① 지게막대기로 울타리를 치며 분해함.

② ‘나’의 집 수탉에게 고추장을 먹여 닭싸움을 붙임.

1-2 ‘나’가 자기 집 닭에게 고추장을 먹이려는 까닭으로 알맞은 것은?

① 닭을 빨리 자라게 하기 위해서
② 닭이 걸리는 질병을 예방하기 위해서
③ 닭이 고추장을 먹는지 실험하기 위해서
④ 점순네 닭과의 싸움에서 진 것을 벌하기 위해서
⑤ 닭이 기운이 뻗쳐 닭싸움에서 이길 수 있게 하기 위해서

2-1 ‘닭싸움’의 역할로 알맞은 것을 고르시오.

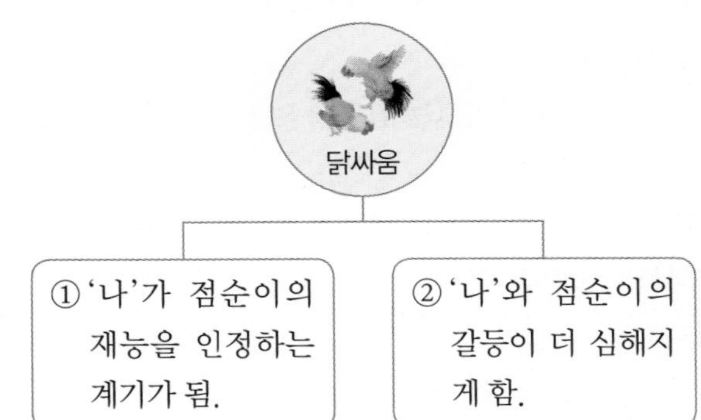

닭싸움
① ‘나’가 점순이의 재능을 인정하는 계기가 됨.
② ‘나’와 점순이의 갈등이 더 심해지게 함.

2-2 이 글에 드러나는 갈등으로 알맞은 것은?

① 고추장을 먹일지 말지 고민하는 ‘나’
② 닭싸움을 붙일지 말지 고민하는 점순이
③ 마음을 고백하는 점순이와 거절하는 ‘나’
④ 일을 시키려는 점순이와 하지 않으려는 ‘나’
⑤ 서로의 집 닭끼리 싸움을 붙이는 점순이와 ‘나’

3-1 이 글에 나타난 ‘나’의 심리 변화를 나타낼 때, 빈칸에 들어갈 알맞은 말을 〈보기〉에서 찾아 쓰시오.

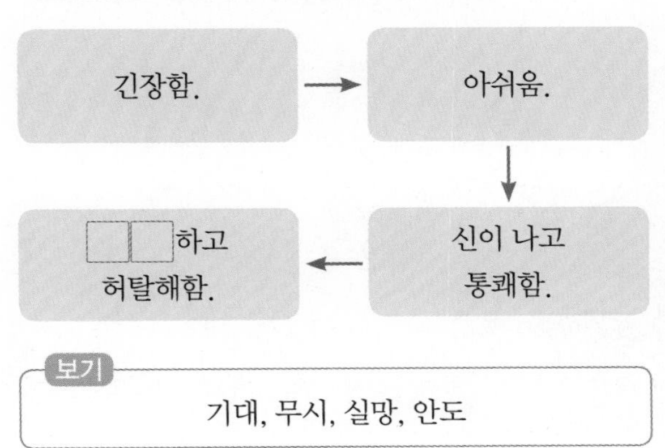

신이 나고 통쾌함.
□□하고 허탈해함.

기대, 무시, 실망, 안도

3-2 이 글에 나타난 인물의 심리로 알맞지 않은 것은?

① 점순이는 ‘나’를 약 올리려고 크게 웃고 있다.
② 점순이는 닭싸움을 붙이는 ‘나’를 걱정하고 있다.
③ ‘나’는 고추장을 먹이면 닭이 강해진다고 믿고 있다.
④ ‘나’는 고추장을 먹인 닭이 이길 수 있다고 기대하고 있다.
⑤ ‘나’는 자기 집 닭이 점순네 수탉한테 덤벼들 때는 이기고 있다고 생각해서 신이 났다.

기초 집중 연습

[4~6] 다음 글을 읽고 물음에 답하시오.

발단 | 전개 | 위기 | **절정** | 결말

이 장면은

점순이가 닭싸움을 붙여 놓고 호드기를 부는 모습에 화가 난 '나'가 점순네 수탉을 때려죽이지만, 둘이 동백꽃 속으로 쓰러지면서 갈등이 해소되는 장면이다.

여기에 주목해 봐!
- '나'의 심리 변화
- 점순이의 말에 담긴 의미
- 동백꽃의 의미

앞부분 줄거리 | 나흘 전 점순이가 준 감자를 거절하고부터 점순이는 '나'를 계속 괴롭히려고 '나'의 집 닭과 자기 집 닭의 싸움을 붙인다. 오늘도 점순이는 일부러 닭싸움을 시킨다.

가차이 와 보니 과연 나의 짐작대로 우리 수탉이 피를 흘리고 거의 빈사지경에 이르렀다. 닭도 닭이려니와 그러함에도 불구하고 눈 하나 깜짝 없이 고대로 앉아서 호드기만 부는 그 꼴에 더욱 치가 떨린다. 동리에서도 소문이 났거니와 나도 한때는 걱실걱실히 일 잘하고 얼굴 이쁜 계집애인 줄 알았더니 시방 보니까 그 눈깔이 꼭 여우 새끼 같다.

나는 대뜸 달려들어서 나도 모르는 사이에 큰 수탉을 단매로 때려 엎었다. 닭은 푹 엎어진 채 다리 하나 꼼짝 못 하고 그대로 죽어 버렸다. 그리고 나는 멍하니 섰다가 점순이가 매섭게 눈을 홉뜨고 닥치는 바람에 뒤로 벌렁 나자빠졌다.

"이놈아! 너 왜 남의 닭을 때려죽이니?" / "그럼 어때?" 하고 일어나다가

"뭐 이 자식아! 누 집 닭인데?" 하고 복장을 떼미는 바람에 다시 벌렁 자빠졌다. 그러고 나서 가만히 생각을 하니 분하기도 하고 무안도 스럽고, 또 한편 일을 저질렀으니 인젠 땅이 떨어지고 집도 내쫓기고 해야 될는지 모른다.

나는 비슬비슬 일어나며 소맷자락으로 눈을 가리고는 얼김에 엉 하고 울음을 놓았다. 그러다 점순이가 앞으로 다가와서

"그럼 너 이담부텀 안 그럴 터냐?" 하고 물을 때에야 비로소 살길을 찾은 듯싶었다. 나는 눈물을 우선 씻고 뭘 안 그러는지 명색도 모르건만

"그래!" 하고 무턱대고 대답하였다.

"요담부터 또 그래 봐라. 내 자꾸 못살게 굴 터니?"

"그래그래, 인젠 안 그럴 테야!" / "닭 죽은 건 염려 마라. 내 안 이를 테니."

그리고 뭣에 떠다밀렸는지 나의 어깨를 짚은 채 그대로 픽 쓰러진다. 그 바람에 나의 몸뚱이도 겹쳐서 쓰러지며 한창 피어 퍼드러진 노란 동백꽃 속으로 폭 파묻혀 버렸다.

㉠<u>알싸한 그리고 향긋한 그 냄새에 나는 땅이 꺼지는 듯이 온 정신이 고만 아찔하였다.</u>

어휘 풀이
- **가차이** '가까이'의 방언.
- **빈사지경(瀕死地境)** 거의 죽게 된 처지나 형편.
- **걱실걱실히** 성질이 너그러워 말과 행동을 시원스럽게 하는 모양.
- **단매** 단 한 번 때리는 매.
- **홉뜨다** 눈알을 위로 굴리고 눈시울을 위로 치뜨다.
- **복장** 가슴의 한복판.
- **떼밀다** 남의 몸이나 어떤 물체 따위를 힘을 주어 밀다.
- **얼김** 어떤 일이 벌어지는 바람에 자기도 모르게 정신이 얼떨떨한 상태.
- **동백꽃** 여기서는 생강나무의 꽃을 말한다. 방언으로 '동박꽃'이라고도 하는데, 2월에 노란색 꽃이 핀다.

▲ 생강나무꽃

- **알싸하다** 매운맛이나 독한 냄새 따위로 콧속이나 혀끝이 알알하다.

4-1 '나'에 대한 독자의 반응으로 알맞은 것을 고르시오.

① 점순이의 마음을 눈치 채지 못하는 순박한 모습을 보니 웃음이 나.

② 점순이의 마음을 이용해서 잘못을 덮으려는 약삭빠른 모습을 보니 씁쓸해.

4-2 이 글에서 서술자를 '나'로 하여 얻는 효과로 알맞지 않은 것은?

① '나'의 어수룩한 면이 웃음을 자아낸다.
② 점순이의 속마음을 상상하며 읽게 된다.
③ '나'가 사건을 전달하여 우울한 느낌을 준다.
④ '나'와 점순이의 사랑을 순수하게 느끼게 한다.
⑤ '나'의 생각과 행동의 이유를 자세히 알 수 있다.

도움말

'나'와 같은 서술자의 효과

'나'는 점순이의 의도를 눈치채지 못하지만, 독자는 점순이의 말과 행동으로 점순이의 의도를 눈치챌 수 있지요.

5-1 다음과 같이 이 글의 분위기가 바뀌게 되는 역할을 한 소재를 〈보기〉에서 찾아 쓰시오.

불안하고 걱정스러운 분위기 → 낭만적이고 화해하는 분위기

보기

수탉

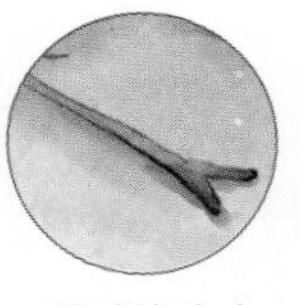
지게막대기

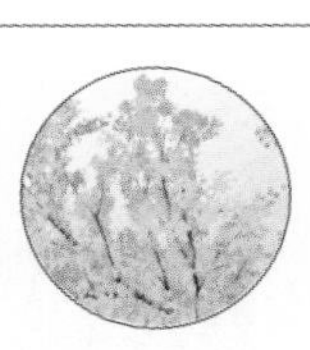
동백꽃

5-2 다음과 같이 '나'와 점순이의 갈등 관계가 변하게 된 사건으로 알맞은 것은?

'나'가 점순네 닭을 죽이면서 긴장감이 최고조에 이름. → '나'와 점순이가 화해하면서 긴장감이 해소됨.

① '나'가 수탉을 단매로 때려 엎음.
② '나'와 점순이가 동백꽃 속으로 파묻힘.
③ '나'가 '나'의 집이 곤란해질까 봐 걱정함.
④ 점순이가 닭싸움을 붙여 놓고 호드기를 붊.
⑤ '나'가 비슬비슬 일어나며 얼김에 울어버림.

6-1 이 글의 주제로 알맞은 것을 고르시오.

① 닭의 죽음으로 인한 소년과 소녀의 참혹한 전쟁!

② 시골 소년과 소녀의 순박한 사랑 이야기!

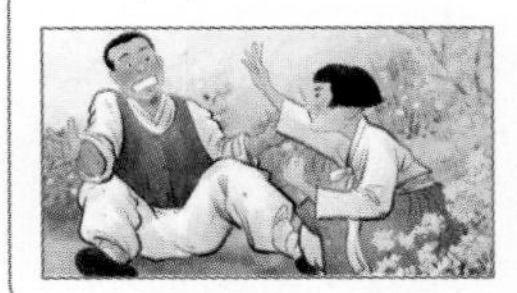

6-2 ㉠을 통해 추측할 수 있는 '나'와 점순이의 관계 변화로 알맞은 것은?

① 둘 사이에 풋풋한 감정이 생길 것이다.
② 둘 사이의 갈등이 더욱 깊어질 것이다.
③ '나'가 점순이를 오히려 괴롭힐 것이다.
④ '나'가 계속 점순이의 호의를 무시할 것이다.
⑤ 점순이가 '나'를 좋아하는 마음을 포기할 것이다.

작품 한 번 더 체크

〈소나기〉

소년과 소녀의 사랑 이야기

소재의 의미

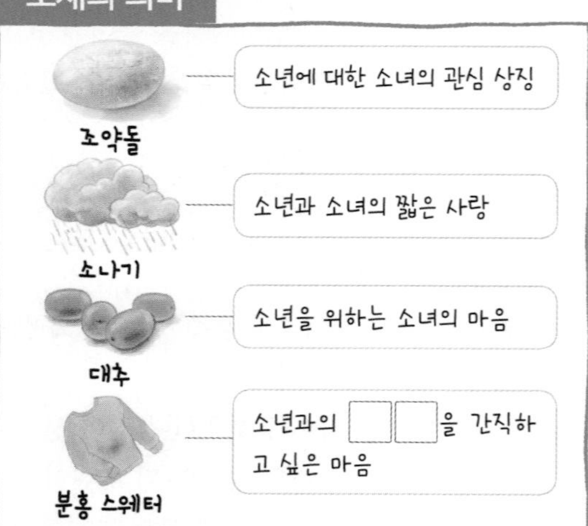

작품의 주제

안타까움과 여운을 남기는 결말
→ 소년과 소녀의 짧고 □□한 사랑

답 소극적, 추억, 순수

<동백꽃>

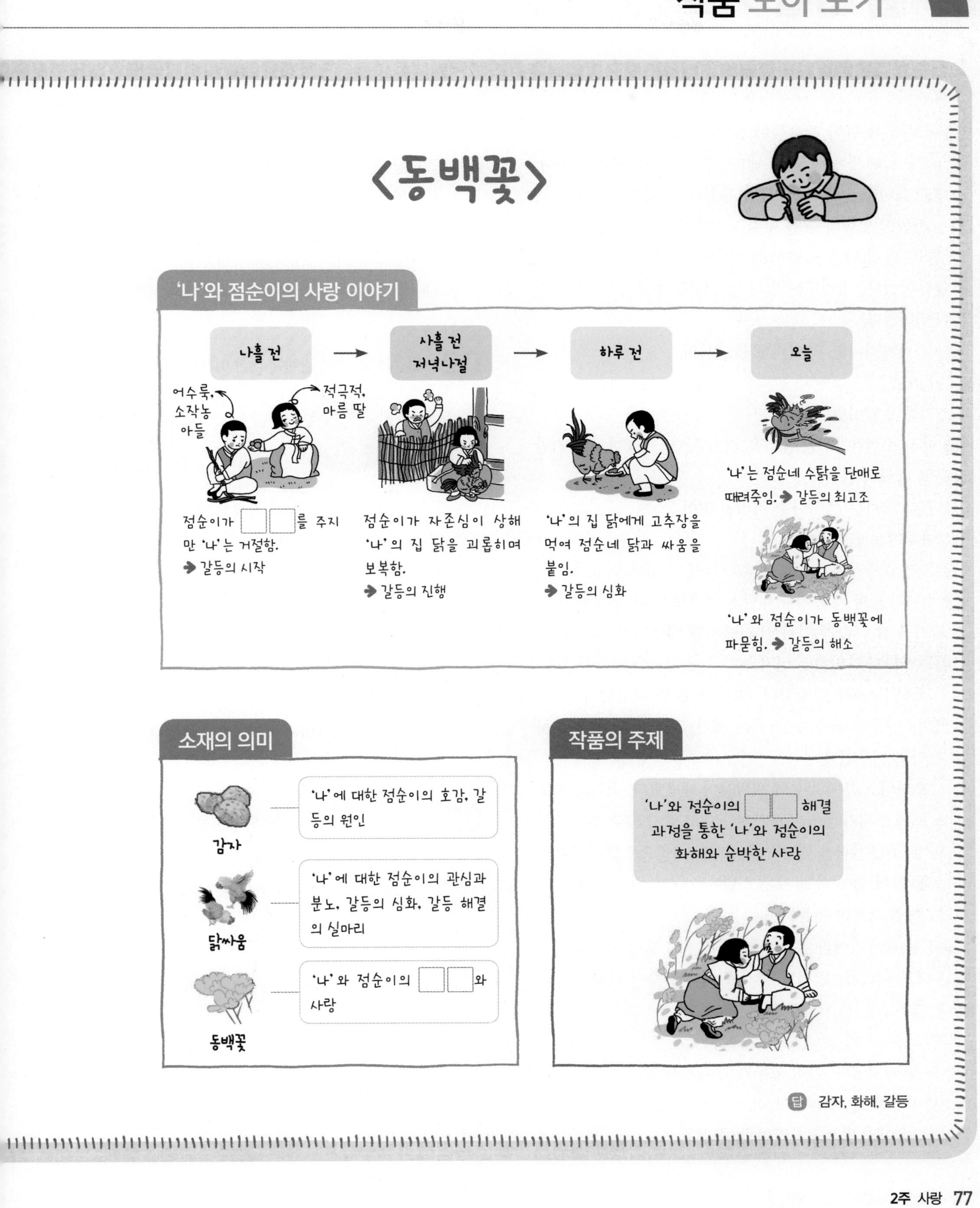

'나'와 점순이의 사랑 이야기

나흘 전 → 사흘 전 저녁나절 → 하루 전 → 오늘

- **나흘 전**: 점순이가 ☐☐를 주지만 '나'는 거절함. → 갈등의 시작
- **사흘 전 저녁나절**: 점순이가 자존심이 상해 '나'의 집 닭을 괴롭히며 보복함. → 갈등의 진행
- **하루 전**: '나'의 집 닭에게 고추장을 먹여 점순네 닭과 싸움을 붙임. → 갈등의 심화
- **오늘**: '나'는 점순네 수탉을 단매로 때려죽임. → 갈등의 최고조 / '나'와 점순이가 동백꽃에 파묻힘. → 갈등의 해소

소재의 의미

- 감자 — '나'에 대한 점순이의 호감, 갈등의 원인
- 닭싸움 — '나'에 대한 점순이의 관심과 분노, 갈등의 심화, 갈등 해결의 실마리
- 동백꽃 — '나'와 점순이의 ☐☐와 사랑

작품의 주제

'나'와 점순이의 ☐☐ 해결 과정을 통한 '나'와 점순이의 화해와 순박한 사랑

답 감자, 화해, 갈등

2주 5일 기초 집중 연습

[01~03] 다음 글을 읽고 물음에 답하시오.

가 소녀는 소년이 개울둑에 앉아 있는 걸 아는지 모르는지, 그냥 날쌔게 물만 움켜 낸다. 그러나 번번이 허탕이다. 그대로 재미있는 양, 자꾸 물만 움킨다. 어제처럼 개울을 건너는 사람이 있어야 길을 비킬 모양이다.

그러다가 소녀가 물속에서 무엇을 하나 집어낸다. 하얀 조약돌이었다. 그러고는 벌떡 일어나 팔짝팔짝 징검다리를 뛰어 건너간다.

다 건너가더니만 홱 이리로 돌아서며,

"이 바보."

조약돌이 날아왔다.

나 다시 소년은 꽃 한 옴큼을 꺾어 왔다. 싱싱한 꽃가지만 골라 소녀에게 건넨다.

그러나 소녀는 / "하나두 버리지 말어."

산마루께로 올라갔다.

맞은편 골짜기에 오손도손 초가집이 몇 모여 있었다.

다 소녀가 조용히 일어나 비탈진 곳으로 간다. 꽃송이가 달린 줄기를 잡고 끊기 시작한다. 좀처럼 끊어지지 않는다. 안간힘을 쓰다가 그만 미끄러지고 만다. 칡덩굴을 그러쥐었다.

[A] 소년이 놀라 달려갔다. 소녀가 손을 내밀었다. 손을 잡아 이끌어 올리며, 소년은 제가 꺾어다 줄 것을 잘못했다고 뉘우친다.

소녀의 오른쪽 무릎에 핏방울이 내맺혔다. 소년은 저도 모르게 생채기에 입술을 가져다 대고 빨기 시작했다. 그러다가, 무슨 생각을 했는지 홱 일어나 저쪽으로 달려간다.

좀 만에 숨이 차 돌아온 소년은

"이걸 바르면 낫는다."

송진을 생채기에다 문질러 바르고는 그 달음으로 칡덩굴 있는 데로 내려가, 꽃 달린 줄기를 이빨로 끊어 가지고 올라온다. 그러고는

"저기 송아지가 있다. 그리 가 보자."

누렁 송아지였다. 아직 코뚜레도 꿰지 않았다.

소년이 고삐를 바투 잡아 쥐고 등을 긁어 주는 척 후딱 올라탔다. 송아지가 껑충거리며 돌아간다.

01 이 글의 특징으로 알맞지 않은 것은?

① 시간의 흐름에 따라 사건이 전개된다.
② 향토적이고 서정적인 분위기가 느껴진다.
③ 상징적 소재를 통해 인물의 심리를 표현한다.
④ 서울 소녀와 시골 소년의 짧은 만남을 다룬다.
⑤ 소년이 소녀와 겪었던 일을 회상하며 서술한다.

- **향토적** 고향이나 시골의 정취가 담긴 것.
- **서정적** 감정이나 정서를 많이 담고 있는 것.

02 '소년'과 '소녀'의 관계에 대한 이해로 알맞지 않은 것은?

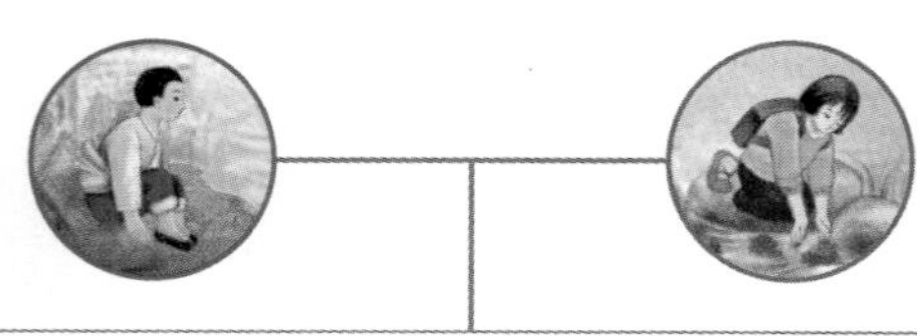

① 소년과 소녀는 개울가에서 처음 만났다.
② 소녀가 소년에게 조약돌을 던지면서 대립하기 시작했다.
③ 소녀는 소년에게 "이 바보."라고 말하며 서운함을 드러냈다.
④ 소년과 소녀는 산에 가서 꽃을 꺾고 송아지를 타면서 가까워졌다.
⑤ 소년은 처음에는 소극적으로 소녀를 대했으나 시간이 지나면서 적극적으로 대했다.

03 [A]에 드러난 소년의 심리로 알맞은 것은?

① 내가 꺾어다 주었어야 했는데, 미안하네.
② 소녀와 같이 있어도 왠지 허전하네.
③ 소녀를 돌봐 주는 내 모습이 자랑스러워.
④ 소녀의 할아버지에게 혼날 것 같아 두려워.
⑤ 산에 오자고 한 소녀를 이해할 수 없어.

[04~06] 다음 글을 읽고 물음에 답하시오.

가 수숫단 속은 비는 안 새었다. 그저 어둡고 좁은 게 안됐다. 앞에 나앉은 소년은 그냥 비를 맞아야만 했다. 그런 소년의 어깨에서 김이 올랐다.

소녀가 속삭이듯이, 이리 들어와 앉으라고 했다. 괜찮다고 했다. 소녀가 다시, 들어와 앉으라고 했다. 할 수 없이 뒷걸음질을 쳤다. 그 바람에, 소녀가 안고 있는 꽃묶음이 우그러들었다. 그러나 소녀는 상관없다고 생각했다. 비에 젖은 소년의 몸 내음새가 확 코에 끼얹혀졌다. 그러나 고개를 돌리지 않았다. 도리어 소년의 몸기운으로 해서 떨리던 몸이 적이 누그러지는 느낌이었다.

나 갈림길에서 소녀는,

"저, 오늘 아침에 우리 집에서 대추를 땄다. 낼 제사 지낼려구……."

대추 한 줌을 내어 준다.

소년은 주춤한다.

"맛봐라. 우리 증조할아버지가 심었다는데, 아주 달다."

소년은 두 손을 오그려 내밀며,

"참, 알두 굵다!"

"그리구 저, 우리 이번에 제사 지내고 나서 좀 있다 집을 내주게 됐다."

소년은 소녀네가 이사해 오기 전에 벌써 어른들의 이야기를 들어서, 윤 초시 손자가 서울서 사업에 실패해 가지고 고향에 돌아오지 않을 수 없게 됐다는 걸 알고 있었다. 그것이 이번에는 고향 집마저 남의 손에 넘기게 된 모양이었다.

"왜 그런지 난 이사 가는 게 싫어졌다."

다 남폿불 밑에서 바느질감을 안고 있던 어머니가

"증손이라곤 계집애 그 애 하나뿐이었지요?"

"그렇지, 사내애 둘 있던 건 어려서 잃구……."

"어쩌믄 그렇게 자식 복이 없을까."

"글쎄 말이지. 이번 앤 꽤 여러 날 앓는 걸 약두 변변히 못 써 봤다더군. 지금 같애서는 윤 초시네두 대가 끊긴 셈이지. 그런데 참, 이번 계집애는 어린것이 여간 잔망스럽지가 않어. 글쎄, 죽기 전에 이런 말을 했다지 않어? 자기가 죽거든 자기 입던 옷을 꼭 그대루 입혀서 묻어 달라구……."

04 이 글을 영상으로 만들 때 자막으로 알맞지 <u>않은</u> 것은?

①

소년과 소녀는 소나기를 피한다.

②

소녀는 소년에게 대추를 준다.

③

소녀는 이사를 간다고 말한다.

④

소년의 부모는 소녀의 죽음을 안타까워한다.

⑤
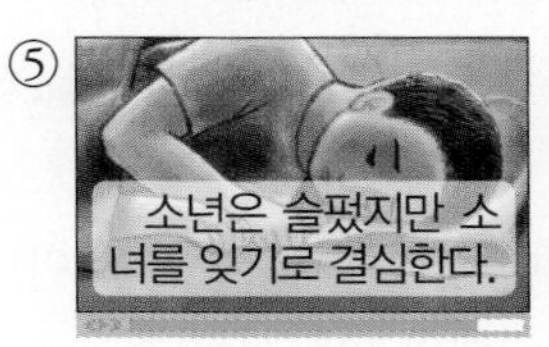

소년은 슬펐지만 소녀를 잊기로 결심한다.

05 소녀가 소년에게 편지를 남겼다고 할 때, 소녀의 마음으로 알맞지 <u>않은</u> 것은?

> ① 수숫단 속에 있으면서 너와 많이 가까워졌지? ② 그때 꽃묶음이 우그러졌지만 괜찮았던 건 네가 더 중요하다고 생각해서 그런 것 같아. ③ 또, 친근감과 따뜻함이 느껴져서 너의 몸 냄새가 싫지 않았지. ④ 그런 너를 좋아하는 내 마음을 대추를 통해 전하고 싶었어. ⑤ 그리고 내가 죽더라도 네가 나를 잊지 말라는 뜻에서 분홍 스웨터를 입혀서 묻어 달라는 유언을 남겼어.

06 이 글의 주제가 드러나게 누리 소통망[SNS]에 소개할 때, 빈칸에 들어갈 말로 알맞은 것은?

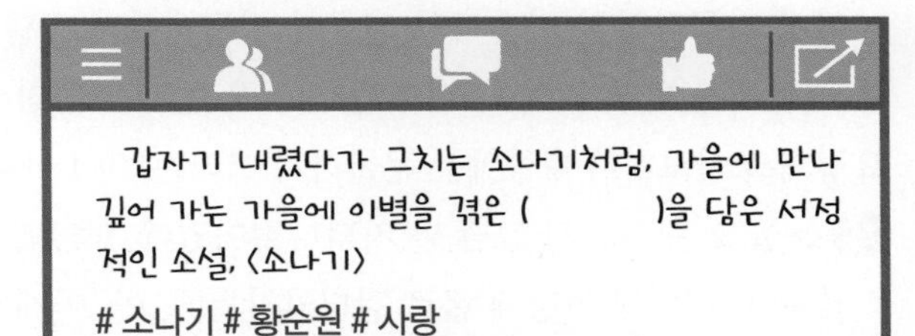

갑자기 내렸다가 그치는 소나기처럼, 가을에 만나 깊어 가는 가을에 이별을 겪은 (　　　　)을 담은 서정적인 소설, 〈소나기〉
소나기 # 황순원 # 사랑

① 청소년들의 우정과 고민
② 소년과 소녀의 짧은 사랑
③ 소녀과 소녀의 갈등과 성장
④ 남녀 간의 대립과 인간성 회복
⑤ 시련을 이겨 내는 완벽한 사랑

[07~09] 다음 글을 읽고 물음에 답하시오.

가 나흘 전 감자 쪼간만 하더라도 나는 저에게 조금도 잘못한 것은 없다.

계집애가 나물을 캐러 가면 갔지 남 울타리 엮는데 쌩이질을 하는 것은 다 뭐냐. 그것도 발소리를 죽여 가지고 등 뒤로 살며시 와서

"얘! 너 혼자만 일하니?" 하고 긴치 않은 수작을 하는 것이다.

어제까지도 저와 나는 이야기도 잘 않고 서로 만나도 본척만척하고 이렇게 점잖게 지내던 터이련만 오늘로 갑작스레 대견해졌음은 웬일인가.

나 언제 구웠는지 아직도 더운 김이 확 끼치는 굵은 감자 세 개가 손에 뿌듯이 쥐였다.

"느 집엔 이거 없지?" 하고 생색 있는 큰소리를 하고는 제가 준 것을 남이 알면 큰일 날 테니 여기서 얼른 먹어 버리란다. 그리고 또 하는 소리가

"너 봄 감자가 맛있단다."

"난 감자 안 먹는다. 니나 먹어라."

나는 고개도 돌리려 하지 않고 일하던 손으로 그 감자를 도로 어깨 너머로 쑥 밀어 버렸다.

그랬더니 그래도 가는 기색이 없고, 그뿐만 아니라 쌔근쌔근하고 심상치 않게 숨소리가 점점 거칠어진다. 이건 또 뭐야 싶어서 그때에야 비로소 돌아다보니 나는 참으로 놀랐다. 우리가 이 동리에 들어온 것은 근 삼 년째 되어 오지만 여지껏 가무잡잡한 점순이의 얼굴이 이렇게까지 홍당무처럼 새빨개진 법이 없었다. 게다 눈에 독을 올리고 한참 나를 요렇게 쏘아보더니 나중에는 눈물까지 어리는 것이 아니냐.

다 눈물을 흘리고 간 그담 날 저녁나절이었다. 〈중략〉

점순이가 즈 집 봉당에 홀로 걸터앉았는데, 아, 이게 치마 앞에다 우리 씨암탉을 꼭 붙들어 놓고는

"이놈의 닭! 죽어라. 죽어라."

요렇게 암팡스레 패 주는 것이 아닌가. 그것도 대가리나 치면 모른다마는 아주 알도 못 낳으라고 그 볼기짝께를 주먹으로 콕콕 쥐어박는 것이다.

07 서술자인 '나'에 대한 설명으로 알맞지 않은 것은?

① 눈치가 없고 어수룩하다.
② 아직 사랑의 감정에 눈뜨지 못했다.
③ 점순이의 마음을 제대로 파악하고 있다.
④ 자신의 속마음을 직접 이야기하고 있다.
⑤ 자신의 입장에서 점순이의 행동을 전하고 있다.

08 (가), (나)에 나타난 점순이의 속마음과 '나'의 생각이 바르게 연결되지 않은 것은?

	점순이의 속마음	'나'의 생각
①	'나'에게 관심이 있어서 말을 걸고 싶어.	왜 갑자기 말을 거는지 까닭을 모르겠네.
②	오늘은 '나'와 많은 이야기를 하고 싶어.	점순이와 친해질 수 있는 좋은 기회야.
③	'나'에게 맛있는 감자를 주고 싶어.	자기네 집이 잘 사는 것을 생색내는군.
④	'나'를 좋아하는 마음을 간접적으로 전해야지.	점순이의 말이 못마땅하고 자존심이 상해.
⑤	'나'에게 감자를 주기 전에 분위기를 좋게 하자.	날씨가 풀려서 점순이가 이상해졌나.

09 다음과 같이 점순이에게 질문했을 때, 점순이의 대답으로 알맞은 것은?

'나'의 집 닭을 붙들고 때린 까닭이 무엇입니까?

① '나'의 집 닭이 닭싸움에서 지게 하려고요.
② '나'의 집 닭이 우리 집 닭보다 커 보여서요.
③ '나'의 집 닭이 우리 집 닭을 먼저 공격했어요.
④ '나'와는 상관없는 일이고 심심해서 그랬어요.
⑤ '나'에게 호감을 표현했는데 거절당해 속상해서요.

[10~12] 다음 글을 읽고 물음에 답하시오.

가 옳다. 알았다. 고추장만 먹이면은 되는구나 하고 나는 속으로 아주 쟁그라워 죽겠다. 그때에는 뜻밖에 내가 닭쌈을 붙여 놓는 데 놀라서 울 밖으로 내다보고 섰던 점순이도 입맛이 쓰지 살을 찌푸렸다.

나는 두 손으로 볼기짝을 두드리며 연방

"잘한다! 잘한다!" 하고 신이 머리끝까지 뻗치었다.

그러나 얼마 되지 않아서 나는 넋이 풀리어 기둥같이 묵묵히 서 있게 되었다. 왜냐면 큰 닭이 한 번 쪼인 앙갚음으로 호들갑스레 연거푸 쪼는 서슬에 우리 수탉은 찔금 못 하고 막 곯는다.

나 나는 대뜸 달려들어서 나도 모르는 사이에 큰 수탉을 단매로 때려 엎었다. 닭은 푹 엎어진 채 다리 하나 꼼짝 못 하고 그대로 죽어 버렸다. 그리고 나는 멍하니 섰다가 점순이가 매섭게 눈을 홉뜨고 닥치는 바람에 뒤로 벌렁 나자빠졌다.

"이놈아! 너 왜 남의 닭을 때려죽이니?"

"그럼 어때?" 하고 일어나다가

"뭐 이 자식아! 누 집 닭인데?" 하고 복장을 떼미는 바람에 다시 벌렁 자빠졌다. 그러고 나서 가만히 생각을 하니 분하기도 하고 무안도 스럽고, 또 한편 일을 저질렀으니 인젠 땅이 떨어지고 집도 내쫓기고 해야 될는지 모른다.

다 나는 비슬비슬 일어나며 소맷자락으로 눈을 가리고는 얼김에 엉 하고 울음을 놓았다. 그러다 점순이가 앞으로 다가와서

"그럼 너 이담부텀 안 그럴 터냐?" 하고 물을 때에야 비로소 살길을 찾은 듯싶었다. 나는 눈물을 우선 씻고 뭘 안 그러는지 명색도 모르건만

"그래!" 하고 무턱대고 대답하였다.

"요담부터 또 그래 봐라. 내 자꾸 못살게 굴 터니?"

"그래그래, 인젠 안 그럴 테야!"

"닭 죽은 건 염려 마라. 내 안 이를 테니."

그리고 뭣에 떠다밀렸는지 나의 어깨를 짚은 채 그대로 픽 쓰러진다. 그 바람에 나의 몸뚱이도 겹쳐서 쓰러지며 한창 피어 퍼드러진 노란 [동백꽃] 속으로 폭 파묻혀 버렸다.

알싸한 그리고 향긋한 그 냄새에 나는 땅이 꺼지는 듯이 온 정신이 고만 아찔하였다.

10 '나'와 점순이에 대한 설명으로 알맞지 않은 것은?

① '나'는 고추장을 먹은 닭이 이기기를 기대하였다.
② '나'는 점순네 닭을 죽여 쫓겨날까 봐 겁이 났다.
③ '나'는 이르지 않겠다는 말을 듣고 안심하였다.
④ 점순이는 '나'의 복장을 떼밀어 미안해하였다.
⑤ 점순이는 '나'가 자기 집 닭을 죽여 화가 났다.

11 이 글을 읽은 독자들이 인터넷 게시판에 쓴 감상으로 알맞지 않은 것은?

인터넷 게시판

성난 고슴도치: 눈치 없고 어수룩한 '나'를 통해 상황이 전달되면서 읽는 재미를 느꼈어요. ······①

쿵푸하는 펭귄: 사춘기 시골 소년과 소녀의 순박하고 풋풋한 사랑을 전하고 있군요. ······②

↳ 건방진 너구리: 적극적으로 자신의 감정을 표현한 점순이의 성격이 큰 역할을 했어요. ······③

씨름하는 젖소: 닭싸움은 '나'와 점순이가 갈등하게도 하지만, 갈등 해소의 실마리가 되기도 하는군요. ······④

힘센 병아리: 이젠 안 그러겠다는 '나'의 말에 점순이는 더 화가 났을 텐데 안타까워요. ······⑤

12 [동백꽃]의 의미와 역할에 맞는 문구로 알맞은 것은?

① 순수한 사랑을 방해하는 훼방꾼, 동백꽃!
② 동백꽃 속에서 화해의 분위기가 무르익다!
③ 동백꽃의 알싸한 향처럼 깊어져만 가는 갈등과 상처!
④ 동백꽃을 주면서 직접적으로 "나, 너 좋아해!"라고 말해 보세요!
⑤ 동백꽃을 건네 주면서 전한 '나'의 고백, 점순이의 마음에 파고들다!

누구나 100점 테스트

〈소나기〉

01 '소년'과 '소녀'에 대한 설명이 맞으면 ○표, 틀리면 ×표 하시오.

(1) 소년과 소녀는 산에서 처음 만났다. ( )

(2) 소년과 소녀는 서로에게 관심이 있다. ( )

(3) 소년은 소녀를 처음 보았을 때부터 적극적인 태도를 보였다. ( )

(4) 소녀는 하얀 피부를 지녔으며 몸이 약한 편이다. ( )

(5) 소년은 농촌에서 자랐으며 순박하고 순수한 성격을 지녔다. ( )

02 다음 의미를 지닌 소재를 〈보기〉에서 찾아 쓰시오.

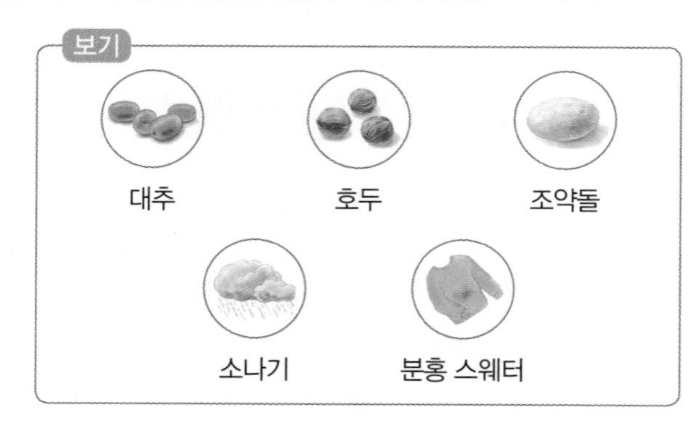

(1) 소년을 향한 소녀의 관심 ( )

(2) 소년을 생각하는 소녀의 마음 ( )

(3) 소녀를 생각하는 소년의 마음 ( )

(4) 소년과 소녀의 짧지만 순수한 사랑을 상징 ( )

(5) 소년을 계속 기억하고 싶어 하는 소녀의 마음 ( )

03 다음 행동에 나타난 '소녀'의 심리를 바르게 연결하시오.

	행동		심리
(1)	소년에게 "이 바보."라고 하며 조약돌을 던짐.	㉠	아쉬움
(2)	소년이 꺾어 준 꽃을 하나도 버리지 말라고 말함.	㉡	고마움, 즐거움
(3)	소년에게 대추를 주며 이사 가기 싫다고 말함.	㉢	답답함, 서운함

04 다음 행동에 나타난 '소년'의 심리를 바르게 연결하시오.

	행동		심리
(1)	소녀에게 꽃묶음을 만들어 줌.	㉠	걱정
(2)	무명 겹저고리를 벗어 비 맞은 소녀의 어깨를 싸 줌.	㉡	즐거움
(3)	소녀가 이사를 가게 되었다는 말을 들음.	㉢	안타까움, 서운함

05 이 글의 결말의 특징이 바르면 ○표, 틀리면 ×표 하시오.

소년은 부모님의 대화를 통해 소녀의 죽음을 알게 되었어.

( )

소녀의 유언으로 마무리되어 독자에게 안도감을 주지.

( )

<동백꽃>

06 이 글을 사건이 일어난 순서에 따라 배열할 때 빈칸에 들어갈 번호를 쓰시오.

①	'나'가 점순이가 주는 감자를 거절함.	
②	'나'가 홧김에 점순네 수탉을 때려죽임.	
③	점순이가 '나'의 집 씨암탉을 잡아다 때림.	
④	점순이에게 떠밀려 '나'는 동백꽃 속으로 함께 쓰러짐.	
⑤	'나'는 닭싸움에서 이기려고 '나'의 닭에게 고추장을 먹였으나 싸움에서 짐.	

(①) → (   ) → (⑤) → (   ) → (   )

07 다음 의미를 지닌 소재를 〈보기〉에서 찾아 쓰시오.

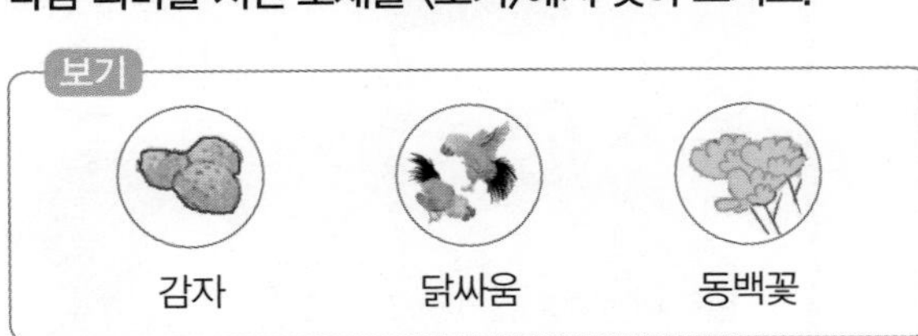

(1) '나'에 대한 점순이의 관심과 애정 (   )

(2) '나'와 점순이가 화해하면서 갈등이 해소되었음을 암시 (   )

(3) '나'와 점순이의 갈등을 나타내고 마지막에는 갈등 해소의 실마리를 제공 (   )

08 다음 행동에 나타난 '나'의 심리를 바르게 연결하시오.

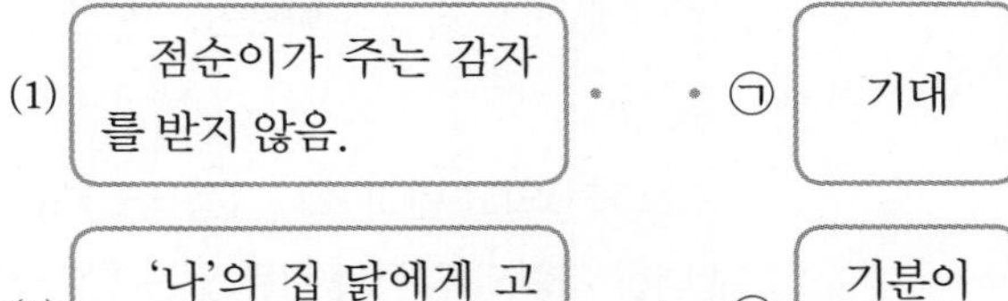

(1) 점순이가 주는 감자를 받지 않음.
㉠ 기대

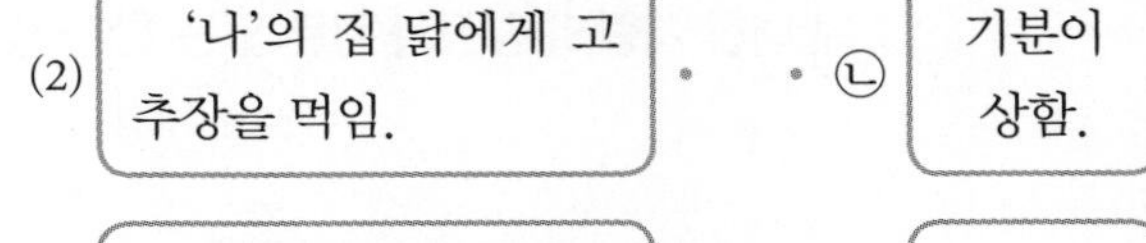

(2) '나'의 집 닭에게 고추장을 먹임.
㉡ 기분이 상함.

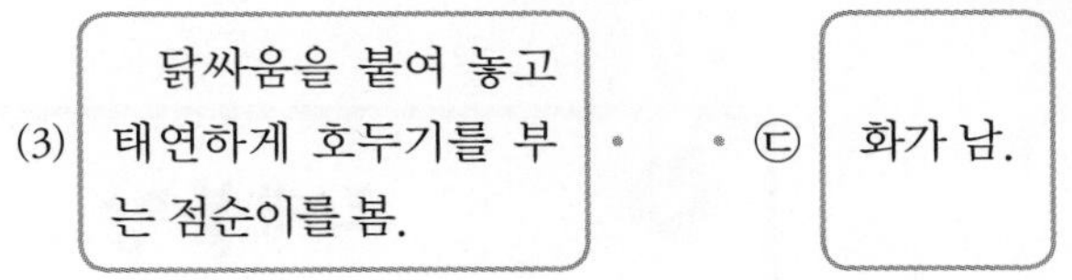

(3) 닭싸움을 붙여 놓고 태연하게 호두기를 부는 점순이를 봄.
㉢ 화가 남.

09 다음 행동에 나타난 점순이의 심리를 바르게 연결하시오.

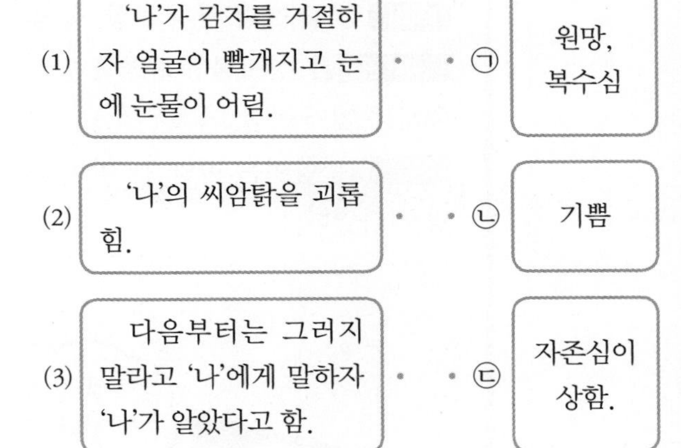

(1) '나'가 감자를 거절하자 얼굴이 빨개지고 눈에 눈물이 어림.
㉠ 원망, 복수심
(2) '나'의 씨암탉을 괴롭힘.
㉡ 기쁨
(3) 다음부터는 그러지 말라고 '나'에게 말하자 '나'가 알았다고 함.
㉢ 자존심이 상함.

10 이 글의 서술자를 '나'로 설정하여 얻는 효과로 알맞은 것을 고르시오.

(1) 점순이의 속마음은 서술되지 않고 '나'의 어수룩함만 서술되어 독자에게 (웃음 / 성취감)을 준다.

(2) 사춘기 소년과 소녀의 풋풋한 사랑을 재미있고 (순수한 / 어색한) 분위기로 만든다.

1 '사랑'과 관련된 한자 성어

〈소나기〉의 소년과 소녀, 〈동백꽃〉의 '나'와 점순이는 모두 이성에 대해 떨리는 감정을 느낍니다. 이렇게 어떤 대상에 대한 사랑의 감정과 관련 있는 한자 성어를 살펴보고, 두 작품 속 주인공의 감정을 표현해 봅시다.

오매불망

寤 깰 오, 寐 잠잘 매, 不 아니 불, 忘 잊을 망

고사 중국 노래의 시구인 '오매구지(寤寐求之)[자나 깨나 구하지요.], 오매사복(寤寐思服)[자나 깨나 생각하네.]'에서 유래했다고 한다.

의미 자나 깨나 잊지 못함. 늘 잊지 못함.

유사 표현 상사불망(相思不忘: 서로 그리워하여 잊지 못함.)

예문 춘향이는 한양 간 이몽룡을 오매불망 기다렸다.

이심전심

以 써 이, 心 마음 심, 傳 전할 전, 心 마음 심

고사 석가모니가 영취산에서 팔만의 대중에게 꽃을 들어 보였지만 오직 가섭 한 사람만 미소를 지어 보였다는 일화에서 유래했다고 한다.

의미 마음과 마음으로 서로 뜻이 통함.

유사 표현 심심상인(心心相印: 말없이 마음과 마음으로 뜻을 전함.)

예문 민주와 승훈이는 이심전심으로 사랑이 싹트고 있었다.

정답과 해설 11쪽

연모지정

戀 사모할 연, 慕 사모할 모, 之 갈 지, 情 뜻 정

의미 이성을 사랑하여 간절히 그리워하는 마음.

예문 영은이는 태형이에 대한 연모지정의 마음을 어떻게 전할까 고민하다가 편지를 쓰기로 했다.

고백 편지를
써서 전해야지. 빨리
내일이 왔으면…….

천생연분

天 하늘 천, 生 날 생, 緣 인연 연, 分 나눌 분

고사 처녀가 과거를 보러 한양으로 떠난 총각을 그리워하여 편지를 써서 연못에 던졌는데 물고기가 그 편지를 집어삼켰고, 총각이 한양에서 물고기를 사 배를 갈랐더니 편지가 한 통 나왔다는 관련 이야기가 있다.

의미 하늘이 정하여 준 연분.

예문 우리 부부는 하늘이 맺어 준 천생연분이라는 말을 자주 듣는다.

참 잘
어울리네요.
신부와 신랑이
천생연분이네요.

Q (가)와 (나)의 내용과 관련 있는 한자 성어를 각각 쓰시오.

가 

<소나기>: 소나기를 맞은 다음 날부터 소녀의 모습이 보이지 않았어. 소년은 매일같이 개울가로 달려가도 보고 학교 쉬는 시간에도 소녀를 찾아보았어. 그러다가 [ㅇ][ㅁ][ㅂ][ㅁ]하던 소녀를 개울둑에서 만났지.

나 

<동백꽃>: 적극적인 성격의 점순이와 순박한 '나'는 성격이 다르기도 하고 신분도 차이가 나지. 점순이가 '나'의 집 닭을 괴롭히면서 둘이 갈등을 겪지만 극적으로 화해하고 사랑이 시작되는 것을 보니 둘은 [ㅊ][ㅅ][ㅇ][ㅂ]인가 봐.

② 필사하기

조선 후기의 학자 이덕무는 "글이란 눈으로 보고 입으로 읽는 것보다 손으로 직접 한 번 써 보는 것이 백 배 낫다."라고 말했습니다. 이처럼 인상 깊은 구절이나 인물의 말 등을 직접 써 봄으로써 내용을 다시 한번 곱씹어 볼 수 있습니다. 〈소나기〉와 〈동백꽃〉 가운데 인상 깊은 부분을 골라 따라 써 봅시다.

 〈하늘은 맑건만〉(현덕)

필사하고 싶은 부분: 문기가 잘못을 고백하고 갈등이 해소되는 장면

문기는 이것이 꿈인가 하고 한번 웃어 주려면서 그대로 맑은 정신이 났다. 문기는 병원 침대 위에 누워 있었다. 어디 아픈 데는 없으면서도 몸을 움직일 수는 없다. 삼촌은 근심스러운 얼굴로 내려다본다.

"작은아버지."

하고 문기는 입을 열었다. 그리고,

"저는 마땅히 받아야 할 벌을 받은 거예요."

하고 문기는 눈을 감으며 한 마디 한 마디 그러나 똑똑하게 처음서부터 끝까지 먼저 고깃간 주인이 일 원을 십 원으로 알고 거슬러 준 것, 그 돈을 써 버린 것, 그리고 또 붙장 안의 돈을 자기가 훔쳐 낸 것, 이렇게 하나하나 숨김없이 자백을 하자 이때까지 겹겹으로 몸을 싸고 있던 허물이 한 꺼풀 한 꺼풀 벗어지면서 따라 마음속의 어둠도 차차 사라지며 맑아 가는 것을, 문기는 확실히 깨달을 수 있었다. 마음이 맑아지며 따라 몸도 가뜬해진다.

내일도 해는 뜨고 하늘은 맑아지리라. 그리고 문기는 그 하늘을 떳떳이 마음껏 쳐다볼 수 있을 것이다.

필사하는 방법

- 리듬을 타면서 소리 내어 읽으면서 쓴다.
- 편안하고 바른 자세로 마침표, 쉼표, 말줄임표까지 느긋하게 쓴다.
- 단순히 글자를 옮겨 적지 말고 문장의 의미를 이해할 수 있게 천천히 쓴다.
- 사각사각 소리를 즐기며 쓰다가 마음에 들지 않으면 지울 수 있는 연필로 쓰는 것이 좋다.

필사는 책의 내용을
손으로 따라 쓰는 것을 말해요.
필사를 하면서 자신만의 생각을
떠올려 보세요.

2주

③ '황순원문학관'과 '김유정문학관' 찾아가기

'황순원문학관'과 '김유정문학관'을 들어본 적이 있나요? '문학관'은 작가가 태어나서 어린 시절을 보낸 곳이나 주로 활동하던 곳에 지어져 작품과 작가와 관련된 자료를 전시하거나 소설 속 배경이 되는 장소를 체험할 수 있게 하는 곳입니다. 문학관을 찾아 다양한 경험을 해 보고, 소설 〈소나기〉와 〈동백꽃〉의 의미를 더 깊게 생각해 봅시다.

Go! 황순원문학관인
'소나기 마을'

'소나기 마을' 전경

전시관 내부

〈소나기〉의 소녀가 양평읍으로 가서 죽음을 맞이했다는 내용을 바탕으로 하여 양평에 만들었다고 해요.

정원은 소설 속 주요 장면으로 꾸며 놓았고, '소나기 광장'에는 매일 한 시간씩 소나기가 내려 소년과 소녀처럼 원두막이나 수숫단 속으로 비를 피하는 체험을 할 수 있답니다. 문학관 안에서도 다양한 전시와 체험을 즐길 수 있어요.

들꽃을 꺾으며 놀던 곳

송아지를 타고 놀았던 들판

도랑을 건너는 곳

소나기 광장

*사진 출처: 황순원문학관

Go! 김유정문학관

소설 〈동백꽃〉은 강원도 산골을 배경으로 하지요? 강원도 춘천에 있는 실레 마을은 〈동백꽃〉의 작가 김유정의 고향입니다. 그래서 김유정문학관도 강원도 춘천시의 김유정 생가터 일대에 만들었어요.

김유정문학관에는 김유정 생가와 전시관, 체험방 등이 있답니다.

문학관 마당에 세워진 김유정 동상

전시관 내부

주인공 점순이의 동상

주인공 '나'의 동상

김유정의 생가를 복원한 모습

이번 주에는 무엇을 공부할까? 1

● 시대

◐ 과거의 삶과 오늘날의 삶의 다른 점을 생각해 보세요.

배울 내용

이번 주에는 무엇을 공부할까? ❷

소설은 창작 당시의 시대 상황과 그 속에서 살아가는 사람들의 모습을 담아내기도 합니다. 이번 주에는 사회적·역사적 상황이 잘 드러나는 두 작품을 읽으면서 당시의 삶의 모습을 살펴보고, 그 속에 어떤 가치가 담겨 있는지 생각해 봅시다.

❶ 〈박씨전〉 | 지은이 모름

이 작품은 병자호란이라는 역사적 사실을 배경으로 박씨의 영웅적인 모습을 그린 고전 소설입니다. 병자호란 당시 사람들의 삶의 모습이 나타나며, 전쟁에서 패한 고통을 극복하려는 백성들의 욕구가 반영되어 있습니다.

만약 자신이 전쟁에서 패배하고 고통스러운 상황에 놓인다면 어떻게 할 것인가요?

① 분하지만 패배를 받아들이고 잊으려고 노력한다.　② 전쟁에서 이기는 상상을 하여 분을 풀려고 한다.

② 〈기억 속의 들꽃〉 | 윤흥길

이 작품은 6·25 전쟁 중 피란길에 홀로 남은 아이가 어른들의 탐욕 때문에 고통을 겪는 모습을 그린 현대 소설입니다. 전쟁을 겪는 사람들의 비참한 삶과 전쟁 때문에 인간성을 잃어 가는 어른들의 모습이 잘 나타나 있습니다.

6·25 전쟁과 관련 있는 상황은 무엇인가요?

① 피란 떠나기　② 독립운동하기　③ 과거 시험 준비하기

답 ①

박씨전 ①

| 전체 줄거리 |

이시백은 박씨와 혼인했으나 박씨의 얼굴이 못생겨서 만나려 하지 않는다. 박씨는 피화당이라는 집을 지어서 여종 계화와 함께 지낸다.

박씨는 아버지 박 처사의 도움을 받아 허물을 벗고 아름다운 여인이 된다.

청나라는 조선을 침입하고, 박씨가 피화당을 침입한 청나라 장수 용울대를 죽이자 용울대의 형 용골대는 피화당을 공격한다.

용골대 앞에 나타난 박씨가 신기한 도술을 부리자 오랑캐 장졸들이 무수히 죽고 용골대는 항복한다.

임금에게 공을 인정받은 박씨는 정렬부인의 칭호를 받고 이시백과 행복한 여생을 누린다.

작품 미리 보기

| 주요 인물 |

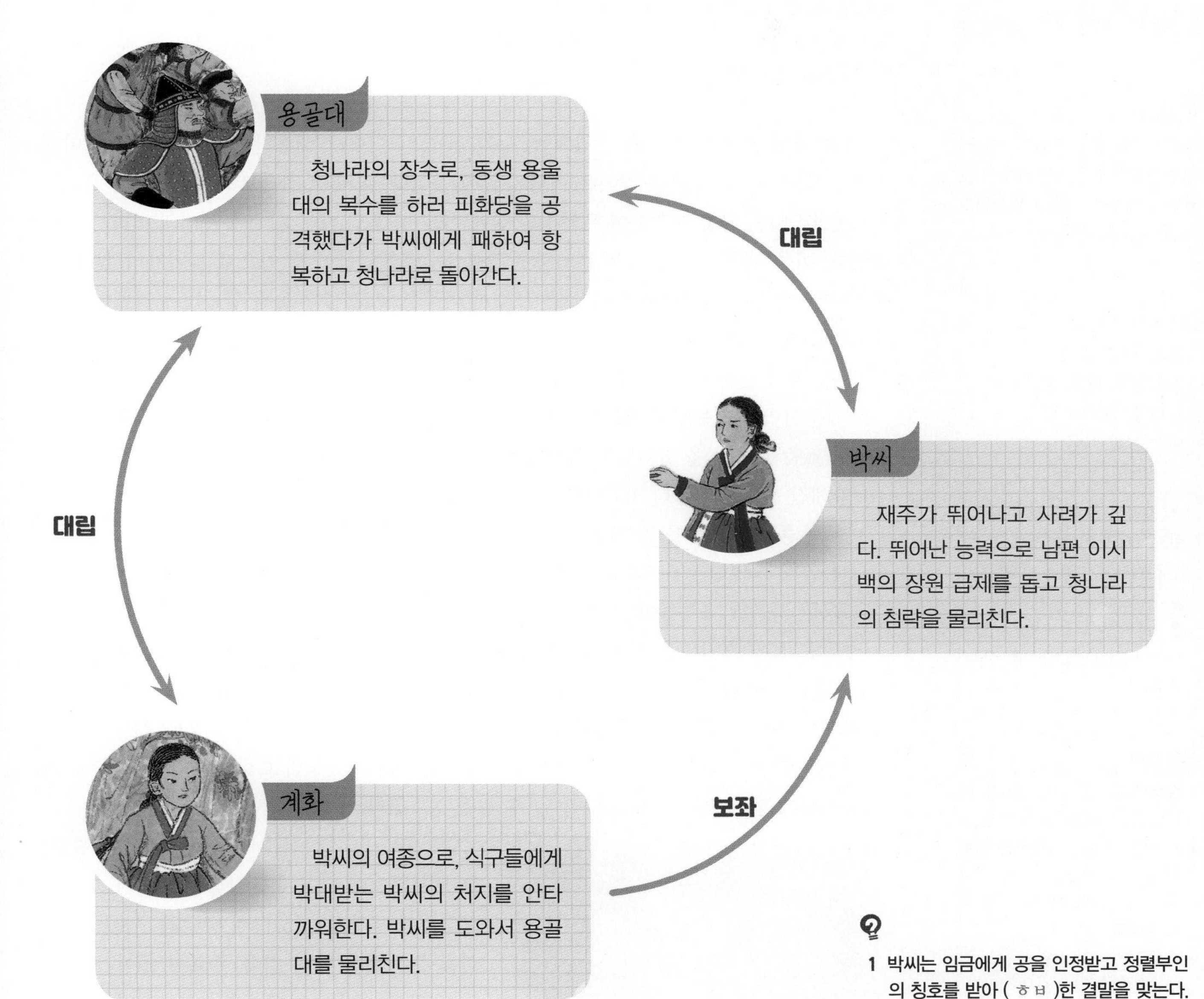

용골대
청나라의 장수로, 동생 용울대의 복수를 하러 피화당을 공격했다가 박씨에게 패하여 항복하고 청나라로 돌아간다.
대립
박씨
재주가 뛰어나고 사려가 깊다. 뛰어난 능력으로 남편 이시백의 장원 급제를 돕고 청나라의 침략을 물리친다.
대립
계화
박씨의 여종으로, 식구들에게 박대받는 박씨의 처지를 안타까워한다. 박씨를 도와서 용골대를 물리친다.
보좌

1 박씨는 임금에게 공을 인정받고 정렬부인의 칭호를 받아 (ㅎㅂ)한 결말을 맞는다.

2 (ㅂㅆ)는 뛰어난 능력을 발휘하여 용골대를 물리친다.

답 1 행복 2 박씨

이제부터 여러분은 〈박씨전〉의 주요 장면을 읽게 됩니다. 전체 줄거리를 참고하면서 병자호란이 당시 백성들의 삶에 어떤 영향을 미쳤는지, 당시의 여성과 백성들의 바람은 무엇이었는지를 살피며 작품을 읽어 봅시다.

기초 집중 연습

발단 | 전개 | 위기 | 절정 | 결말

이 장면은

박씨가 피화당에 침입한 청나라 장수 용울대의 목숨을 빼앗자 용골대가 복수를 하려고 피화당으로 들어가려는 장면이다.

여기에 주목해 봐!
- 당시의 시대 상황
- 용골대의 상황과 심정
- 박씨의 비범한 능력
- 비현실적인 내용

〈박씨전〉은 박씨가 허물을 벗기까지의 이야기가 전개되는 전반부와 박씨가 병자호란을 배경으로 활약하는 이야기를 그린 후반부로 나눌 수 있는데, 이 교재에서는 후반부만을 다룸.

어휘 풀이
- **속수무책** 손을 묶은 것처럼 어찌할 도리가 없어 꼼짝 못 함.
- **피화당** 박씨가 이시백과 결혼한 후, 못생겼다는 이유로 구박을 받자 후원에 지어서 시비 계화와 함께 지내는 곳.
- **제갈공명** 제갈량. 중국 삼국 시대 촉한의 뛰어난 군사 전략가.
- **팔문금사진** 제갈공명이 여덟 개의 문을 이용해 만들었다는 진.
- **오행금사진** 중국 춘추 시대의 장군 사마양저가 만물을 생성하고 변화시키는 다섯 가지 원소인 오행을 이용해 만들었다는 진.
- **신장** 귀신 가운데 무력을 맡은 장수신. 사방의 잡귀나 악신을 몰아냄.
- **지척** 아주 가까운 거리.

[1~3] 다음 글을 읽고 물음에 답하시오.

앞부분 줄거리 | 세력이 커진 청나라는 조선을 침범한다. 동쪽으로 쳐들어온 청나라의 용골대, 용울대 형제에게 조선은 속수무책으로 당하고, 임금은 남한산성으로 피신했으나 결국 항복한다. 박씨는 피화당을 침범한 용울대의 목숨을 빼앗는다.

"내 이미 조선 왕의 항복을 받았거늘, 누가 감히 내 아우를 해쳤단 말인가? 이 땅은 이제 내 손안에 있으니 원수를 갚기는 어렵지 않을 것이다. 어서 그 집으로 가자."

서릿발같이 군사를 재촉하여 우의정의 집에 이르니, 후원 나무 위에 용울대의 머리가 걸려 있었다. 이를 본 용골대는 더욱 분노하여 칼을 들고 말을 몰아 집 안으로 들어가려 했다. 그때 도원수 한유가 피화당에 심어 놓은 무수한 나무를 보고 깜짝 놀라 황급히 용골대의 앞을 가로막았다.

"장군, 잠시 분을 누르고 내 말을 들으시오. 초당의 사면에 심어진 나무를 보니 범상치 않은 기운이 느껴지는구려. 옛날 제갈공명의 팔문금사진(八門金蛇陣)과 사마양저의 오행금사진(五行金蛇陣)을 겸하였으니, 함부로 들어갔다가는 큰 화를 당할 것 같소." 〈중략〉

머쓱해진 용골대가 감히 피화당에 들어가지는 못하고 군사들만 다그쳤다.

"나무를 둘러싸고 불을 놓아라."

[A] 용골대의 명령에 군사들은 불을 놓기 위해 집을 에워쌌다. 그러자 갑자기 오색구름이 자욱한 가운데 나무들이 무수한 군사로 변하더니 북소리, 고함 소리가 천지를 진동했다. 수많은 용과 호랑이는 서로 머리를 맞대고 바람과 구름을 크게 일으키며 오랑캐 군사들을 겹겹이 에워쌌다. 천지가 아득한 가운데 나뭇가지와 잎은 깃발과 창칼로 변했다. 하늘에서는 신장(神將)들이 긴 창과 큰 칼을 들고 내려와 적군을 몰아쳤다. 사면에 울음소리가 낭자하여 산천이 무너지는 듯했다. 오랑캐 군사들은 신장의 호령 소리에 넋을 잃고 허둥거리다 밟혀 죽는 자가 그 수를 알 수 없을 정도였다.

당황한 용골대는 급히 군사를 뒤로 물렸다. 그제야 하늘이 맑아지며 살벌한 소리가 그치고 신장들이 사라졌다. 오랑캐 장수와 군사들이 정신을 수습하여 다시 칼을 들고 쳐들어가려 했다. 그러자 이번에는 맑은 날이 순식간에 다시 어두워지며 구름과 안개가 자욱하여 지척을 분간하지 못할 지경이 되었다. 상황이 이쯤 되자 용골대 역시 감히 집 안으로 들어가지는 못하고 용울대의 머리만 쳐다보며 탄식할 뿐이었다.

이때 나무 사이로 한 여자가 나타났다.

"어리석은 용골대야! 네 동생 용울대가 내 칼에 놀란 혼이 되었는데, 너까지 내 칼에 죽고 싶어 이렇게 찾아왔느냐?"

1-1 고전 소설의 특징이 아닌 것을 고르시오.

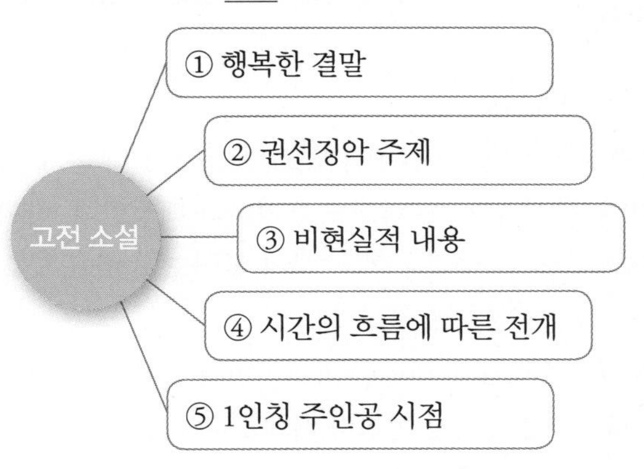

1-2 [A]에서 두드러지게 나타난 이 글의 특징으로 알맞은 것은?

① 우연적으로 사건이 전개된다.
② 작품의 비극적 결말을 암시한다.
③ 서술자가 용골대의 심리를 전달한다.
④ 실제 일어났던 전쟁을 배경으로 한다.
⑤ 현실에서 일어나지 않을 일들이 발생한다.

2-1 다음과 같이 용골대가 처한 상황을 나타낼 때, 빈칸에 들어갈 알맞은 말을 찾아 쓰시오.

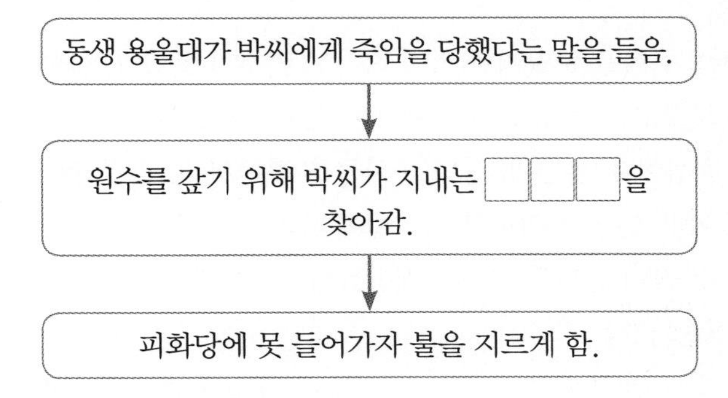

동생 용울대가 박씨에게 죽임을 당했다는 말을 들음.
원수를 갚기 위해 박씨가 지내는 □□□을 찾아감.
피화당에 못 들어가자 불을 지르게 함.

2-2 용골대가 피화당에 찾아간 까닭으로 알맞은 것은?

① 죽임을 당한 동생의 원수를 갚기 위해서
② 피화당의 크기와 위치를 파악하기 위해서
③ 피화당의 주인에게 용서를 구하기 위해서
④ 피화당에 갇혀 있는 동생을 구하기 위해서
⑤ 조선 왕의 항복을 다시 한번 받아 내기 위해서

3-1 나무 사이로 나타난 한 여자가 한 일을 바르게 말한 사람을 고르시오.

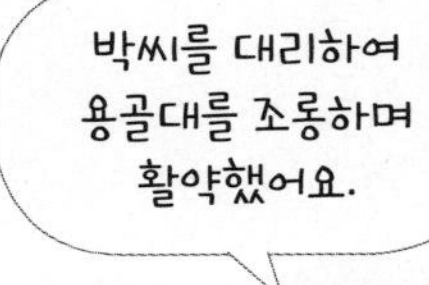

원래 힘이 엄청나게
세서 청나라 군대와
직접 싸웠어요.

수빈 현우

3-2 이 글을 이해한 내용으로 알맞지 않은 것은?

① 계화는 용골대를 불쌍히 여겨 위로하고 있어.
② 용골대는 조선 왕의 항복을 받아서 두려움이 없군.
③ 용골대는 군사들이 공격을 당해 죽자 당황하는군.
④ 박씨가 계화 뒤에서 도술을 부려 군사들을 무찔렀어.
⑤ 한유는 용골대가 피화당에 섣불리 들어가는 것을 말렸군.

3주 1일 기초 집중 연습

발단 | 전개 | **위기** | 절정 | 결말

이 장면은

피화당에 들어가려던 용골대가 박씨의 여종인 계화에게 조롱당하자 피화당 주변에 화약을 묻고 위협하는 장면이다.

여기에 주목해 봐!

- 용골대의 말과 행동에 나타난 당시의 상황
- 용골대와 계화의 갈등
- 박씨의 비범한 능력
- 용골대의 가치관

[4~6] 다음 글을 읽고 물음에 답하시오.

용골대는 이 말을 듣고 분을 참을 수 없었다.

"㉠대체 어떤 계집이 감히 장부를 희롱하느냐? 불행하게도 내 동생이 네 손에 죽었지만, 나는 이미 조선 임금의 항서를 받은 몸이다. 이제 너희도 우리나라 백성인데, 어찌 우리를 해치려 하느냐? 나라가 무엇인지도 모르는 여자로구나. 살려 두어도 쓸데가 없으니 나와서 내 칼을 받아라."

계화가 들은 척도 하지 않고 계속해서 용울대의 머리만 가리키면서 조롱을 하였다.

"나는 충렬 부인의 시비 계화다. 너야말로 참으로 가련한 사내로구나. 네 동생 용울대도 내 손에 죽었는데, 너 역시 나같이 연약한 여자 하나 당하지 못해 그렇듯 분통해하느냐? 참으로 가련한 놈이로다."

용골대는 끓어오르는 화를 참지 못하고, 쇠로 만든 활에 왜전(矮箭)을 먹여 쏘았다. 하지만 계화를 맞히기는커녕 예닐곱 걸음 앞에 가 떨어져 버렸다. 화가 머리끝까지 치밀어 오른 용골대가 다시 군사를 몰아쳤다.

"모든 군사는 한꺼번에 화살을 쏘아라."

명령을 들은 군사들이 앞다투어 화살을 쏘았지만 역시 하나도 맞히지 못했다. 화살만 허비한 채 가슴이 막혀 어찌할 바를 모르고 있던 용골대는 황급히 김자점을 불렀다.

"㉡너희도 이제 우리나라의 백성이다. 얼른 도성의 군사들을 뽑아서 저 팔문금사진을 깨뜨리고 박씨와 계화를 잡아들여라. 만일 거역한다면 군법에 따라 처벌할 것이다."

서릿발 같은 명령을 내리자 김자점이 겁먹은 소리로 대답했다.

"어찌 장군의 명령을 거역하겠습니까?"

김자점은 급히 군사를 모아 대포 한 방을 쏜 뒤 팔문금사진을 에워쌌다. 그런데 갑자기 그 진이 변하여 백여 길이나 되는 늪이 되었다. 갑작스러운 일에 당황하던 용골대가 꾀를 내어, 군사들에게 팔문진 사면에 못을 파게 한 뒤 화약을 묻게 했다.

"너희가 아무리 천 가지로 변화하는 술수를 가졌다고 한들 오늘에야 어찌 살기를 바랄까? 목숨이 아깝거든 바로 나와 몸을 던져라."

피화당을 향해 무수히 욕을 했지만 고요한 정적만 흐를 뿐 집 안에서는 아무 소리도 들리지 않았다. / 용골대가 군사들에게 명령하여 일시에 불을 지르니, 화약 터지는 소리가 산천을 무너뜨릴 것 같았다. 사면에서 불이 일어나 불빛이 하늘을 가득 메웠다.

어휘 풀이

- **희롱** 말이나 행동으로 실없이 놀림.
- **항서** 항복을 인정하는 문서.
- **조롱** 어떤 대상을 얕잡아 보고 비웃거나 놀림.
- **시비** 곁에서 시중을 드는 계집종.
- **왜전** 길이가 짧은 화살.
- **김자점** (1588~1651) 조선 중기의 문신. 인조반정 때에 공을 세워 벼슬이 영의정에 이르렀다. 효종이 즉위한 후 파직당하자, 이에 앙심을 품고 조선이 북벌(北伐)을 계획하고 있음을 청나라에 밀고하여 역모죄로 처형되었다.
- **술수** 술책. 어떤 일을 꾸미는 꾀나 방법.

4-1 다음과 같이 갈등하는 인물을 빈칸에 쓰시오.

계화	↔	□□□
피화당에 들어오려 하는 청나라 장수를 계속하여 조롱함.		자신을 조롱하는 말에 분을 참지 못하여 화살을 쏘아 공격함.

4-2 이 글에 나타난 갈등 상황으로 알맞은 것은?

① 용골대를 무찌르는 방법을 고민하는 계화
② 군사를 모으려는 계화와 도망가는 군사들
③ 조롱하는 계화와 분을 참지 못하는 용골대
④ 군사들을 이끄는 용골대와 거역하는 군사들
⑤ 화를 내는 용골대와 명령을 거역하는 김자점

5-1 ㉠에 나타난 용골대의 사고에 대해 계화가 비판할 때, 알맞은 것을 고르시오.

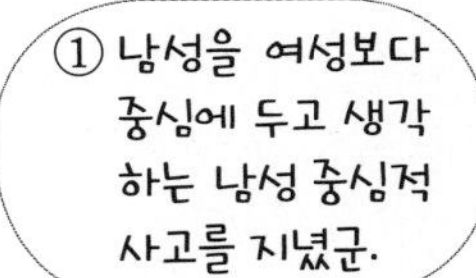

① 남성을 여성보다 중심에 두고 생각하는 남성 중심적 사고를 지녔군.

② 여성을 남성보다 중심에 두고 생각하는 여성 중심적 사고를 지녔군.

5-2 ㉠에 나타난 용골대의 가치관으로 알맞은 것은?

① 남자의 권위는 여자보다 위에 있지.
② 남자는 여자의 말을 잘 따라야 하지.
③ 남자와 여자는 모두 평등한 존재이지.
④ 남자와 여자가 하는 일에는 구분이 없지.
⑤ 여자는 남자보다 더 존중받아야 할 존재이지.

● 가치관 사람이 어떤 것의 가치에 대하여 가지는 태도나 판단의 기준.

6-1 이 글의 내용과 관련 있는 역사적 상황을 고르시오.

① 병자호란
조선 인조 14년(1636)에 청나라가 침입한 전쟁.

② 6·25 전쟁
1950년 6월 25일, 북한군이 38도선 이남으로 침공한 전쟁.

6-2 용골대가 ㉡과 같이 말한 배경으로 알맞은 것은?

① 김자점이 청나라에 충성을 다해서
② 청나라가 조선 임금의 항서를 받아서
③ 청나라가 조선의 백성들을 보살펴 주어서
④ 청나라 주변의 나라를 한 민족이라 생각해서
⑤ 청나라와 조선이 사이좋게 지내자고 약속해서

박씨전 ②

| <박씨전>에 반영된 시대적 배경 |

역 사 신 문

인조, 청나라 황제에게 굴욕적으로 항복하다

1636년(인조 14년), 청 태종이 병자호란을 일으켰다. 청나라 군이 거침없이 진격하자 인조는 남한산성으로 피신했으나 상황은 점점 나빠져 결국 항복을 결정했다. 인조는 한겨울에 먼 길을 걸어 삼전도에 가서 청 태종에게 굴욕적인 항복 의식을 치렀다. 이후 조선은 항복의 대가로 엄청난 배상금과 함께 소현세자와 봉림 대군, 여러 신하와 백성 수십만 명을 청에 인질로 보내야 했다.

배상금: 남에게 입힌 손해에 대해 물어 주는 돈.

인조가 청 태종에게 굴욕적으로 항복하여 민족의 자존심에 큰 상처를 입었지요.

청나라에 바친 배상금 때문에 백성들은 힘겹게 살았고, 많은 백성들이 인질로 끌려가 가족과 이별하는 아픔을 겪었어요.

1 병자호란 당시 우리나라의 많은 사람들은 (ㅊ)나라에 인질로 끌려가는 고통을 겪었다.

2 〈박씨전〉은 역사적 사실인 (ㅂㅈㅎㄹ)을 배경으로 하며, 박씨라는 여성 영웅의 활약을 보여 주고 있다.

답 1 청 2 병자호란

작품 들여다보기

| 신비한 능력을 지닌 조선의 영웅, 박씨 |

박씨는 도술을 부려 청나라 군사가 피화당에 못 들어오게 하고, 청나라가 쏜 화살이 계화를 맞히지 못하게 하였다.
한 개의 화살도 맞히지를 못하다니.
나는 조선의 히어로!
박씨는 옥화선으로 큰 바람을 일으켜 피화당으로 향하는 불길을 청나라 군사 쪽으로 돌렸다.
장졸들만 다 죽게 되었네.

이 소설에서 주인공 박씨는 신비한 능력을 발휘하여 용골대를 물리치는 영웅적인 면모를 보여 줍니다. 박씨의 활약상을 보면서 당시 백성들이 느꼈을 감정을 추측해 보고, 박씨가 청나라 군사들을 혼내 주는 장면에 담긴 작가의 의도를 생각해 봅시다.

3주 2일 기초 집중 연습

[1~3] 다음 글을 읽고 물음에 답하시오.

발단 | 전개 | 위기 | **절정** | 결말

앞부분 줄거리 | 동생의 원수를 갚기 위해 용골대는 피화당에 들어가려 하지만, 계화가 조롱하자 용골대는 피화당 앞에 화약을 묻고 위협한다.

이때, 박씨 부인이 옥으로 된 발을 걷고 나와 손에 옥화선을 쥐고 불을 향해 부쳤다. 그러자 갑자기 큰 바람이 불면서 불기운이 오히려 오랑캐 진영을 덮쳤다. 오랑캐 장졸들이 불꽃 한가운데에서 천지를 분별하지 못한 채 넋을 잃고 허둥거리다가 무수히 짓밟혀 죽었다. 순식간에 피화당 근처는 아수라장이 되었다.

용골대는 크게 놀라 급히 물러났다.

"한 번의 싸움에 이겨서 항복을 받았으니 이미 큰 공을 세웠거늘, 부질없이 조그마한 계집을 시험하다가 장졸들만 다 죽이게 되었구나. 이런 절통(切痛)하고 분한 일이 어디 있단 말인가?"

통곡을 하며 몸부림쳤지만 더 이상 어찌할 도리가 없었다.

"우리 임금이 장졸을 전장에 보내시고 칠 년 가뭄에 비 기다리듯 기다리실 텐데, 무슨 면목으로 임금을 뵙는단 말인가? 우리 재주로는 도저히 감당을 못 할 듯하니 이제라도 그냥 돌아가는 것이 좋겠구나."

모든 장수와 군사가 용골대의 말에 살길을 찾은 듯 안도의 한숨을 내쉬었다.

㉠용골대가 모든 장졸을 뒤로 물린 후, 왕비와 세자, 대군을 모시고 장안의 재물과 미녀를 거두어 돌아갈 채비를 꾸렸다. 오랑캐에게 잡혀가는 사람들의 슬픈 울음소리가 장안을 진동했다. / 박씨가 계화를 시켜 용골대에게 소리쳤다.

"무지한 오랑캐 놈들아! 내 말을 들어라. 조선의 운수가 사나워 은혜도 모르는 너희에게 패배를 당했지만, 왕비는 데려가지 못할 것이다. 만일 그런 뜻을 둔다면 내 너희를 몰살할 것이니 당장 왕비를 모셔 오너라."

하지만 용골대는 오히려 코웃음을 날렸다.

"참으로 가소롭구나. 우리는 이미 조선 왕의 항서를 받았다. 데려가고 안 데려가고는 우리 뜻에 달린 일이니, 그런 말은 입 밖에 내지도 마라."

오히려 욕설만 무수히 퍼붓고 듣지 않자 계화가 다시 소리쳤다.

"너희의 뜻이 진실로 그러하다면 이제 내 재주를 한 번 더 보여 주겠다."

계화가 주문을 외자 문득 공중에서 두 줄기 무지개가 일어나며 모진 비가 천지를 뒤덮을 듯 쏟아졌다. 뒤이어 얼음이 얼고 그 위로는 흰 눈이 날리니, 오랑캐 군사들의 말발굽이 땅에 붙어 한 걸음도 옮기지 못하게 되었다. 그제야 용골대는 사태가 예사롭지 않음을 깨달았다.

이 장면은

용골대 앞에 나타난 박씨가 신기한 도술을 부리자 오랑캐 장졸들이 무수히 죽고 용골대가 위기에 처하는 장면이다.

여기에 주목해 봐!

- 박씨의 비범한 능력
- 전쟁 때문에 겪은 백성들의 고통
- 박씨와 용골대의 갈등

어휘 풀이

- **옥화선** 옥으로 깎아 만든 불부채.
- **장졸** 예전에, 장수와 병졸을 아울러 이르던 말.
- **절통하다** 뼈에 사무치도록 원통하다.
- **왕비** 왕의 아내.
- **세자** 왕의 자리를 이어서 다음 왕이 될 왕자.
- **대군** (옛날에) 왕의 정식 부인이 낳은 아들.
- **채비** 어떤 일을 하려고 필요한 것을 미리 갖추어 차리는 것.
- **몰살** 모조리 다 죽거나 죽임.
- **가소롭다** 비웃고 무시할 만하다.

1-1 이 글에 나타난 병자호란을 겪은 당시 백성들의 모습에 해당하는 것을 고르시오.

① 왕족과 백성들은 새로운 문물을 배우기 위해 앞다투어 청나라로 가려 함.

② 많은 사람들이 청나라에 포로로 끌려가 가족들과 이별하는 고통을 겪음.

1-2 ㉠에서 전쟁 때문에 백성들이 겪은 고통으로 알맞지 않은 것은?

① 집 밖으로 나갈 수 없었음.
② 여자들이 청나라로 잡혀감.
③ 가족들과 원하지 않는 이별을 하게 됨.
④ 왕비와 세자, 대군이 청나라로 끌려감.
⑤ 모아놓은 재물을 청나라 군에게 빼앗김.

2-1 박씨의 특기와 생각으로 바른 것을 각각 고르시오.

박씨

특기
① 화살을 잘 쏜다.
② 옥화선으로 큰 바람을 일으킨다.

생각
① 은혜는 반드시 갚아야 한다.
② 조선의 운수가 사나워 청나라에 패했다.

2-2 박씨에 대한 설명으로 알맞지 않은 것은?

① 문제를 해결하려는 의지가 부족하다.
② 도술을 부리는 신통한 능력을 지녔다.
③ 계화를 시켜 용골대에게 말을 하였다.
④ 왕비를 데려가지 말라고 용골대에게 명령하였다.
⑤ 전쟁에서 조선이 진 것은 운수가 사나워서라고 생각한다.

3-1 이 글의 내용 중 역사적 사실에 해당하면 '사실', 역사적 사실과 다른 내용이면 '허구'라고 쓰시오.

(1) 청나라가 조선과의 싸움에 이겨서 항복을 받아 냄. (　　　)

(2) 박씨가 도술을 부려 청나라 군사들을 혼내 줌. (　　　)

• 허구 실제로는 없는 사건을 작가의 상상력으로 창조해 냄. 또는 그런 이야기.

3-2 용골대를 물리치는 박씨의 모습에서 당시의 백성들이 느꼈을 감정으로 알맞은 것은?

① 남성들의 권위를 넘지 못한 것이 아쉽네.
② 청나라에 패배한 상처가 조금 위로가 되네.
③ 청나라와의 전쟁에서 승리하니 기분이 좋네.
④ 적군을 무찌르는 방법이 현실적이라 공감이 돼.
⑤ 청나라 군대와의 싸움을 사실대로 서술해 더 흥미로워.

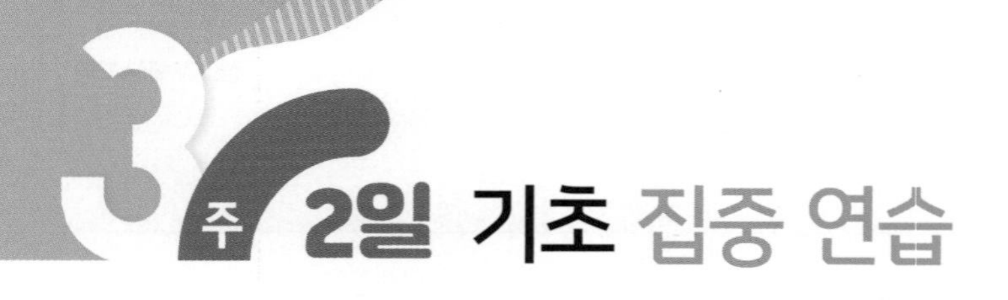

3주 2일 기초 집중 연습

발단 | 전개 | 위기 | 절정 | 결말

이 장면은

용골대 앞에 나타난 박씨가 신기한 도술을 부리자 오랑캐 장졸들이 무수히 죽고 용골대가 결국 항복하는 장면이다.

여기에 주목해 봐!

- 용골대의 항복의 의미
- 당시의 백성들의 삶
- 작가의 창작 의도

[4~6] 다음 글을 읽고 물음에 답하시오.

㉠용골대가 갑옷을 벗고 창칼을 버린 뒤 무릎을 꿇고 애걸하였다.

"소장이 천하를 두루 다니다 조선까지 나왔지만, 지금까지 무릎을 꿇은 적은 한 번도 없었습니다. 이제 부인 앞에 무릎을 꿇어 비나이다. 부인의 명대로 왕비는 모셔 가지 않을 것이니, 부디 길을 열어 무사히 돌아가게 해 주십시오."

무수히 애원하자 그제야 박씨가 발을 걷고 나왔다.

"원래는 너희의 씨도 남기지 않고 모두 죽이려 했었다. 하지만 내가 사람 목숨 죽이는 것을 좋아하지 않기에 용서하는 것이니, 네 말대로 왕비는 모셔 가지 마라. 너희가 부득이 세자와 대군을 모셔 간다면 그 또한 하늘의 뜻이기에 거역하지 못하겠구나. 부디 조심하여 모셔 가라. 그렇게 하지 않으면 신장과 갑옷 입은 군사를 몰아 너희를 다 죽인 뒤, 너희 국왕을 사로잡아 분함을 풀고 무죄한 백성까지 남기지 않을 것이다. 나는 앉아 있어도 모든 일을 알 수 있다. 부디 내 말을 명심하여라."

오랑캐 병사들은 황급히 머리를 조아리고 용골대는 다시 애원을 했다.

"말씀드리기 황송하오나 소장 아우의 머리를 내주시면, 부인의 태산 같은 은혜를 잊지 않을 것이옵니다."

하지만 박씨는 고개를 저었다.

"듣거라. 옛날 조양자는 지백의 머리를 옻칠하여 두고 진양성에서 패한 원수를 갚았다 하더구나. 우리도 용울대의 머리를 내어 주지 않고 남한산성에서 패한 분을 조금이라도 풀 것이다. 아무리 애걸을 해도 그렇게는 하지 못하겠다."

이 말을 들은 용골대는 그저 용울대의 머리를 보고 통곡할 수밖에 없었다. 어쩔 도리 없이 하직하고 행군하려 하는데 박씨가 다시 용골대를 불렀다.

"너희들이 그냥 가기는 섭섭할 듯하니 의주로 가서 경업 장군을 뵙고 가라."

'우리는 이미 조선 임금의 항서를 받았다. 경업이 아무리 훌륭한 장수라 한들 이제 와서 어찌하겠는가?'

용골대는 박씨의 속내를 모르고, 이런 생각을 하면서 하직 인사를 했다. 이어 빼앗은 금과 은을 장졸들에게 나누어 준 뒤 세자와 대군, 그리고 포로들을 데리고 길을 떠났다. 잡혀가는 부인들은 하늘을 우러러 통곡하며 울부짖었다.

뒷부분 줄거리 | 박씨에게 항복한 뒤 돌아가던 용골대는 박씨의 계략에 빠져 임경업을 만나 곤경을 당한 뒤 본국으로 돌아간다. 조정으로 돌아온 임금은 박씨에게 정렬부인의 칭호를 내린다.

어휘 풀이

- **애걸** 소원을 들어 달라고 애처롭게 빎.
- **조양자** 중국 전국 시대 초기 조나라의 제후(諸侯: 왕에게 일정한 영토를 받아 그 안에 사는 백성을 다스리던 사람).
- **지백** 중국 춘추 시대 진나라 사람으로 조양자를 공격했지만 패배함.
- **포로** 산 채로 잡은 적.
- **임경업** (1594~1646) 조선 중기의 명장. 이괄의 난을 진압하면서 무관으로 두각을 나타냈다. 병자호란 때 중국 명나라와 합세하여 청나라를 치고자 했으나 뜻을 이루지 못하고 김자점의 모함으로 죽었다.
- ▶ 김자점, 임경업 같은 실존 인물을 등장시켜 글의 사실성을 높임.
- **정렬부인** 조선 시대에, 정조와 지조를 굳게 지킨 부인에게 내리던 칭호.

4-1 박씨의 영웅적인 면모가 드러나는 사건을 고르시오.

① 박씨가 남편과 행복하게 삶.

② 용골대가 무릎을 꿇고 박씨에게 애걸함.

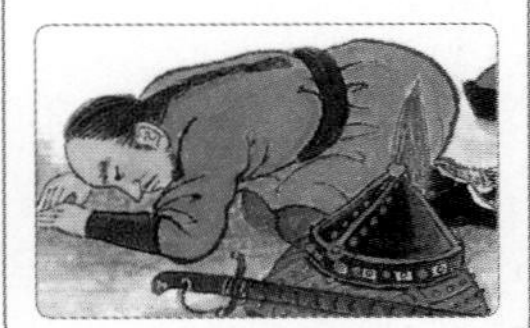

4-2 용골대가 박씨에게 애원하는 장면에서 느껴지는 감정으로 알맞은 것은?

① 용골대가 비굴하게 항복하여 통쾌함.
② 남성의 권위주의가 드러나 실망스러움.
③ 왕비를 끝까지 데려간다고 하여 불쾌함.
④ 박씨의 영웅적 면모가 드러나지 않아 화남.
⑤ 겉으로만 애원하는 척하는 것 같아 억울함.

5-1 이 글의 내용으로 보아 ㉠에 담긴 작가의 생각으로 알맞은 것을 고르시오.

① 비록 실제 전쟁에서는 졌지만 소설에서나마 조선이 이기는 모습을 통해 백성들의 분을 풀어 주고 싶어.

② 조선 왕이 굴욕적인 항복을 한 것을 떠올리게 해서 백성들이 청나라에 대한 분노를 잊지 않게 하고 싶어.

5-2 다음과 같은 역사적 사실과 다르게 용골대가 항복하는 장면을 넣은 작가의 의도로 알맞은 것은?

역사적 사실	조선은 병자호란에서 청나라에 패배해 굴욕적으로 항복을 함.

① 병자호란의 피해를 감추려 함.
② 병자호란의 치욕을 보상받고자 함.
③ 병자호란이 일어난 이유를 알고자 함.
④ 전쟁에서 이길 수 있는 방법을 전하려 함.
⑤ 실제 전쟁을 일으켜 병자호란의 패배를 복수하고자 함.

- 치욕 욕되고 창피스러움.
- 보상 남에게 끼친 손해를 갚음.

6-1 다음 질문에 알맞은 답을 바르게 연결하시오.

뛰어난 능력을 지닌 박씨를 왜 주인공으로 내세웠을까?

① 당시 남성들이 탁월한 능력을 발휘하고 있음을 보여 주려고

② 남성 중심 사회에서 여성도 뛰어난 능력을 발휘할 수 있음을 보여 주려고

6-2 <보기>를 바탕으로 할 때, 이 글의 여성 주인공이 주는 의미로 알맞은 것은?

보기
〈박씨전〉이 창작된 조선 시대는 남성 중심의 사회로 여성들은 억압되어 있었다.

① 여성이 남성의 성공을 방해함을 고발함.
② 남성 중심 사회를 여성들이 만들었음을 비판함.
③ 남성 중심 사회에서 여성의 보상 심리를 반영함.
④ 여성과 남성은 대립하는 존재라는 생각을 강조함.
⑤ 남성은 집안일을, 여성은 바깥일을 할 것을 권장함.

3일 기억 속의 들꽃 ①

| 전체 줄거리 |

6·25 전쟁이 한창인 때, 만경강 다리 근처에 위치한 '나'의 마을에서 '나'는 피란민인 명선이를 발견한다.

명선이는 '나'의 어머니에게 금반지를 주고 '나'의 집에 살게 된다. 오래지 않아 '나'의 어머니는 명선이를 내쫓으려 한다.

명선이는 '나'의 어머니에게 금반지 하나를 더 내밀고, '나'의 아버지는 명선이에게 금반지를 숨겨 둔 곳을 캐묻는다.

'나'는 명선이를 감시하는 임무를 맡게 된다. 어느 날 명선이는 다리에서 놀다가 비행기 폭음에 놀라 떨어져 죽는다.

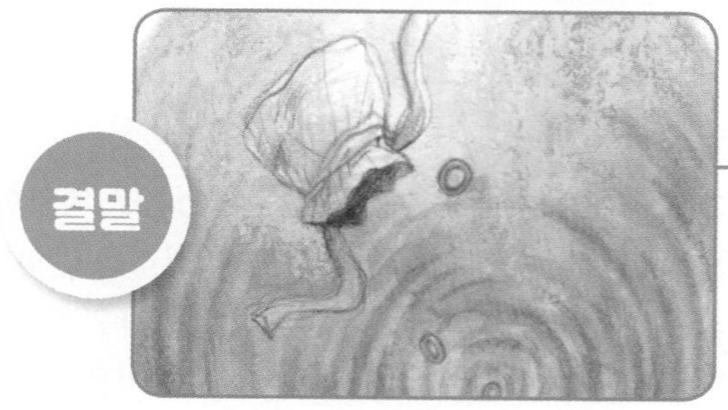

'나'는 다리 끝에서 명선이가 숨겨 둔 헝겊 주머니 속 금반지를 발견하고는 송두리째 강물에 떨어뜨리고 만다.

| 주요 인물 |

'나'

명선이와 다른 사람들을 관찰하여 서술하는 서술자이다. 순진하고 소극적인 성격을 지녔다. 처음에는 명선이를 낯설고 신기하게 여겼으나 점차 명선이를 친구처럼 대한다.

관찰

명선이

6·25 전쟁으로 부모님을 잃고 만경강 근처 마을까지 내려온다. 살아남기 위해 '나'의 어머니에게 금반지를 하나씩 내놓는 당돌하고 영악한 성격을 지녔다.

대립

'나'의 어머니와 아버지

부모를 잃고 혼자 남은 명선이를 금반지를 보고 받아들이지만, 시간이 지나면서 명선이를 내쫓으려고 한다. 전쟁 중에 인간성을 잃고 탐욕스러워지는 인간의 모습을 보여 준다.

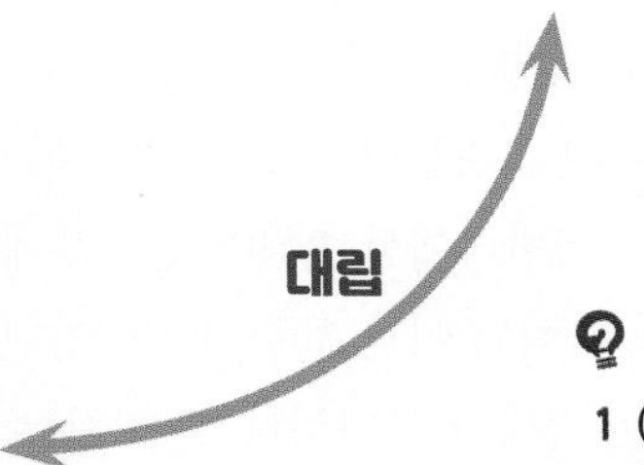

1 (ㅇㄱ) 단계에서 금반지의 출처를 캐묻는 '나'의 부모님과 명선이의 갈등이 깊어진다.

2 '(ㄴ)'는 이야기에 등장하는 서술자로, 주인공의 이야기를 관찰하여 전해 준다.

답 1 위기 2 나

이제부터 여러분은 〈기억 속의 들꽃〉의 주요 장면을 읽게 됩니다. 전체 줄거리를 참고하면서 명선이가 전쟁 중에 살아남기 위해 어떻게 대처하는지, 그러한 명선이를 대하는 사람들의 태도는 어떠한지를 살피며 읽어 봅시다.

3주 3일 기초 집중 연습

[1~3] 다음 글을 읽고 물음에 답하시오.

발단 | 전개 | 위기 | 절정 | 결말

앞부분 줄거리 | 6·25 전쟁이 한창인 때 '나'와 누나는 할머니를 따라 피란을 떠났다가 인민군을 보고 겁을 먹어 집에 돌아온다. 피란길에서 돌아온 다음 날 '나'는 명선이를 만나 집으로 데려온다.

"따른 집에나 가 보라니께!"

"아줌마한테 요걸 보여 줄려구요."

녀석은 엄지와 인지를 붙여 동그라미를 만들어 보였다. 그 동그라미 위에 다른 또 하나의 작은 동그라미가 노란 빛깔을 띠면서 날름 올라앉아 있었다. 뒤란 그늘 속에서도 그것은 충분히 반짝이고 있었다. 그걸 보더니 어머니의 눈에 환하게 불이 켜졌다.

"아아니, 너, 고거 금가락지 아니냐!"

말이 채 끝나기도 전에 금반지는 어느새 어머니의 손에 건너가 있었다. 솔개가 병아리를 채듯이 서울 아이의 손에서 금반지를 낚아채어 어머니는 한참을 칩떠보고 내립떠보는가 하면, 혓바닥으로 침을 묻혀 무명 저고리 앞섶에 싹싹 문질러 보다가 나중에는 이빨로 깨물어 보기까지 했다. 마침내 어머니의 얼굴에 만족스러운 미소가 떠올랐다.

"아가, 너 요런 것 어디서 났냐?"

옷고름의 실밥을 뜯어 그 속에 얼른 금반지를 넣고 웅숭깊은 저 밑바닥까지 확실히 닿도록 두어 번 흔들고 나서 어머니는 서울 아이한테 물었다. 놀랍게도 어머니의 목소리는 서울 아이의 그것보다 훨씬 더 간드러지게 들렸다.

"땅바닥에서 주웠어요. 숙부네가 떠난 담에 그 자리에 가 봤더니 글쎄 요게 떨어져 있잖아요."

녀석이 이젠 아주 의기양양한 태도로 당당하게 대답했다. 그 말을 어머니는 별로 귀담아듣는 기색이 아니었다. 어머니는 연신 싱글벙글 웃어 가며 녀석의 잔등을 요란스레 토닥거리고 쓰다듬어 주는 것이었다.

"아가, 요 담번에 또 요런 것 생기거들랑 다른 누구 말고 꼬옥 이 아줌니한테 가져와야 된다. 알었냐?" / "네, 꼭 그렇게 하겠어요."

다음에 다시 금반지를 줍기로 무슨 예정이라도 되어 있는 듯이 녀석의 입에서는 대답이 무척 시원스럽게 나왔다.

"어서어서 방 안으로 들어가자. 에린것이 천 리 타관(他官)서 부모 잃고 식구 놓치고 얼매나 배고프고 속이 짜겄냐."

이런 곡절 끝에 명선이는 우리 집에서 살게 되었다. 마지막으로 마을에 남게 된 유일한 피란민이었다. 인민군한테 발뒤꿈치를 밟혀 가며 피란을 내려왔던 명선네 친척들은 역시 인민군보다 한 걸음 앞서 부랴사랴 우리 마을을 떠나면서 명선이를 버리고 갔다.

이 장면은

전쟁 통에 홀로 남겨진 명선이가 '나'의 집에 따라와서 '나'의 어머니에게 금반지를 보여 주는 장면이다.

여기에 주목해 봐!

- 당시의 시대 상황
- 금반지의 역할
- 어머니의 태도 변화
- 서술자의 특징

어휘 풀이

- **피란** 난리를 피하여 옮겨 감.
- **인민군** 북한의 군대.
- **인지** 집게손가락.
- **칩떠보다** 눈을 치뜨고 노려보다.
- **앞섶** 옷의 앞자락에 대는 섶.
- **웅숭깊다** 사물이 되바라지지 않고 깊숙하다.
- **타관** 타향. 자기 고향이 아닌 고장.
- **곡절** 순조롭지 않게 얽힌 이런저런 복잡한 사정이나 까닭.
- **피란민** 난리를 피하여 가는 백성.
- **부랴사랴** 매우 부산하고 급하게 서두르는 모양.

1-1 이 글의 서술자가 서술한 것을 모두 골라 V표 하시오.

서술자	서술한 것
'나'	☐ '나'의 행동 ☐ '나'의 속마음 ☐ 명선이의 행동 ☐ 어머니의 속마음

1-2 이 글의 서술자에 대한 설명으로 알맞은 것은?

① 이야기 안 주인공이 사건을 서술한다.
② 이야기 안 주인공이 상대의 심리를 전달한다.
③ 이야기 안 서술자가 인물의 행동을 관찰한다.
④ 이야기 밖 서술자가 자신의 경험을 들려준다.
⑤ 이야기 밖 서술자가 인물의 행동을 평가한다.

도움말

소설의 시점 파악

소설 속에 서술자가 인물로 등장하는지 등장하지 않는지를 먼저 확인해 봐요. 그리고 서술자가 사건을 어떠한 방식으로 전달하는지를 보세요.

2-1 다음과 같이 어머니의 태도가 바뀐 계기가 된 소재를 〈보기〉에서 찾아 쓰시오.

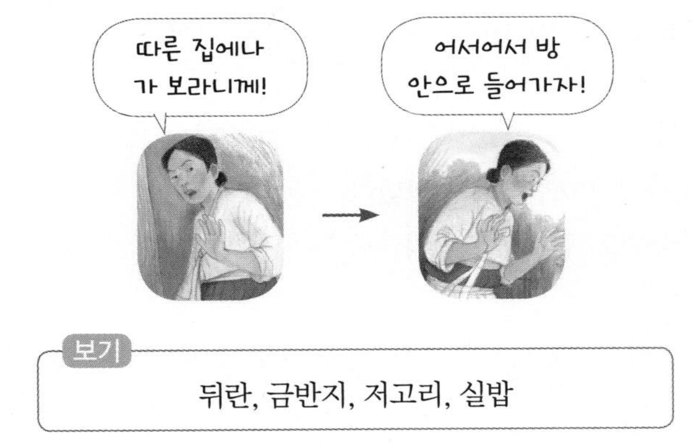
따른 집에나
가 보라니께!
어서어서 방
안으로 들어가자!

보기

뒤란, 금반지, 저고리, 실밥

2-2 명선이가 어머니에게 금반지를 보여 준 까닭으로 알맞은 것은?

① 금반지가 더 있음을 자랑하기 위해서
② 금반지와 돈을 바꾸자고 제안하기 위해서
③ 금반지를 구하는 방법을 알려 주기 위해서
④ 금반지를 주는 대가로 '나'의 집에 살기 위해서
⑤ 금반지의 가치가 어느 정도인지 물어보기 위해서

3-1 이 글의 시대 상황이 전쟁 중임을 알 수 있는 소재가 아닌 것을 고르시오.

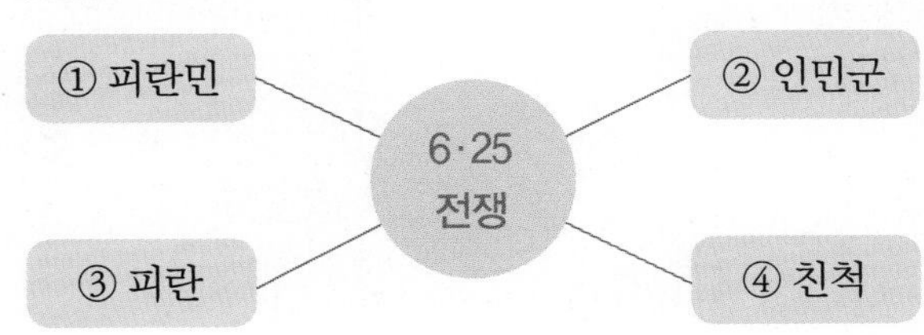
① 피란민
② 인민군
6·25
전쟁
③ 피란
④ 친척

3-2 이 글에 드러난 당시의 삶의 모습으로 알맞지 않은 것은?

① 사람들의 인심이 각박해졌다.
② 피란 가는 사람들이 생겨났다.
③ 전쟁이 일어나 먹고살기가 힘들어졌다.
④ 가족을 잃고 혼자 남은 아이들이 생겨났다.
⑤ 금반지가 흔해져서 가치 없는 물건이 되었다.

3주 3일 기초 집중 연습

발단 | 전개 | 위기 | 절정 | 결말

이 장면은

어머니가 명선이를 내쫓을 궁리를 할 때 명선이가 금반지 하나를 더 내놓자 아버지가 금반지의 출처를 다그치는 장면이다.

여기에 주목해 봐!

- 명선이의 특이한 행동과 그 이유
- '나'의 어머니와 아버지의 성격
- 당시의 시대 상황이 인물에 미치는 영향

[4~6] 다음 글을 읽고 물음에 답하시오.

앞부분 줄거리 | 명선이를 머슴으로 부리려던 '나'의 부모님의 생각과 달리, 명선이는 놀고먹기만 하여 집안의 골칫거리가 된다.

어느 날, 명선이는 부모가 죽던 순간을 나에게 이야기했다. ㉠피란길에서 공습을 만나 가까운 곳에 폭탄이 떨어졌는데, 한참 정신을 잃었다가 깨어나 보니 어머니의 커다란 몸뚱이가 숨도 못 쉴 정도로 전신을 무겁게 덮어 누르고 있더라는 것이었다.

"그래서 마구 소릴 지르면서 엄마를 떠밀었단다. 난 그때 엄마가 죽은 줄도 몰랐어."

그리고 명선이는 숙부네가 저를 버리고 도망치던 때의 이야기도 들려주었다.

"실은 말이지, 숙부가 날 몰래 내버리고 도망친 게 아니라 내가 숙부한테서 도망친 거야. 숙부는 기회만 있으면 날 죽일라구 그랬거든." 〈중략〉

갈수록 밥 얻어먹는 설움이 심해지자, 하루는 또 명선이가 금반지 하나를 슬그머니 내밀어 왔다. 먼젓번 것보다 약간 굵어 보였다. 찬찬히 살피고 나더니 어머니는 한 돈하고도 반짜리라고 조심스럽게 감정을 내렸다.

"길에서 주웠다니까요."

어머니의 다그침에 명선이는 천연덕스럽게 대꾸했다.

"거참 요상도 허다. 따른 사람은 눈을 까뒤집어도 안 뵈는 노다지가 어째 니 눈에만 유독 들어온다냐?" 〈중략〉

그날 밤에 아버지는 명선이를 안방으로 불러 아랫목에 앉혀 놓고, 밤늦도록 타일러도 보고 으름장도 놓아 보았다. 하지만 명선이의 대답은 한결같았다.

"거짓말이 아니라구요. 참말이라구요. 길에서 놀다가……."

"너 이놈, 바른대로 대지 못허까!"

아버지의 호통 소리에 명선이는 비죽비죽 울기 시작했다. 우는 명선이를 아버지는 또 부드러운 말로 달래기 시작했다.

"말은 안 혔어도 너를 친자식 진배없이 생각혀 왔다. 너 같은 어린것이 그런 물건을 갖고 있으면은 덜 좋은 법이다. 이 아저씨가 잘 맡어 놨다가 후제 크면 줄 테니께 어따 숨겼는지 바른대로 대거라."

아무리 달래고 타일러도 소용이 없자, 아버지는 마침내 화를 버럭 내면서 명선이의 몸뚱이를 뒤지려 했다. 아버지의 손이 옷에 닿기 전에 명선이는 미꾸라지같이 안방을 빠져나가 자취를 감추어 버렸다.

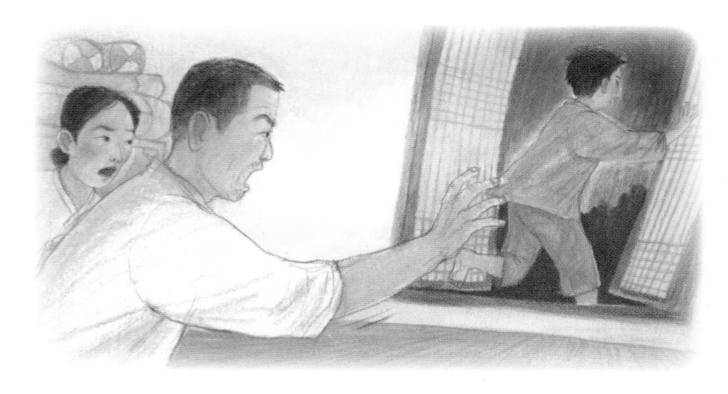

어휘 풀이

- **공습** '공중 습격'을 줄여 이르는 말.
- **숙부** 아버지의 결혼한 남동생.
- **설움** 억울하고 슬픈 느낌이나 마음.
- **돈** 귀금속이나 한약재 등의 무게를 재는 단위. 한 돈은 3.75그램이다.
- **노다지** 캐내려 하는 광물이 많이 묻혀 있는 광맥.
- **으름장** 말과 행동으로 위협하는 짓.
- **진배없이** 그보다 못하거나 다를 것이 없이.
- **후제** 뒷날의 어느 때.

4-1 명선이에게 먼저 일어난 사건 순서대로 번호를 쓰시오.

명선이의 부모가 죽음.	명선이가 숙부에게서 도망침.	명선이가 '나'의 마을에 혼자 남게 됨.
( )	( )	( )

4-2 명선이가 피란길에 겪은 일이 아닌 것은?

① 공습을 만나 정신을 잠시 잃었다.
② 떨어지는 폭탄에 부모가 죽었다.
③ 금반지가 들어 있는 주머니를 주웠다.
④ 죽은 어머니가 명선이를 덮어 누르고 있었다.
⑤ 숙부가 기회만 있으면 명선이를 죽이려 하였다.

5-1 이 글에서 '나'의 아버지가 한 행동을 고르시오.

① 명선이를 친자식같이 생각하여 대가없이 명선이를 보살핌.

② 명선이에게 금반지가 더 있다는 것을 눈치채고 명선이를 다그침.

5-2 이 글에 나오는 어른들의 공통된 성격으로 알맞은 것은?

명선이의 숙부, '나'의 어머니와 아버지

① 겁이 많고 소심하다.
② 비정하고 탐욕적이다.
③ 엉뚱하고 농담을 잘한다.
④ 호기심이 많고 활달하다.
⑤ 책임감이 있고 부지런하다.

- **비정하다** 사람으로서의 따뜻한 정이나 인간미가 없다.
- **탐욕적** 지나치게 많이 가지고 싶어 하는 욕심이 있는 것.

6-1 명선이가 다음과 같이 행동한 까닭을 바르게 연결하시오.

(1) 금반지를 하나씩 보여 줌. •　　• ① 비행기에서 폭탄이 떨어져 어머니가 죽었기 때문임.

(2) 비행기 소리를 무서워함. •　　• ② 금반지를 다 주면 보호를 못 받고 바로 쫓겨날 것이라고 생각했기 때문임.

6-2 ㉠으로 보아, 명선이가 다음과 같이 행동한 까닭으로 알맞은 것은?

명선이는 으레 상대방의 밑에 깔렸다가 무서운 힘으로 떨치고 일어나서는 승리를 했다.

① 살아남기 위해 힘을 길렀기 때문에
② 지는 것을 싫어하는 성격이기 때문에
③ 어머니의 시신 밑에 깔렸던 공포 때문에
④ 어머니를 떠밀었던 기억의 미안함 때문에
⑤ 밑에 깔렸을 때 나오는 방법을 알기 때문에

3주 4일 기억 속의 들꽃 ②

| 6·25 전쟁 당시의 상황 |

피란을 떠나는 사람들

포성을 피해 남쪽으로 도망가는 피란민들이 생겨났다.

남쪽으로 내려오는 인민군들

인민군들이 탱크를 타고 총을 차고 남쪽으로 내려왔다.

파괴되는 시설물들

만경강 다리가 폭격으로 끊어지는 등 다양한 시설이 파괴되었다.

홀로 남은 아이들

아이들이 위험에 노출되고 가족을 잃은 전쟁고아들이 생겨났다.

비인간적으로 변하는 사람들

삶이 힘겨워져서 사람들이 도덕성과 인간성을 상실해 갔다.

1 이 글은 6·25 전쟁이 한창인 (ㅁㄱㄱ) 근처의 어느 시골 마을을 배경으로 한다.

2 명선이는 (ㅈㅈ) 중에 부모를 잃고 고통을 겪지만 살아남기 위해 뻔뻔하게 행동한다.

답 1 만경강 2 전쟁

작품 들여다보기

| 전쟁이 명선이에게 미친 영향 |

3주 4일

이 소설에는 6·25 전쟁이라는 사회·문화적 배경이 잘 드러납니다. 전쟁을 겪으며 명선이와 사람들의 모습이 어떻게 변화하는지에 주목하며 작품을 감상해 봅시다. 그리고 명선이의 특이한 행동 등을 바탕으로 전쟁이 인간에게 미치는 부정적인 영향을 생각해 봅시다.

기초 집중 연습

[1~3] 다음 글을 읽고 물음에 답하시오.

발단 | 전개 | 위기 | 절정 | 결말

이 장면은

명선이가 달아나지 못하게 감시하는 임무를 맡게 된 '나'가 명선이와 만경강 다리에서 놀며 시간을 보내는 장면이다.

여기에 주목해 봐!
- 명선이의 성격
- 쥐바라숭꽃의 의미
- 꽃이 강으로 떨어지는 장면이 암시하는 내용

앞부분 줄거리 | 명선이는 아버지의 다그침을 피해 집을 나갔다가 당산 숲에서 발견되고, 명선이가 여자아이라는 사실이 밝혀진다. 아버지는 동네 사람들 앞에서 명선이의 소유권을 주장하며 명선이가 계속 집에 머물도록 한다.

심심할 때마다 명선이는 나를 끌고 허리가 끊어진 만경강 다리로 놀러 가곤 했다. 계집애답지 않게 배짱도 여간이 아니어서, 그 애는 아무도 흉내 낼 수 없는 위험천만한 곡예를 부서진 다리 위에서 예사로 벌여 우리의 입을 딱 벌어지게 만드는 것이었다.

"누가 제일 멀리 가는지 시합하는 거다." 〈중략〉

"야아, 저게 무슨 꽃이지?"

그런데 그 애는 놀림 대신 갑자기 뚱딴지같은 소리를 질렀다. 말 타듯이 철근 뭉치에 올라앉아서 그 애가 손가락으로 가리키는 곳을 내려다보았다. 거대한 교각(橋脚) 바로 위, 무너져 내리다 만 콘크리트 더미에 이전에 보이지 않던 꽃송이 하나가 피어 있었다. 바람을 타고 온 꽃씨 한 알이 교각 위에 두껍게 쌓인 먼지 속에 어느새 뿌리를 내린 모양이었다.

"꽃 이름이 뭔지 아니?"

난생처음 보는 듯한, 해바라기를 축소해 놓은 모양의 동전만 한 들꽃이었다.

"쥐바라숭꽃……."

나는 간신히 대답했다. 시골에서 볼 수 있는 거라면 명선이는 내가 뭐든지 다 알고 있다고 믿는 눈치였다. 쥐바라숭이란 이 세상엔 없는 꽃 이름이었다. 엉겁결에 어떻게 그런 이름을 지어낼 수 있었는지 나 자신도 어리벙벙할 지경이었다.

"쥐바라숭꽃…… 이름처럼 정말 이쁜 꽃이구나. 참 앙증맞게두 생겼다."

또 한바탕 위험한 곡예 끝에 그 애는 기어코 그 쥐바라숭꽃을 꺾어 올려 손에 들고는 냄새를 맡아 보다가 손바닥 사이에 넣어 대궁을 비벼서 양산처럼 팽글팽글 돌리다가 끝내는 머리에 꽂는 것이었다. 다시 이쪽으로 건너오려는데, 이때 바람이 휙 불어 명선이의 치맛자락이 훌렁 들리면서 머리에서 꽃이 떨어졌다. ㉠<u>나는 해바라기 모양의 그 작고 노란 쥐바라숭꽃 한 송이가 바람에 날려, 싯누런 흙탕물이 도도히 흐르는 강심을 향해 바람개비처럼 맴돌며 떨어져 내리는 모양을 아찔한 현기증으로 지켜보고 있었다.</u>

어휘 풀이
- **배짱** 조금도 굽히지 아니하고 버티어 나가는 성품이나 태도.
- **곡예** ① 줄타기, 재주넘기, 마술 등과 같이 사람들을 즐겁게 하는 놀라운 재주와 기술. ② 아슬아슬하고 위험한 동작이나 상태.
- **교각** 다리를 받치는 기둥.
- **앙증맞다** 작으면서도 갖출 것은 다 갖추어 아주 깜찍하다.
- **대궁** 식물의 줄기를 뜻하는 '대'의 사투리.
- **강심** 강의 한복판. 또는 그 물속.

1-1 명선이에 대한 정보로 바르지 않은 것을 고르시오.

명선이

① 성별 : 여자
② 성격 : 무덤덤하여 꽃에 관심이 없음.
③ 처지 : '나'의 집에 머물며 위태로운 날들을 보냄.

1-2 이 글에 나타난 명선이의 성격으로 알맞지 않은 것은?

① 대담하다.
② 겁이 없다.
③ 소극적이다.
④ 배짱이 좋다.
⑤ 순수한 면이 있다.

2-1 다음과 같은 특징을 지닌 소재를 고르시오.

- 쉽게 꺾이는 연약한 존재임.
- 콘크리트 더미에 뿌리를 내리는 강인한 생명력을 지님.

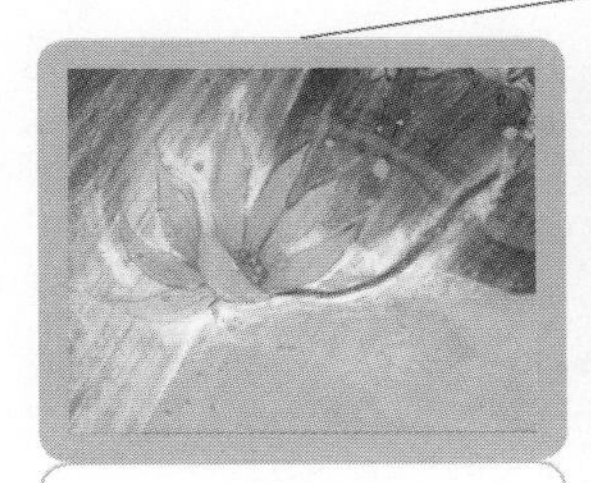
쥐바라숭꽃

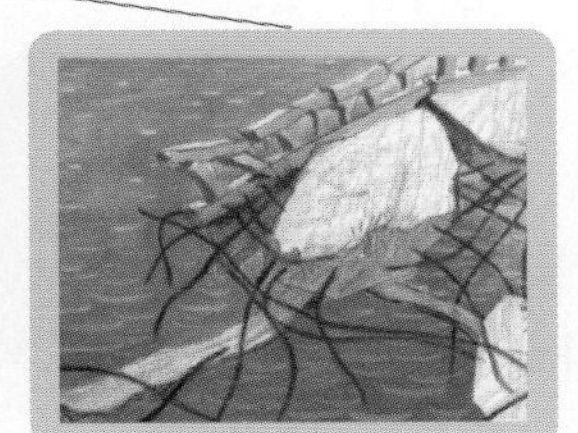
끊어진 만경강 다리

2-2 '쥐바라숭꽃'이 상징하는 바로 알맞은 것은?

① 연약한 존재인 '나'
② 강인한 생명력을 지닌 명선이
③ 전쟁 중에도 즐겁게 노는 '나'와 명선이
④ 꽃 이름을 지어 내는 순발력을 지닌 '나'
⑤ 끊어져 더 이상 건널 수 없는 만경강 다리

도움말

쥐바라숭꽃의 의미와 역할

명선이의 특징과 쥐바라숭꽃의 특징에서 공통점을 찾아보면 쥐바라숭꽃의 상징적 의미를 생각할 수 있을 거예요.

3-1 ㉠의 내용이 암시하는 바를 바르게 말한 사람을 고르시오.

명선이의 행복한 미래를 암시해.

명선이의 비극적인 죽음을 암시해.

유진

민준

3-2 '쥐바라숭꽃이 강으로 떨어지는 장면'에 대한 감상으로 알맞은 것은?

① '나'와 명선이에게 좋은 일이 생길 것 같아.
② 명선이가 다리에서 떨어질 것 같아 불길해.
③ 만경강 다리가 무너져 내릴 것 같아 불안해.
④ 명선이가 금반지를 모두 어머니에게 주겠군.
⑤ 바람개비처럼 꽃이 떨어지는 것은 비현실적이야.

3주 4일 기초 집중 연습

[4~6] 다음 글을 읽고 물음에 답하시오.

발단 | 전개 | 위기 | **절정** | 결말

이 장면은

명선이가 다리 아래로 떨어진 뒤 '나'가 끊어진 다리 끝에서 명선이가 숨겨 둔 금반지 주머니를 발견하는 장면이다.

여기에 주목해 봐!

- 명선이가 죽은 원인
- 명선이의 죽음의 의미
- 전쟁이 인간에게 미치는 영향
- 작가가 전하려는 의미

그날도 나는 명선이와 함께 부서진 다리에 가서 놀고 있었다. 예의 그 위험천만한 곡예 장난을 명선이는 한창 즐기는 중이었다. 콘크리트 부위를 벗어나 그 애가 앙상한 철근을 타고 거미줄처럼 지옥의 가장귀를 향해 조마조마하게 건너갈 때였다. 이때 우리들 머리 위의 하늘을 두 쪽으로 가르는 굉장한 폭음이 귀빰을 갈기는 기세로 갑자기 울렸다. 푸른 하늘 바탕을 질러 하얗게 호주기 편대가 떠가고 있었다. 비행기의 폭음에 가려 나는 철근 사이에서 울리는 비명을 거의 듣지 못했다. 다른 것은 도무지 무서워할 줄 모르면서도 유독 비행기만은 병적으로 겁을 내는 서울 아이한테 얼핏 생각이 미쳐 눈길을 하늘에서 허리가 동강이 난 다리로 끌어 내렸을 때, ㉠내가 본 것은 강심을 겨냥하고 빠른 속도로 멀어져 가는 한 송이 쥐바라숭꽃이었다.

명선이가 들꽃이 되어 사라진 후, 어느 날 한적한 오후에 나는 그때까지 한 번도 성공한 적이 없는 모험을 혼자서 시도해 보았다. 겁쟁이라고 비웃는 사람이 아무도 없으니까 의외로 용기가 나고 마음이 차갑게 가라앉는 것이었다. 나는 눈에 띄는 그 즉시 거대한 팽이로 둔갑해 버리는 까마득한 강바닥을 보지 않으려고 생땀을 흘렸다. 엿가락으로 흘러내리다가 가로지르는 선에 얽혀 다시 오르막을 타는 녹슨 철근의 우툴두툴한 표면만을 무섭게 응시하면서 한 뼘 한 뼘 신중히 건너갔다. 철근의 끝에 가까이 갈수록 강바람을 맞는 몸뚱이가 사정없이 까불렸다. 그러나 나는 천신만고(千辛萬苦) 끝에 마침내 그 일을 해내고 말았다. 이젠 어느 누구도, 제아무리 쥐바라숭꽃일지라도 나를 비웃을 수는 없게 되었다.

지옥의 가장귀를 타고 앉아 잠시 숨을 고른 다음 바로 되돌아 나오려는데, 이때 이상한 물건이 얼핏 시야에 들어왔다. 낚싯바늘 모양으로 꼬부라진 철근의 끝자락에다 끈으로 친친 동여맨 자그만 헝겊 주머니였다. 명선이가 들꽃을 꺾던 때보다 더 위태로운 동작으로 나는 주머니를 어렵게 손에 넣었다. 가슴을 잡죄는 긴장 때문에 주머니를 열어 보는 내 손이 무섭게 경풍을 일으키고 있었다. 그리고 그 주머니 속에서 말갛게 빛을 발하는 동그라미 몇 개를 보는 순간, ㉡나는 손에 든 물건을 송두리째 강물에 떨어뜨리고 말았다.

어휘 풀이

- **가장귀** 나뭇가지의 갈라진 부분. 또는 그렇게 생긴 나뭇가지.
- **호주기** 한국 전쟁 때 참전한 오스트레일리아의 제트 전투기.
- **편대** 비행기 부대 구성 단위의 하나. 2~4대의 비행기로 이루어진다.
- **천신만고** '천 가지 매운 것과 만 가지 쓴 것'이라는 뜻으로, 온갖 어려운 고비를 다 겪으며 심하게 고생함을 이르는 말.
- **잡죄다** 아주 엄하게 다잡다.
- **경풍** 어린아이에게 나타나는 증상의 하나로, 풍(風)으로 인해 갑자기 의식을 잃고 경련하는 병증.

4-1 명선이와 관련 있는 내용을 고르시오.

①

다른 것은 무서워하지 않으면서 비행기만은 병적으로 무서워함.

②

끊어진 다리의 철근 끝까지 가지 못해 겁쟁이라고 비웃음을 당함.

4-2 ㉠에서 일어난 사건으로 알맞은 것은?

① 비행기가 강심을 향해 떨어짐.
② 비행기가 만경강 다리를 향해 폭격함.
③ 명선이가 쥐바라숭꽃을 강으로 떨어뜨림.
④ 명선이가 비행기 폭음에 놀라 강으로 떨어져 죽음.
⑤ 명선이가 쥐바라숭꽃을 줍기 위해 강으로 뛰어내림.

5-1 금반지 주머니를 발견하고 떨어뜨린 '나'의 심정으로 알맞지 않은 것을 고르시오.

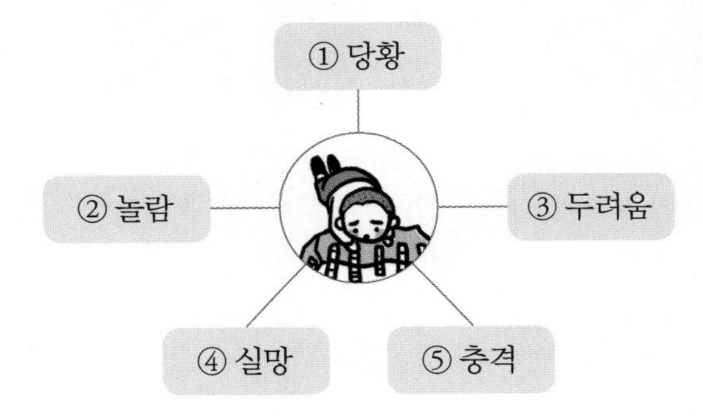

5-2 ㉡에서 '나'가 금반지를 떨어뜨리면서 한 생각으로 알맞은 것은?

① 금반지 개수가 적어 어른들이 실망하겠어.
② 금반지를 들고 되돌아갈 수 없으니 버리자.
③ 내 예상대로 명선이는 금반지 때문에 죽었군.
④ 명선이처럼 나도 어른들에게 험한 일을 당하겠군.
⑤ 명선이는 금반지를 빼앗기지 않기 위해 위험한 곳에 숨겨 두었구나.

6-1 명선이가 죽은 직접적 원인과 근본적 원인을 바르게 연결하시오.

(1) 명선이가 죽은 직접적 원인 •	• ① 전쟁의 잔인함. 어른들의 탐욕
(2) 명선이가 죽은 근본적 원인 •	• ② 비행기의 폭음

6-2 다음과 같이 명선이의 죽음을 바탕으로 주제를 정리할 때, 빈칸에 들어갈 말로 알맞은 것은?

		주제
비행기 공습으로 부모를 잃은 명선이가 비행기 폭음에 놀라 다리에서 떨어져 죽음.	→	(　　)

① 전쟁의 비극성
② 전쟁의 상처와 극복
③ 가족 간의 갈등과 화해
④ 성장기 소녀의 방황과 성장
⑤ 경쟁 사회의 이로움과 해로움

3주 5일 시대 _ 종합

작품 한번 더 체크

〈박씨전〉

박씨의 활약상

조선의 상황

□□□가 침입하여 조선은 위기에 빠짐. 백성들은 포로로 끌려가는 등 고통을 당함.

→

박씨의 활약

□□는 도술을 부려 피화당에 침입한 용울대를 죽이고 용골대 군사를 무찌름.

→

용골대의 굴욕

용골대는 박씨에게 무릎을 꿇고 청나라로 무사히 돌아가게 해 달라고 애걸함.

작품의 창작 의도

□□□□에서 우리나라가 당한 치욕을 씻고 상처 입은 민족의 자존심을 회복하고자 함.

+

여성인 박씨의 활약은 남성들의 무능력을 비판하고, 여성이 능력을 발휘할 수 있음을 보여 줌.

답 청나라, 박씨, 병자호란

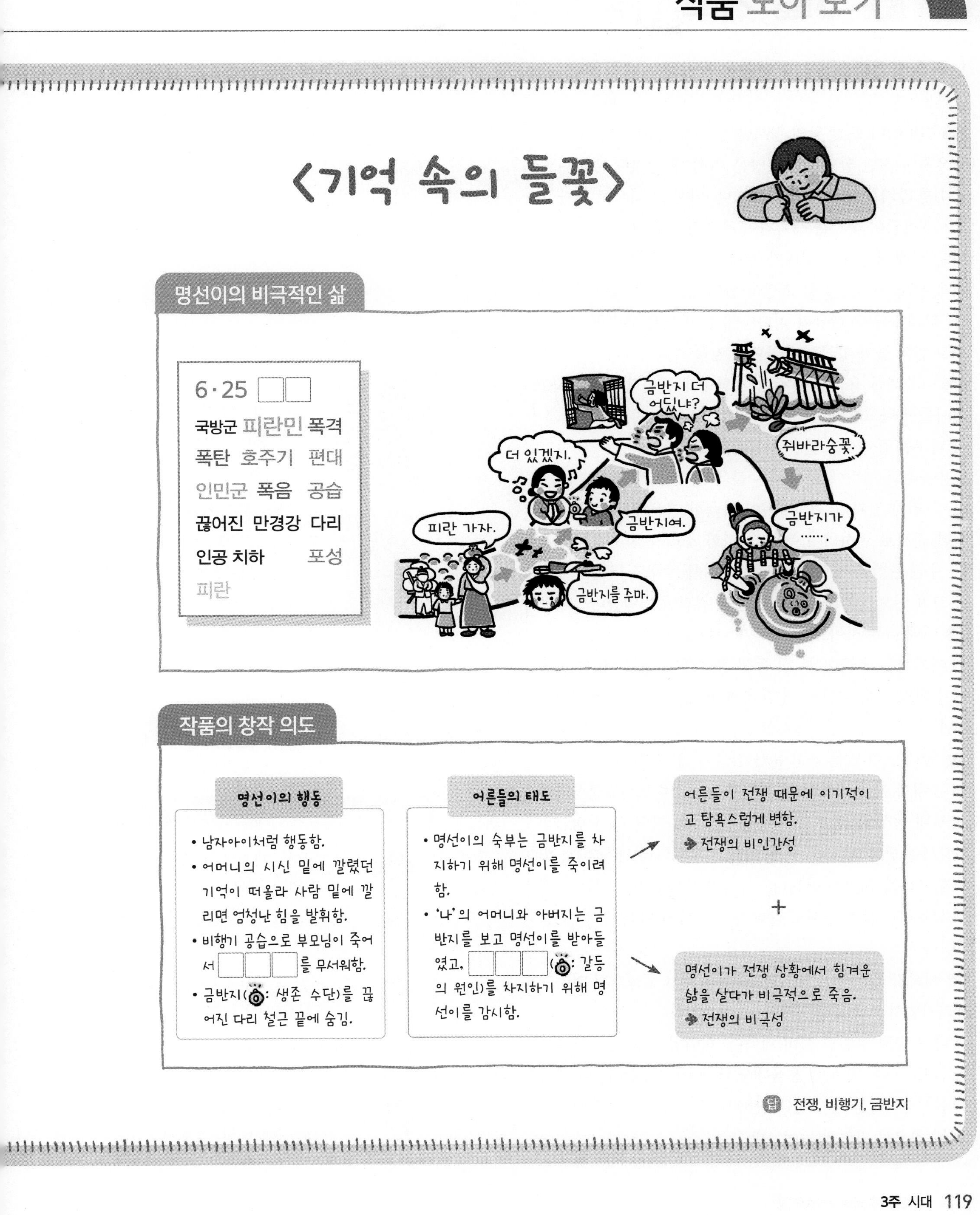

〈기억 속의 들꽃〉

명선이의 비극적인 삶

6·25 □□

국방군 피란민 폭격

폭탄 호주기 편대

인민군 폭음 공습

끊어진 만경강 다리

인공 치하 포성

피란

작품의 창작 의도

명선이의 행동

- 남자아이처럼 행동함.
- 어머니의 시신 밑에 깔렸던 기억이 떠올라 사람 밑에 깔리면 엄청난 힘을 발휘함.
- 비행기 공습으로 부모님이 죽어서 □□□를 무서워함.
- 금반지(생존 수단)를 끊어진 다리 철근 끝에 숨김.

어른들의 태도

- 명선이의 숙부는 금반지를 차지하기 위해 명선이를 죽이려 함.
- '나'의 어머니와 아버지는 금반지를 보고 명선이를 받아들였고, □□□(: 갈등의 원인)를 차지하기 위해 명선이를 감시함.

어른들이 전쟁 때문에 이기적이고 탐욕스럽게 변함.
➔ 전쟁의 비인간성

\+

명선이가 전쟁 상황에서 힘겨운 삶을 살다가 비극적으로 죽음.
➔ 전쟁의 비극성

답 전쟁, 비행기, 금반지

3주 5일 기초 집중 연습

[01~03] 다음 글을 읽고 물음에 답하시오.

가 "내 이미 조선 왕의 항복을 받았거늘, 누가 감히 내 아우를 해쳤단 말인가? 이 땅은 이제 내 손안에 있으니 원수를 갚기는 어렵지 않을 것이다. 어서 그 집으로 가자."

서릿발같이 군사를 재촉하여 우의정의 집에 이르니, 후원 나무 위에 용울대의 머리가 걸려 있었다. 이를 본 용골대는 더욱 분노하여 칼을 들고 말을 몰아 집 안으로 들어가려 했다. 그때 도원수 한유가 피화당에 심어 놓은 무수한 나무를 보고 깜짝 놀라 황급히 용골대의 앞을 가로막았다.

나 머쓱해진 용골대가 감히 피화당에 들어가지는 못하고 군사들만 다그쳤다.

"나무를 둘러싸고 불을 놓아라."

용골대의 명령에 군사들은 불을 놓기 위해 집을 에워쌌다. 그러자 갑자기 오색구름이 자욱한 가운데 나무들이 무수한 군사로 변하더니 북소리, 고함 소리가 천지를 진동했다. 수많은 용과 호랑이는 서로 머리를 맞대고 바람과 구름을 크게 일으키며 오랑캐 군사들을 겹겹이 에워쌌다.

다 이때 나무 사이로 한 여자가 나타났다.

"어리석은 용골대야! 네 동생 용울대가 내 칼에 놀란 혼이 되었는데, 너까지 내 칼에 죽고 싶어 이렇게 찾아왔느냐?"

용골대는 이 말을 듣고 분을 참을 수 없었다.

"㉠대체 어떤 계집이 감히 장부를 희롱하느냐? 불행하게도 내 동생이 네 손에 죽었지만, 나는 이미 조선 임금의 항서를 받은 몸이다. 이제 너희도 우리나라 백성인데, 어찌 우리를 해치려 하느냐? 나라가 무엇인지도 모르는 여자로구나. 살려 두어도 쓸데가 없으니 나와서 내 칼을 받아라."

라 계화가 들은 척도 하지 않고 계속해서 용울대의 머리만 가리키면서 조롱을 하였다.

"나는 충렬 부인의 시비 계화다. 너야말로 참으로 가련한 사내로구나. 네 동생 용울대도 내 손에 죽었는데, 너 역시 나같이 연약한 여자 하나 당하지 못해 그렇듯 분통해하느냐? 참으로 가련한 놈이로다."

01 이 글에 대한 설명으로 알맞지 않은 것은?

① 병자호란을 배경으로 하고 있다.
② 비현실적인 사건이 발생하고 있다.
③ 과거를 회상하는 방식으로 전개하고 있다.
④ 허구적 인물인 박씨를 주인공으로 하고 있다.
⑤ 서술자는 인물의 심리를 파악하여 말하고 있다.

02 계화와 용골대의 인물 카드 내용으로 알맞지 않은 것은?

이름: 계화

① 박씨의 여종이다.
② 박씨를 도와 용골대에 맞서 싸운다.
③ 청나라 백성이지만 조선에서 산다.

이름: 용골대

④ 청나라의 장수이다.
⑤ 동생 용울대의 복수를 하러 피화당을 공격한다.

03 ㉠에 나타난 용골대의 가치관을 오늘날과 비교하여 온라인으로 대화한 내용으로 알맞지 않은 것은?

초대
화상
찾기
김서윤
① 용골대는 남성이 여성보다 우월하다는 가치관을 지녔네.
최하윤
② 당시 여성들이 얼마나 억압된 삶을 살았을지 짐작이 가네.
박서준
③ 여성을 차별하는 모습은 오늘날에도 여전히 존재하지.
도하준
④ 용골대는 여성이 연약한 존재라는 고정 관념을 비판하고 있네.
이지윤
⑤ 오늘날에는 여성들이 사회의 각 분야에 진출해 능력을 펼치고 있지.

[04~06] 다음 글을 읽고 물음에 답하시오.

가 이때, 박씨 부인이 옥으로 된 발을 걷고 나와 손에 옥화선을 쥐고 불을 향해 부쳤다. 그러자 갑자기 큰 바람이 불면서 불기운이 오히려 오랑캐 진영을 덮쳤다. 오랑캐 장졸들이 불꽃 한가운데에서 천지를 분별하지 못한 채 넋을 잃고 허둥거리다가 무수히 짓밟혀 죽었다. 순식간에 피화당 근처는 아수라장이 되었다.

용골대는 크게 놀라 급히 물러났다.

"한 번의 싸움에 이겨서 항복을 받았으니 이미 큰 공을 세웠거늘, 부질없이 조그마한 계집을 시험하다가 장졸들만 다 죽이게 되었구나. 이런 절통(切痛)하고 분한 일이 어디 있단 말인가?"

통곡을 하며 몸부림쳤지만 더 이상 어찌할 도리가 없었다.

나 용골대가 모든 장졸을 뒤로 물린 후, 왕비와 세자, 대군을 모시고 장안의 재물과 미녀를 거두어 돌아갈 채비를 꾸렸다. 오랑캐에게 잡혀가는 사람들의 슬픈 울음소리가 장안을 진동했다.

박씨가 계화를 시켜 용골대에게 소리쳤다.

"무지한 오랑캐 놈들아! 내 말을 들어라. 조선의 운수가 사나워 은혜도 모르는 너희에게 패배를 당했지만, 왕비는 데려가지 못할 것이다. 만일 그런 뜻을 둔다면 내 너희를 몰살할 것이니 당장 왕비를 모셔 오너라."

다 용골대가 갑옷을 벗고 창칼을 버린 뒤 무릎을 꿇고 애걸하였다.

"소장이 천하를 두루 다니다 조선까지 나왔지만, 지금까지 무릎을 꿇은 적은 한 번도 없었습니다. 이제 부인 앞에 무릎을 꿇어 비나이다. 부인의 명대로 왕비는 모셔 가지 않을 것이니, 부디 길을 열어 무사히 돌아가게 해 주십시오."

라 하지만 박씨는 고개를 저었다.

"듣거라. 옛날 조양자는 지백의 머리를 옻칠하여 두고 진양성에서 패한 원수를 갚았다 하더구나. 우리도 용울대의 머리를 내어 주지 않고 남한산성에서 패한 분을 조금이라도 풀 것이다. 아무리 애걸을 해도 그렇게는 하지 못하겠다."

이 말을 들은 용골대는 그저 용울대의 머리를 보고 통곡할 수밖에 없었다.

04 박씨의 뛰어난 능력이 드러난 사건으로 알맞은 것은?

① 사람들의 심리를 꿰뚫어 보았다.
② 남한산성에서 조선을 승리로 이끌었다.
③ 조선이 청나라에 항복하는 것을 막았다.
④ 조선이 전쟁에서 패할 것을 미리 알았다.
⑤ 옥화선으로 바람을 일으켜 청나라 군사를 물리쳤다.

05 이 글에 대한 감상문과 댓글의 내용으로 알맞지 않은 것은?

인터넷 게시판

① 고전 소설 〈박씨전〉에서 주인공 박씨는 영웅적인 면모와 재주를 지닌 인물이에요. ② 박씨와 갈등하는 용골대는 박씨의 재주 앞에 목숨을 구걸하지요. ③ 남성 중심 사회에서 능력 있는 여성을 주인공으로 내세워 여성도 뛰어난 능력이 있음을 보여 줘요.

↳ 양배추: ④ 용골대가 박씨에게 애원하는 장면에서 박씨의 사려 깊은 성격이 드러나요.
↳ 삐삐: ⑤ 청나라에 잡혀가는 사람들의 모습에서 당시 백성들의 고통을 알 수 있어요.

06 이 글의 창작 의도를 이해한다고 할 때, 빈칸에 들어갈 말로 알맞은 것은?

병자호란에서 패배한 역사적 사실과 다르게 박씨가 청나라 군사들을 혼내 주는 장면을 보여 준 작가의 의도는 무엇일까?

작가는 병자호란에서 당한 고통과 상처를 씻고 (　　　　)하고자 했을 거야.

① 조선의 능력을 과시
② 민족의 자존심을 회복
③ 여성의 무능력을 비판
④ 인간의 존엄성을 강조
⑤ 백성들이 단합해 전쟁에서 승리

3주 5일

3주 5일 기초 집중 연습

[07~09] 다음 글을 읽고 물음에 답하시오.

가 "따른 집에나 가 보라니께!"

"아줌마한테 요걸 보여 줄려구요."

녀석은 엄지와 인지를 붙여 동그라미를 만들어 보였다. 그 동그라미 위에 다른 또 하나의 작은 동그라미가 노란 빛깔을 띠면서 날름 올라앉아 있었다. 뒤란 그늘 속에서도 그것은 충분히 반짝이고 있었다. 그걸 보더니 어머니의 눈에 환하게 불이 켜졌다.

"아아니, 너, 고거 금가락지 아니냐!"

나 "아가, 요 담번에 또 요런 것 생기거들랑 다른 누구 말고 꼬옥 이 아줌니한테 가져와야 된다. 알었냐?"

"네, 꼭 그렇게 하겠어요." 〈중략〉

"어서어서 방 안으로 들어가자. 에린것이 천 리 타관(他官)서 부모 잃고 식구 놓치고 얼매나 배고프고 속이 짜겠냐."

이런 곡절 끝에 명선이는 우리 집에서 살게 되었다. 마지막으로 마을에 남게 된 유일한 피란민이었다.

다 피란길에서 공습을 만나 가까운 곳에 폭탄이 떨어졌는데, 한참 정신을 잃었다가 깨어나 보니 어머니의 커다란 몸뚱이가 숨도 못 쉴 정도로 전신을 무겁게 덮어 누르고 있더라는 것이었다.

"그래서 마구 소릴 지르면서 엄마를 떠밀었단다. 난 그때 엄마가 죽은 줄도 몰랐어."

그리고 명선이는 숙부네가 저를 버리고 도망치던 때의 이야기도 들려주었다.

"실은 말이지, 숙부가 날 몰래 내버리고 도망친 게 아니라 내가 숙부한테서 도망친 거야. 숙부는 기회만 있으면 날 죽일라구 그랬거든."

라 아버지의 호통 소리에 명선이는 비죽비죽 울기 시작했다. 우는 명선이를 아버지는 또 부드러운 말로 달래기 시작했다.

"말은 안 혔어도 너를 친자식 진배없이 생각혀 왔다. 너 같은 어린것이 그런 물건을 갖고 있으면은 덜 좋은 법이다. 이 아저씨가 잘 맡어 놨다가 후제 크면 줄 테니께 어따 숨겼는지 바른대로 대거라."

07 이 글에 드러난 시대적 상황으로 알맞지 않은 것은?

① 전쟁이 나서 피란민이 생겼다.
② 공습과 폭탄으로 사람들이 죽었다.
③ 부모를 잃은 전쟁고아들이 생겼다.
④ 전쟁으로 사람들의 인심이 각박해졌다.
⑤ 사람들이 힘을 합해 어려움을 극복하려고 했다.

08 명선이에 대한 설명으로 알맞지 않은 것은?

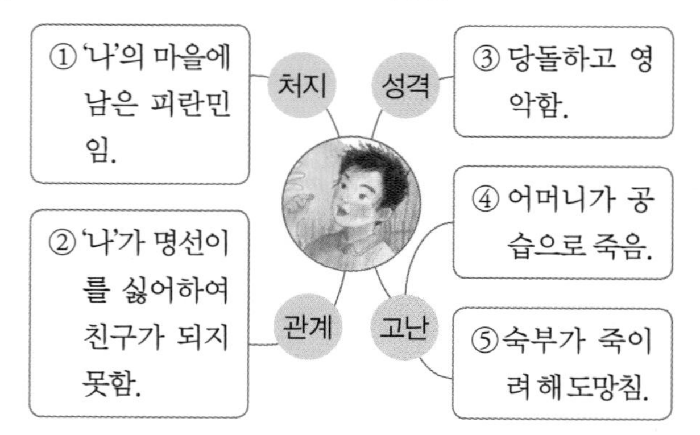

① '나'의 마을에 남은 피란민임.
처지
성격
③ 당돌하고 영악함.
② '나'가 명선이를 싫어하여 친구가 되지 못함.
관계
고난
④ 어머니가 공습으로 죽음.
⑤숙부가 죽이려 해 도망침.

09 질문에 대한 댓글의 내용으로 알맞지 않은 것은?

질문 '금반지'를 두고 인물이 한 행동에 대한 생각을 자유롭게 말해 주세요.

로보캅: 명선이에게 금반지는 생존 수단이기 때문에 금반지의 값어치만큼 '나'의 집에서 지낼 수 있다고 생각해서 금반지를 보여 주었을 겁니다. ····· ①

하와이: 금반지를 다 보여 주면 금반지만 뺏기고 쫓겨날 것을 알고 있기 때문에 한 개씩 주죠. ····· ②

문리버: '나'의 어머니는 처음에는 명선이를 내쫓으려 하지만 금반지를 보고 마음이 바뀌었으니 계산적인 사람이네요. ····· ③

드라이버: 숙부는 금반지를 빼앗으려고 조카인 명선이를 죽이려 한 비정한 사람이에요. ····· ④

한여름: '나'의 아버지는 명선이를 친자식처럼 여기기 때문에 금반지를 탐내지 않아요. ····· ⑤

● 계산적 어떤 일이 자기에게 이로운지 해로운지 따지는 것.

[10~12] 다음 글을 읽고 물음에 답하시오.

가 아버지와 어머니가 온갖 지혜를 짜내어 백방으로 숨겨 둔 장소를 알아내려 안간힘을 다해 보았으나 금반지 근처에만 얘기가 닿아도 명선이는 입을 굳게 다문 채 침묵 속의 도리질로 완강히 버티곤 했다.

날이 가고 달이 갔다. 어느덧 초가을로 접어드는 날씨였다. 남쪽에서 쳐 올라오는 국방군에 밀려 인민군이 북쪽으로 쫓겨 가기 시작한다는 소문이 돌았다.

나 또 한바탕 위험한 곡예 끝에 그 애는 기어코 그 쥐바라숭꽃을 꺾어 올려 손에 들고는 냄새를 맡아 보다가 손바닥 사이에 넣어 대궁을 비벼서 양산처럼 뱅글뱅글 돌리다가 끝내는 머리에 꽂는 것이었다. 다시 이쪽으로 건너오려는데, 이때 바람이 획 불어 명선이의 치맛자락이 홀렁 들리면서 머리에서 꽃이 떨어졌다.

다 그날도 나는 명선이와 함께 부서진 다리에 가서 놀고 있었다. 예의 그 위험천만한 곡예 장난을 명선이는 한창 즐기는 중이었다. 콘크리트 부위를 벗어나 그 애가 앙상한 철근을 타고 거미줄처럼 지옥의 가장귀를 향해 조마조마하게 건너갈 때였다. 이때 우리들 머리 위의 하늘을 두 쪽으로 가르는 굉장한 폭음이 귀빽을 갈기는 기세로 갑자기 울렸다. 푸른 하늘 바탕을 질러 하얗게 호주기 편대가 떠가고 있었다. 비행기의 폭음에 가려 나는 철근 사이에서 울리는 비명을 거의 듣지 못했다. 다른 것은 도무지 무서워할 줄 모르면서도 유독 비행기만은 병적으로 겁을 내는 서울 아이한테 얼핏 생각이 미쳐 눈길을 하늘에서 허리가 동강이 난 다리로 끌어 내렸을 때, 내가 본 것은 강심을 겨냥하고 빠른 속도로 멀어져 가는 한 송이 쥐바라숭꽃이었다.

라 지옥의 가장귀를 타고 앉아 잠시 숨을 고른 다음 바로 되돌아 나오려는데, 이때 이상한 물건이 얼핏 시야에 들어왔다. 낚싯바늘 모양으로 꼬부라진 철근의 끝자락에다 끈으로 친친 동여맨 자그만 헝겊 주머니였다. 명선이가 들꽃을 꺾던 때보다 더 위태로운 동작으로 나는 주머니를 어렵게 손에 넣었다. 가슴을 잡죄는 긴장 때문에 주머니를 열어 보는 내 손이 무섭게 경풍을 일으키고 있었다. 그리고 그 주머니 속에서 말갛게 빛을 발하는 동그라미 몇 개를 보는 순간, 나는 손에 든 물건을 송두리째 강물에 떨어뜨리고 말았다.

10 이 글에 대한 설명으로 알맞지 않은 것은?

① 6·25 전쟁 당시를 시대적 배경으로 한다.
② 과거의 일을 회상하는 듯한 말투로 서술한다.
③ 인물과 인물 간의 갈등 없이 사건이 전개된다.
④ '나'의 관찰을 통해 명선이의 상황이 전달된다.
⑤ 명선이의 삶을 통해 전쟁의 비극성을 드러낸다.

11 당시의 신문 기사 내용으로 알맞지 않은 것은?

△△신문 1950년 ○○월 ○○일

한 소녀의 죽음

① 한 소녀가 끊어진 만경강 다리에 놀러 갔다가 강으로 떨어져 죽는 사고가 발생했다. ② 이 소녀는 겁이 없고 대담하여 철근 끝까지 자주 갔다고 한다. ③ 소녀는 비행기를 유독 무서워하는데 사고가 난 날 비행기가 지나갔다고 한다. ④ 소녀는 자신의 금반지를 탐내는 '나'의 부모님에게 완강히 버티며 지냈고 ⑤ 동네 아이들은 연약하지만 강인한 소녀를 쥐바라숭꽃이라 불렀다고 한다.

12 인물의 행동을 바르게 이해하지 못한 사람의 이름을 쓰시오.

재훈: 'ㄴㅏ'의 부모님은 명선이가 가진 금반지를 빼앗기 위해 내쫓지 않고 곁에 두고 있어.

시영: 명선이는 금반지를 더 갖고 있지 않아서 숨겨 둔 장소를 말하지 못했어.

예지: '나'는 예상하지 못한 곳에서 금반지를 발견해서 놀라 떨어뜨렸어.

민재: 명선이는 다리의 끝자락이 금반지를 안전하게 숨길 수 있는 곳이라 생각했어.

3주 누구나 100점 테스트

〈박씨전〉

01 이 글의 내용과 일치하면 ○표, 일치하지 않으면 ×표 하시오.

(1) 청나라 장수 용골대는 동생 용울대가 죽은 소식을 듣고 피화당을 찾아갔다. (　　)

(2) 용골대는 계화가 항복을 요구하자 겁을 먹고 단번에 항복하였다. (　　)

(3) 박씨는 용골대가 왕비, 세자, 대군을 모두 데려가지 못하게 하였다. (　　)

02 다음 특성을 지닌 인물을 〈보기〉에서 찾아 쓰시오.

보기

(1) 박씨를 도와 용골대를 물리쳤다. (　　)

(2) 사려가 깊으며 뛰어난 능력을 지녔다. (　　)

(3) 청나라의 장수로, 피화당을 공격했다가 박씨에게 패하여 항복하고 청나라로 돌아갔다. (　　)

03 '박씨'와 '용골대' 가운데 다음과 같은 가치관을 지닌 인물을 쓰시오.

(1) 감히 장부를 희롱하느냐고 말하는 것으로 보아 남자의 권위는 여자보다 위에 있다고 생각해.

(　　)

(2) 하늘의 뜻이기에 거역하지 못한다고 말하는 것으로 보아 정해진 운명은 거스를 수 없다고 생각해.

(　　)

04 인물의 말과 행동에 나타난 당시의 사회·문화적 배경을 바르게 연결하시오.

(1) • "내 이미 조선 왕의 항복을 받았거늘,…"
• "너희도 이제 우리 나라의 백성이다." • • ㉠ 병자호란에서 조선이 항복함.

(2) 오랑캐에게 잡혀가는 사람들의 슬픈 울음소리가 장안을 진동했다. • • ㉡ 백성들이 포로로 끌려가 고통받음.

05 다음을 통해 작가가 말하고자 하는 바를 〈보기〉에서 찾아 기호를 쓰시오.

보기

㉠ 병자호란에서 패한 민족의 자존심을 회복하고자 함.

㉡ 조선 시대 남성을 비판하고 여성의 능력을 보여 주려 함.

(1) 여성인 박씨가 주인공으로, 뛰어난 능력을 발휘하는 장면이 있다.

(　　)

(2) 역사적 사실과 다르게 청나라 장수 용골대가 박씨에게 패하여 항복하는 장면이 있다.

(　　)

○ 정답과 해설 17쪽

〈기억 속의 들꽃〉

06 다음 행동과 말에 나타난 성격을 지닌 인물을 〈보기〉에서 찾아 쓰시오.

보기

(1) 낯선 아이를 자신의 집에 순순히 데려옴. — 착하고 순진하다. (　　　)

(2) 어른들에게 금반지를 하나씩 주고, 끊어진 다리의 철근 끝까지 감. — 영악하고 배짱이 있다. (　　　)

(3) 금반지를 받고 명선이를 받아들이고, 금반지의 출처를 캐물음. — 계산적이고 탐욕적이다. (　　　)

07 다음 의미를 지닌 소재를 〈보기〉에서 찾아 쓰시오.

보기

(1) 명선이의 생존 수단이며 어른들의 탐욕을 보여 준다. (　　　)

(2) 명선이가 죽게 된 장소로 전쟁의 비극성과 처참함을 드러낸다. (　　　)

(3) 명선이의 강인한 생명력을 상징하며 강물로 떨어지는 장면은 명선이의 죽음을 암시한다. (　　　)

08 6·25 전쟁이 인물에 미친 영향을 바르게 연결하시오.

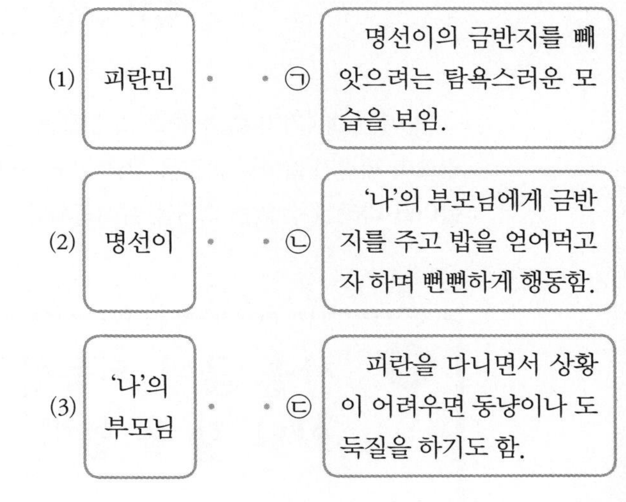

(1) 피란민 •
(2) 명선이 •
(3) '나'의 부모님 •
• ㉠ 명선이의 금반지를 빼앗으려는 탐욕스러운 모습을 보임.
• ㉡ '나'의 부모님에게 금반지를 주고 밥을 얻어먹고자 하며 뻔뻔하게 행동함.
• ㉢ 피란을 다니면서 상황이 어려우면 동냥이나 도둑질을 하기도 함.

09 명선이가 다음과 같이 행동한 까닭을 〈보기〉에서 찾아 기호를 쓰시오.

보기

㉠ 남자아이의 모습이 피란 생활에 유리함.
㉡ 어머니의 시신 밑에 깔린 기억이 떠오름.
㉢ 금반지를 어른들에게 빼앗기지 않고 보관하려 함.
㉣ 비행기에서 떨어진 폭탄을 맞고 부모님이 죽음.

(1) 사내아이처럼 행동하였다. (　　　)

(2) 비행기를 유난히 무서워하였다. (　　　)

(3) 사람 밑에 깔리면 무서운 힘으로 일어났다. (　　　)

(4) 끊어진 다리의 철근 끝자락에 금반지를 숨겼다. (　　　)

10 이 글을 통해 작가가 말하려는 바로 알맞은 것을 고르시오.

(1) 비행기 공습으로 부모를 잃은 명선이가 비행기 폭음에 놀라 다리에서 떨어져 죽은 것은 전쟁의 (비극성 / 경제성)을 의미한다.

(2) 힘겨운 삶을 사는 사람들이 이기적으로 변해 가는 모습은 전쟁 때문에 나타나는 (탐욕성 / 인간성) 상실을 강조한다.

❶ 힘든 삶과 관련된 속담

〈박씨전〉과 〈기억 속의 들꽃〉의 인물들은 조선 시대 병자호란이나 1950년대 6·25 전쟁과 같은 상황에서 고통을 겪으며 제각기 살아갈 방도를 찾습니다. 어려운 상황에 대처하는 작품 속 인물들의 말과 행동을 떠올리며, 힘든 세상살이를 나타낼 수 있는 속담을 살펴봅시다.

사흘 굶어 도둑질 아니 할 놈 없다.

의미 아무리 착한 사람이라도 몹시 궁하게 되면 못하는 짓이 없게 됨.

유사 표현 목구멍이 포도청. 사흘 굶으면 포도청의 담도 뛰어넘는다. 사흘 굶어 담 아니 넘을 놈 없다. 사흘 굶으면 못할 노릇이 없다.

눈 감으면 코 베어 먹을 세상

의미 눈을 멀쩡히 뜨고 있어도 코를 베어 갈 만큼 세상인심이 고약함.

유사 표현 눈 뜨고 코 베어 갈 세상. 눈 떠도 코 베어 간다.

○ 정답과 해설 17쪽

쌀독에서 인심 난다.

의미 자신이 넉넉해야 다른 사람도 도울 수 있음.

유사 표현 광에서 인심 난다. 쌀광에서 인심 난다.

고생 끝에 낙이 온다.

의미 어려운 일이나 고된 일을 겪은 뒤에는 반드시 즐겁고 좋은 일이 생김.

유사 표현 태산을 넘으면 평지를 본다. 고진감래(苦盡甘來)

Q (가), (나)의 내용과 어울리는 속담을 각각 완성하시오.

가 〈박씨전〉: 박씨는 청나라에 잡혀가는 부인들이 울부짖자, "고생 끝에 [ㄴ][ㅇ] [ㅇ][ㄷ]."라고 말하며 통곡하는 부인들을 달랬다.

나 〈기억 속의 들꽃〉: "쌀독에서 [ㅇ][ㅅ] [ㄴ][ㄷ]."라고 '나'의 어머니는 전쟁 중이어서 자신도 식량이 부족하기 때문에 자신의 집에 온 명선이를 달가워하지 않았다.

❷ 비주얼 싱킹으로 정리하기

비주얼 싱킹(visual thinking)이란 글과 그림을 함께 이용하여 정보와 자신의 생각을 표현하고 기록하는 것입니다. 비주얼 싱킹으로 표현하면 스스로 생각할 수 있는 힘과 창의적으로 표현할 수 있는 힘이 길러집니다. 〈박씨전〉과 〈기억 속의 들꽃〉의 등장인물의 특징이나 상황 등을 비주얼 싱킹으로 정리해 봅시다.

예 〈동백꽃〉(김유정)

비주얼 싱킹 표현 방법

- 글과 그림을 균형 있게 사용한다.
- 색은 의미를 강조할 때만 사용한다.
- 선이나 도형 등을 사용하여 단순하게 표현한다.
- 인물의 성격, 처지, 심리, 태도 등으로 인물의 특징을 표현한다.

'비주얼(visual)'보다
'싱킹(thinking)'에 초점을
두어야 해요. 즉 그림보다
생각이 중요해요.

❸ 전쟁의 기록이 있는 곳 찾아가기

〈박씨전〉은 병자호란이라는 전쟁 상황을 배경으로 하고, 〈기억 속의 들꽃〉은 6·25 전쟁 상황을 배경으로 합니다. 각 전쟁의 흔적이 남아 있는 역사적 장소나 기념관을 찾아가 당시의 시대적 상황을 되새겨 봅시다.

남한산성 남문(경기도 광주시)

남한산성은 병자호란 때 인조가 피란 갔던 산성이지요. 남한산성은 통일 신라 문무왕 때 쌓은 주장성(672)의 옛터를 활용하여 조선 인조 4년(1626)에 대대적으로 만들었어요. 남한산성은 총 12.4킬로미터에 달하는 성곽이 잘 보존되어 있답니다. 지금은 유네스코 세계 문화유산으로 올려졌다고 해요.

병자호란 때 삼전도 굴욕의 사실이 담긴 비석(서울시 송파구)

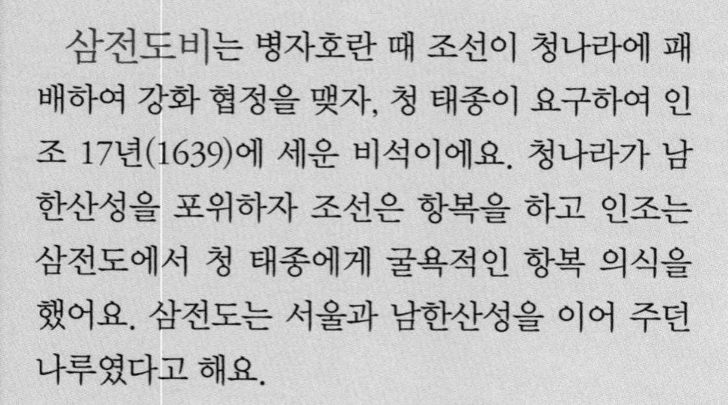

삼전도비는 병자호란 때 조선이 청나라에 패배하여 강화 협정을 맺자, 청 태종이 요구하여 인조 17년(1639)에 세운 비석이에요. 청나라가 남한산성을 포위하자 조선은 항복을 하고 인조는 삼전도에서 청 태종에게 굴욕적인 항복 의식을 했어요. 삼전도는 서울과 남한산성을 이어 주던 나루였다고 해요.

삼전도의 치욕
1637년 인조는 청나라 태종을 향해 세 번 절하고 아홉 번 머리를 바닥에 찧음.

만경강

만경강은 전라북도 완주군에서 시작하여 익산, 김제, 군산 등의 호남평야의 중심부를 거쳐 황해로 흘러 들어가는 강이에요. 강 길이는 80.86킬로미터라고 하네요. 만경강은 소설 〈기억 속의 들꽃〉의 공간적 배경이 되는 곳이지요. 〈기억 속의 들꽃〉의 작가 윤흥길도 전라북도 정읍에서 태어났어요.

만경강(전라북도)

전쟁 기념관

전쟁 기념관은 전쟁을 주제로 우리 선조들이 목숨 바쳐 참전한 각종 기록과 유물 등 다양한 자료를 전시하고 있는 곳이에요. 2층에 6·25 전쟁실 I관과 II관이 있어요.

6·25 전쟁은 1950년 6월 25일 새벽에 북한군이 기습적으로 쳐들어와 일어난 전쟁이에요. 1953년 7월 27일에 휴전이 이루어져 휴전선을 확정하였으며, 휴전 상태가 오늘날까지 지속되고 있지요.

전쟁 기념관 외경(서울시 용산구)

전쟁 기념관 내부 전시물

4주 이번 주에는 무엇을 공부할까? 1

우리가 살아가는 세상에는 긍정적인 모습만 있는 것은 아닙니다.
교통안전 문제
청소년 교육 문제
일자리 부족
저출산 고령화
환경 문제
외국어 남용
주택 문제

사회 문제에 대해 자신의 생각을 표현하는 방식은 다양합니다. 직접적으로 자기 생각을 말하기도 하고,
저출산 문제가 정말 큰일이군.
실질적인 출산 장려 정책이 필요해요.
우리나라의 출산율, OECD국가 중 최저

청원 글을 올리기도 하고,
구청 민원 게시판
제목 OO 지역 주택가에 가로등을 설치해 주세요.
내용 •••

대중 앞에서 연설을 하기도 하고,
전 세계 아동, 청소년 여러분, 폭력에서 벗어나 자신의 이름과 목소리를 찾으세요.

때로는 단체로 비판의 목소리를 내기도 하고,
OO발전소 공사를 중단하고, 천연 동굴을 보존합시다.

● 사회 비판

캠페인을 펼쳐 다른 사람들의 참여를 호소하기도 합니다.
전 좌석 안전벨트 착용 의무
안전벨트는 생명 띠

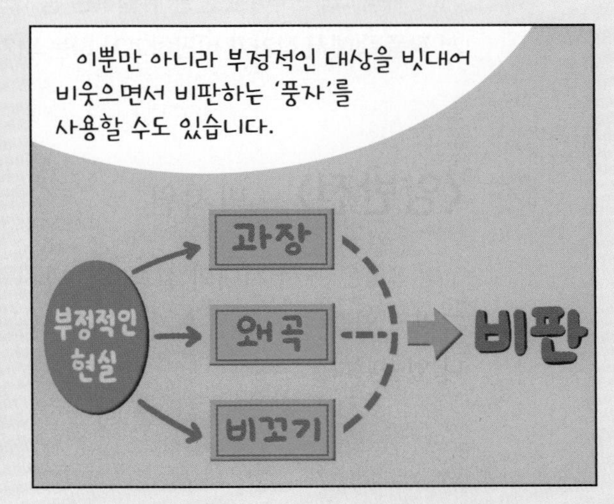
이뿐만 아니라 부정적인 대상을 빗대어 비웃으면서 비판하는 '풍자'를 사용할 수도 있습니다.
부정적인 현실
과장
왜곡
비꼬기
비판

풍자는 시, 소설, 연극, 영화, 만평, 노랫말, 그림, 광고 등에서 다양하게 사용됩니다.
자고 일어나
달리기를 하면 발목 삘까 봐
조깅을 한다
땀이 나
찬물로 씻으면 피부병 걸릴까 봐
냉수로 샤워만 한다
- 서정홍, 〈우리말 사랑 1〉에서
엄마,
저 풀은 이름이 뭐예요?
평범한 중학생이고 싶은데…….
OO 학원
OO 학원

▲ 시 ▲ 공익 광고 ▲ 만평

◐ 우리가 살아가는 세상에 대해 자신의 생각을 표현해 보세요.

배울 내용

이번 주에는 무엇을 공부할까? ❷

작가는 소설을 통해 부정적인 대상에 대한 비판 의식을 드러내곤 합니다. 이때 대상을 우스꽝스럽게 표현하거나 과장·왜곡하여 웃음을 유발하는 풍자의 방법을 사용합니다. 이번 주에는 풍자가 사용된 두 작품을 읽으면서 작품 속에서 작가가 비판하고자 하는 바가 무엇인지 생각해 봅시다.

❶ 〈양반전〉 | 박지원

이 작품은 조선 시대의 실학자인 박지원이 쓴 고전 소설로, 조선 후기 양반의 부정적인 삶의 모습을 그리고 있습니다. 조선 후기의 사회 모습이 반영되어 있으며, 양반에 대한 작가의 비판 의식이 잘 드러나 있습니다.

실학자: 조선 중기에 실학사상(당시 조선의 변화와 개혁을 주장하던 새로운 사상.)을 주장한 사람.

조선 후기, 양반의 모습은 어떠할까?
한 푼어치도 안 되는 그놈의 양반!
양반은 모름지기 책을 많이 읽고 학문을 익히는 일을 게을리해서는 안 되지.

위 그림을 통해 알 수 있는 양반의 처지로 알맞은 것은?

① 재물이 많고 살림이 넉넉하다.　　② 가정 형편이 어렵다.

 ②

② 〈이상한 선생님〉 | 채만식

이 작품은 1940년대 해방 전후 혼란한 시대를 살아가는 '박 선생님'의 모습을 그리고 있는 현대 소설입니다. 시대 변화에 따라 빠르게 변신하는 '박 선생님'의 태도를 어린아이의 시각으로 흥미롭게 그리고 있습니다.

이 소설에 반영된 시대적 배경으로 알맞은 것은?

① 1940년대 8·15 광복 전후
② 1950년대 6·25 전쟁 전후

답 ①

4주 1일 양반전 ①

| 주요 사건으로 본 전체 줄거리 |

1 강원도 정선군에 사는 한 양반이 가난하여 환곡을 갚지 못해 곤경에 빠진다.

환곡: 조선 시대에, 각 고을에서 봄에 백성들에게 곡식을 꾸어 주고 가을에 이자를 붙여 거두던 일. 또는 그 곡식.

2 같은 마을에 사는 부자가 양반 대신에 천 섬이나 되는 환곡을 갚아 주고 양반 신분을 산다.

3 군수가 양반에게 신분을 사고판 증서를 만들 것을 제안하고, 두 번에 걸쳐 매매 증서를 작성한다.

4 부자는 증서의 내용을 듣고 자신을 도둑놈으로 만들 작정이냐며 그만두자고 말한다.

| 주요 인물 |

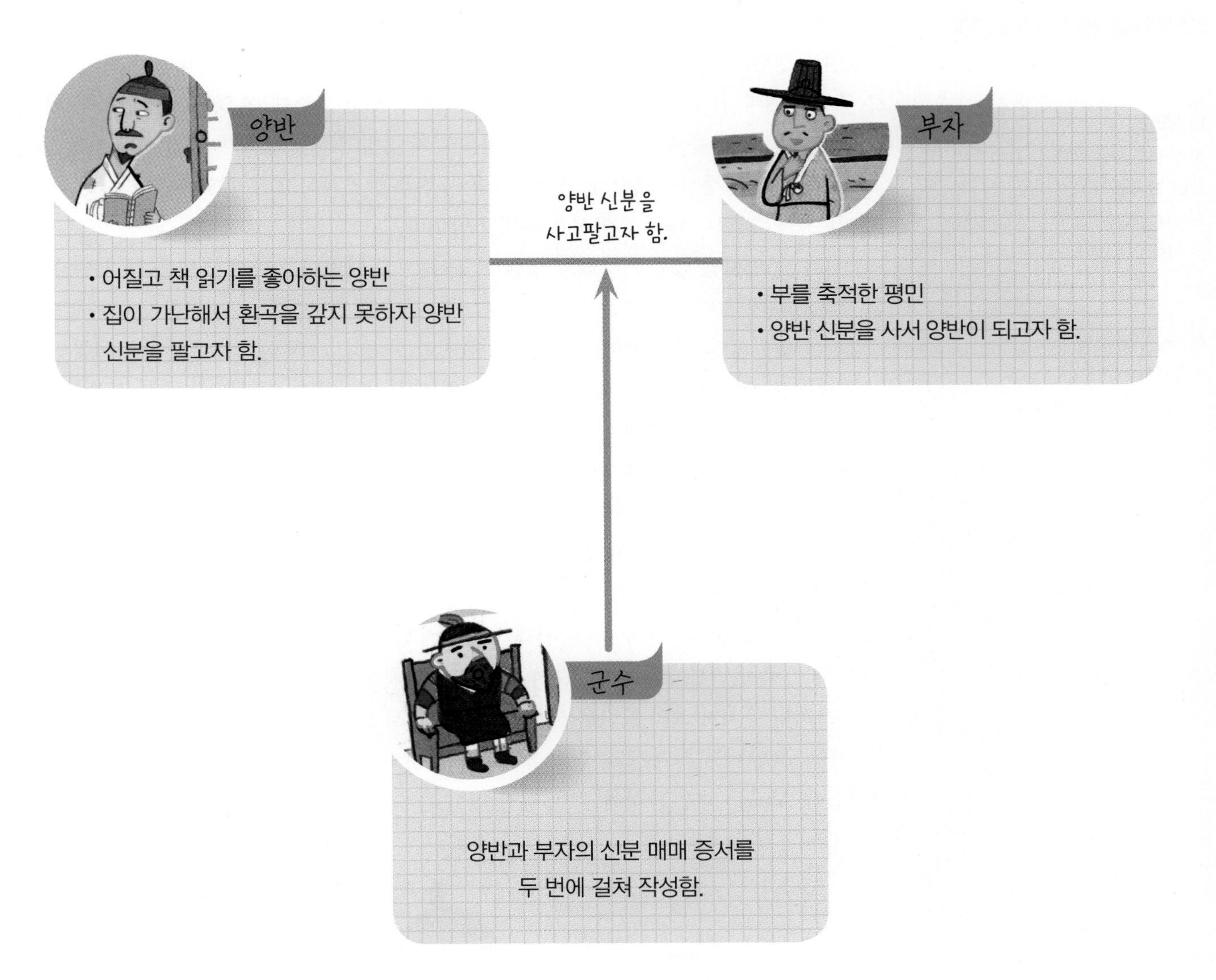
양반
• 어질고 책 읽기를 좋아하는 양반
• 집이 가난해서 환곡을 갚지 못하자 양반 신분을 팔고자 함.
양반 신분을 사고팔고자 함.
부자
• 부를 축적한 평민
• 양반 신분을 사서 양반이 되고자 함.
군수
양반과 부자의 신분 매매 증서를 두 번에 걸쳐 작성함.

1 이 글의 중심 사건은 양반 신분 (ㅁㅁ) 사건이다.

2 '양반'이 '부자'에게 신분을 판 것은 가난해서 (ㅎㄱ)을 갚지 못했기 때문이다.

답 1 매매 2 환곡

이제부터 여러분은 〈양반전〉의 전문을 읽게 됩니다. 작품에 나타난 당시의 사회 모습을 파악하고, 인물들 간의 관계에 주목하며 작품을 감상해 봅시다.

4주 1일 기초 집중 연습

1 2 3 4

이 장면은

정선군에 사는 양반이 관청에서 빌린 환곡을 갚지 못하자, 부자가 환곡을 대신 갚아 주고 양반 신분을 사는 장면이다.

여기에 주목해 봐!

- 당시의 사회 모습
- 양반의 특성과 처지
- 아내의 역할

[1~3] 다음 글을 읽고 물음에 답하시오.

양반이란, 선비를 높여서 부르는 말이다.

강원도 정선군에 한 양반이 살고 있었다. 이 양반은 어질고 글 읽기를 좋아하여, 군수가 새로 부임할 때마다 몸소 그 집을 찾아가서 인사를 드렸다. 그런데 이 양반은 가난하여 해마다 관청의 환곡(還穀)을 꾸어다 먹었다. 그 빚을 갚지 못하고 해마다 쌓여서 천 섬에 이르렀다.

강원도 감사가 정선 고을을 돌아보다가 환곡 장부를 조사하고 크게 노하였다.

"어떤 놈의 양반이 나라의 곡식을 축냈단 말이냐?"

감사는 그 양반을 잡아 가두라고 명했다. 군수는 그 양반이 가난해서 빚을 갚지 못하는 것을 딱하게 여겨 차마 가두지는 못하였다. 그러나 군수도 양반의 빚을 해결할 방법은 없었다.

양반은 빚을 갚을 길이 없어서 밤낮으로 울기만 하였다. 그의 아내가 양반을 몰아붙였다.

㉠"당신은 평소에 글 읽기만 좋아하더니, 환곡을 갚는 데는 전혀 도움이 안 되는구려. 쯧쯧, 양반이라니……, 한 푼어치도 안 되는 그놈의 양반!"

그때 그 마을에 사는 부자가 그 양반의 소문을 듣고 가족과 의논하였다.

[A] "양반은 아무리 가난해도 늘 귀한 대접을 받고, 우리는 아무리 잘살아도 항상 천한 대접을 받는다. 양반이 아니므로 말이 있어도 말을 타지 못한다. 또한 양반만 보면 굽실거리며 제대로 숨소리도 내지 못하고, 뜰아래 엎드려 절해야 하고, 코를 땅에 박고 무릎으로 기어가야 한다. 우리 신세가 가엾지 않느냐? 지금 저 양반이 환곡을 갚지 못해서 아주 난처하다고 한다. 그 형편으로는 도저히 양반의 신분을 지키지 못할 것이다. 그러니 우리가 그의 양반을 사서 양반 신분으로 살아 보자."

부자는 곧 양반을 찾아가 환곡을 대신 갚아 주겠다고 청하였다. 양반은 크게 기뻐하며 승낙하였다. 부자는 즉시 관청에 가서, 양반 대신 환곡을 갚았다.

어휘 풀이

- **군수** 조선 시대에 둔, 지방 행정 단위인 군의 으뜸 벼슬.
- **관청** 국가의 사무를 집행하는 국가 기관. 또는 그런 곳.
- **환곡** 조선 시대에, 각 고을에서 봄에 백성들에게 곡식을 꾸어 주고 가을에 이자를 붙여 거두던 일. 또는 그 곡식.
- **감사** 조선 시대에 둔, 각 도의 모든 일을 책임지던 관리.

1-1 이 글의 내용을 파악하여 빈칸에 알맞은 말을 쓰시오.

인물 양반, □□, 부자

사건 양반이 □□을 갚지 못하자 부자가 대신 갚아 주고 양반 신분을 사고자 함.

배경 조선 후기(18세기), 강원도 □□군

1-2 이 글에 등장하는 '양반'에 대한 설명으로 알맞지 않은 것은?

① 책 읽기를 좋아한다.
② 경제적으로 능력이 없다.
③ 정선군에서 아내와 살고 있다.
④ 관청의 환곡을 빌려 먹고 살았다.
⑤ 신분을 믿고 일부러 빚을 갚지 않았다.

2-1 이 글에 나타난 당시의 사회상이 맞으면 ○, 틀리면 ×에 표시하시오.

(1) 양반 계층이 많은 부와 명예를 쌓으면서 권위가 점차 강해졌다. 

(2) 평민 계층이 경제력을 바탕으로 하여 신분 상승을 꾀했다. 

2-2 [A]를 통해 알 수 있는 내용으로 알맞지 않은 것은?

① 부자는 경제적으로 부유하다.
② 부자는 양반이 되고 싶어 한다.
③ 부자는 양반 신분을 사려고 한다.
④ 부자는 평소에 귀한 대접을 받았다.
⑤ 부자가 환곡을 대신 갚아 준 까닭이 나타나 있다.

3-1 ㉠에 나타난 아내의 속마음을 다음과 같이 표현할 때, 빈칸에 알맞은 말을 쓰시오.

당신은 글 읽기만
좋아하더니 빚조차 갚지 못
하다니 □□하기
짝이 없구려.
양반 아내

3-2 이 글에서 '양반 아내'의 역할로 알맞은 것은?

① 무능한 남편을 비판한다.
② 곤경에 처한 남편을 도와준다.
③ 남편에 대한 존경심을 드러낸다.
④ 남편과 자신의 처지를 슬퍼한다.
⑤ 남편을 대신해 직접 문제를 해결한다.

4주 1일 기초 집중 연습

[4~6] 다음 글을 읽고 물음에 답하시오.

1	2	3	4

이 장면은

양반이 부자에게 양반 신분을 판 것을 알게 된 군수가 매매 증서를 만들 것을 제안하는 장면이다.

여기에 주목해 봐!

- 신분을 판 뒤 양반의 태도 변화
- 군수의 역할

군수는 양반이 천 섬이나 되는 환곡을 모두 갚자 몹시 놀랐다. 군수는 환곡을 갚게 된 사정을 알아보려고 양반을 찾아갔다. 그런데 뜻밖에 ㉠양반이 벙거지에 잠방이를 입고, 길에 엎드려 '소인(小人), 소인.' 하며 자신을 낮추지 않는가? 그뿐만 아니라 양반은 감히 군수를 쳐다보지도 못하였다. 군수가 깜짝 놀라 양반을 붙들고 물었다.

"그대는 어째서 이런 짓을 하시오?"

양반은 더욱 벌벌 떨면서 머리를 땅에 조아리며 아뢰었다.

"황송하옵니다. 소인이 저 자신을 욕되게 하려는 것이 아닙니다. 환곡을 갚느라고 이미 양반을 팔았으니, 이제는 이 마을의 부자가 양반입니다. 소인이 어찌 다시 양반 행세를 하겠습니까?"

군수는 감탄해서 말하였다.

"군자로구나, 부자여! 양반이로구나, 부자여! 부자이면서도 재물을 아끼지 않으니 의로운 일이요, 남의 어려움을 도와주니 어진 일이요, 천한 것을 싫어하고 귀한 것을 바라니 지혜로운 일이다. 이야말로 진짜 양반이로구나! 그러나 양반을 사고팔면서 증서를 작성하지 않았으니, 소송(訴訟)의 꼬투리가 될 수 있다. 그러니 고을 사람들을 불러 모아 증인으로 세우고, 증서를 만들어서 양반을 사고판 일을 모두에게 알리도록 하자. 나도 당연히 증서에 서명을 하겠다."

군수는 관청으로 돌아와서, 고을의 양반과 농사꾼, 장인(匠人), 장사치들까지 모조리 불러 모았다. 그리고 ㉡부자를 높은 자리에 앉히고, 양반을 낮은 자리에 세워 두고는 다음과 같이 증서를 작성하였다.

건륭(乾隆) 10년(1745년, 영조 21년) 9월에 이 증서를 만드노라.

이 문서는 천 섬으로 양반을 사고팔아서 환곡을 갚은 것을 증명한다.

양반이란 여러 가지로 일컬어진다. 글을 읽으면 선비라 하고, 벼슬을 하면 대부(大夫)라 하고, 덕이 뛰어나면 군자라고 한다. 무관은 서쪽에 늘어서고 문관은 동쪽에 늘어서는데, 이것이 바로 양반이다. 따라서 선비, 대부, 군자, 무관, 문관 가운데에서 좋을 대로 부르면 된다.

어휘 풀이

- **벙거지** 조선 시대에 궁중 또는 양반집의 하인이 쓰던 털로 만든 모자.
- **잠방이** 가랑이가 무릎까지 내려오도록 짧게 만든 홑바지.
- **소인** 신분이 낮은 사람이 자기보다 신분이 높은 사람에게 자기를 가리키는 말.
- **장인** 손으로 물건을 만드는 일을 직업으로 하는 사람.
- **건륭** 건륭(乾隆)은 청나라 고종(高宗) 때의 연호. 건륭 10년은 1745년을 말한다.

4-1 신분을 팔고 난 뒤 양반의 옷차림새를 나타낸 그림이다. 〈보기〉에서 알맞은 단어를 골라 쓰시오.

보기
도포 　 벙거지 　 잠방이 　 흑립

4-2 이 글의 내용을 다음과 같이 정리할 때, 빈칸에 알맞은 말을 쓰시오.

양반이 마을의 부자에게 신분을 팔았음.

↓

양반의 태도 변화

- 벙거지에 ☐☐☐를 입었다.
- 자신을 '☐☐'이라고 칭하였다.
- 길에 엎드려 군수를 쳐다보지도 못하였다.

5-1 양반이 ㉠과 같이 행동한 까닭으로 가장 알맞은 것은?

① 평소에 겸손한 태도가 몸에 배어서
② 군수에게 존경심을 표현하고 싶어서
③ 자신이 가난하다는 것을 부끄럽게 여겨서
④ 환곡을 갚지 못해 군수에게 면목이 없어서
⑤ 양반 신분을 팔아서 자신은 이제 평민이 되었다고 생각해서

5-2 ㉡을 통해 알 수 있는 내용으로 알맞은 것은?

① 양반과 부자의 신분이 같아졌다.
② 양반과 부자의 신분이 바뀌었다.
③ 양반과 부자의 경제력이 바뀌었다.
④ 양반보다 부자가 신분이 낮아졌다.
⑤ 양반과 부자가 모두 평민이 되었다.

6-1 이 글에서 '군수'의 역할로 알맞은 것은?

① 양반에게 신분 매매를 권유한다.
② 양반이 빌린 환곡을 대신 갚아 준다.
③ 부자의 편에서 신분 매매 행위를 돕는다.
④ 양반과 부자의 신분 매매 행위를 벌한다.
⑤ 양반과 부자의 신분 매매 증서를 작성한다.

6-2 '군수'에 대한 설명으로 알맞지 <u>않은</u> 것은?

① 양반이 길에 엎드려 있자 크게 놀랐다.
② 부자에게 신분을 팔도록 양반을 부추겼다.
③ 양반이 환곡을 갚게 된 사정을 궁금해했다.
④ 여러 계층의 사람들을 불러 모아 증인으로 세웠다.
⑤ 양반과 부자의 매매를 공식적으로 증명하는 증서를 작성하였다.

4주 2일 양반전 ②

| 첫 번째 증서에 나타난 양반의 모습 |

양반은 더러운 일을 딱 끊고, 옛사람을 본받고, 높은 뜻을 가져야 한다. 매일 새벽에 일어나 등잔을 켜고서, 눈은 가만히 코끝을 내려 보고 발꿈치를 궁둥이에 모으고 앉아, 얼음 위에 박 밀듯이 《동래박의(東萊博議)》를 줄줄 외워야 한다. …… 추워도 화로에 곁불을 쬐지 말고, 말할 때 입에서 침을 튀기지 말고, 소 잡는 일을 하지 말고, 돈으로 노름을 하지 말아야 한다.

양반은 모름지기 예의범절을 엄격하게 지켜야 하고, 글 읽기에 힘쓰고, 물욕을 버리고, 체면을 차리기 위해 겉치레에 신경 써야만 했어요.

1 첫 번째 증서에는 양반이 일상생활에서 지켜야 할 (ㅇㅁ)가 나타나 있다.

2 두 번째 증서에는 양반이 신분을 이용해 누릴 수 있는 (ㅌㄱ)이 나타나 있다.

답 1 의무 2 특권

작품 들여다보기

| 두 번째 증서에 나타난 양반의 모습 |

양반의 이익은 막대하다. 농사도 짓지 않고 장사도 하지 않는다. 글만 대충 읽어도 크게 되면 문과(文科)에 급제하고, 작아도 진사(進士)가 된다. ...... 방에서는 귀걸이로 치장한 기생과 노닥거리고, 뜰에서는 남아도는 곡식으로 학(鶴)을 기른다. ...... 강제로 이웃의 소를 끌어다 먼저 자기 땅을 갈고, 마을의 일꾼을 잡아다 먼저 자기 논의 김을 맨들, 누가 감히 나에게 대들겠느냐?

양반은 글만 대충 읽어도 높은 벼슬을 얻을 수 있고, 방탕하게 놀 수 있고, 평민들에게 횡포를 부려도 벌을 받지 않는 등 막강한 특권을 누릴 수 있었어요.

이 소설에는 조선 후기 사회의 모습이 잘 반영되어 있습니다. 당시의 사회상을 고려하여 작품을 감상해 보고, 작가가 말하고자 하는 바가 무엇인지 생각해 봅시다.

4주 2일 기초 집중 연습

1 2 3 4

이 장면은

군수가 고을 사람들을 모아 놓고 첫 번째 매매 증서를 작성하는 장면이다.

여기에 주목해 봐!

- 첫 번째 증서의 내용
- 첫 번째 증서에서 비판하는 양반의 모습
- 첫 번째 증서에 대한 부자의 반응

어휘 풀이

- **동래박의(東萊博議)** 1168년에 중국 남송의 동래(東萊) 여조겸이 《춘추좌씨전》에 관해 논평하고 풀이한 책.
- **고문진보(古文眞寶)** 중국 송나라의 황견이 주나라 때부터 송나라 때까지의 시가와 산문을 모아 엮은 책.
- **당시품휘(唐詩品彙)** 중국 명나라의 고병이 당나라 때 시인들이 지은 시를 모아 엮은 책.
- **좌수** 조선 시대 지방의 자치 기구인 향청(鄕廳)의 우두머리.
- **별감** 조선 시대에, 지방의 수령을 보좌하던 자문 기관인 유향소(留鄕所)에 속한 직책. 고을의 좌수에 버금가던 자리였다.
- **호장** 조선 시대 각 관아의 벼슬아치 밑에서 일을 보던 사람 중 우두머리.

[1~3] 다음 글을 읽고 물음에 답하시오.

양반은 더러운 일을 딱 끊고, 옛사람을 본받고, 높은 뜻을 가져야 한다. 매일 새벽에 일어나 등잔을 켜고서, 눈은 가만히 코끝을 내려 보고 발꿈치를 궁둥이에 모으고 앉아, 얼음 위에 박 밀듯이 《동래박의(東萊博議)》를 줄줄 외워야 한다. 배고픔과 추위를 참고 견디며, 가난 타령은 아예 하지 말아야 한다. 어금니를 딱딱 마주치고 뒤통수를 톡톡 두드리며, 침을 입 안에 머금고 가볍게 양치질하듯이 삼켜야 한다. 소맷자락으로 털모자를 닦아 먼지를 떨어내어, 모자에 물결무늬가 뚜렷하게 해야 한다. 세수할 때는 주먹으로 비비지 말고, 입 냄새가 나지 않게 이를 잘 닦아야 한다. 소리를 길게 뽑아서 종을 부르며, 신발을 땅에 끌 듯이 느릿느릿 걸음을 옮겨야 한다. 《고문진보(古文眞寶)》, 《당시품휘(唐詩品彙)》를 깨알같이 베껴 쓰되, 한 줄에 백 자씩 써야 한다.

손에 돈을 쥐지 말고, 쌀값을 묻지 말고, 더워도 버선을 벗지 말고, 맨상투로 밥상에 앉지 말고, 밥보다 국을 먼저 먹지 말고, 물을 후루룩 마시지 말고, 젓가락으로 방아를 찧지 말고, 생파를 먹지 말고, 막걸리를 들이켠 다음 수염을 쭉 빨지 말고, 담배를 피울 때는 볼이 움푹 패도록 빨지 말아야 한다.

화가 난다고 아내를 때리지 말고, 그릇을 내던지지 말고, 아이들에게 주먹질을 하지 말고, 죽으라고 종놈을 야단치지 말아야 한다. 소와 말을 꾸짖되 그것을 판 주인까지 싸잡아 욕하지 말고, 아파도 무당을 부르지 말고, 제사 지낼 때 중을 부르지 말고, 추워도 화로에 곁불을 쬐지 말고, 말할 때 입에서 침을 튀기지 말고, 소 잡는 일을 하지 말고, 돈으로 노름을 하지 말아야 한다.

이러한 사항을 어기면, 이 증서를 토대로 관청에서 양반의 옳고 그름을 따질 것이다.

정선 군수가 서명하고, 좌수(座首)와 별감(別監)이 증인으로서 서명함.

이에 관청의 하인(下人)이 탁탁 도장을 찍는데, 그 소리는 마치 북을 치는 것 같고, 찍어 놓은 모양은 하늘에 별이 펼쳐진 것 같았다.

호장(戶長)이 증서를 다 읽고 나자, 부자는 어처구니가 없어서 한참이나 멍하니 있다가 말하였다.

㉠"양반이라는 게 겨우 요것뿐입니까? 저는 양반이 신선 같다고 들었는데, 정말 이렇다면 너무 재미가 없는걸요. 원하옵건대 제게 이익이 되도록 문서를 고쳐 주십시오."

1-1 첫 번째 증서에서 확인할 수 없는 내용을 〈보기〉에서 모두 골라 쓰시오.

보기
ⓐ 양반이 출세하는 방법
ⓑ 양반이 침을 삼키는 방법
ⓒ 양반이 자식을 교육하는 방법
ⓓ 양반이 털모자를 손질하는 방법
ⓔ 양반이 매일 새벽에 일어나 책을 읽는 방법

1-2 첫 번째 증서의 주된 내용으로 알맞은 것은?

① 양반 계층의 역사
② 양반 계층이 얻는 이익
③ 양반 계층이 받는 대우
④ 양반 계층의 의무나 규범
⑤ 양반 계층이 누리는 지위

2-1 첫 번째 증서의 내용을 고려할 때, 증서의 제목으로 적절한 것을 고르시오.

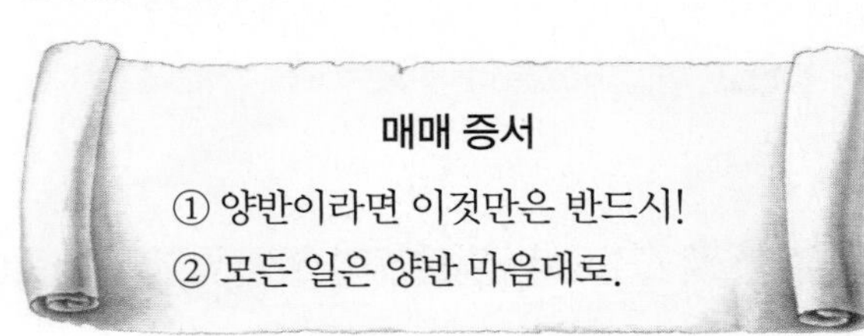

매매 증서
① 양반이라면 이것만은 반드시!
② 모든 일은 양반 마음대로.

2-2 작가가 첫 번째 증서를 통해 비판하고자 하는 양반의 모습으로 가장 알맞은 것은?

① 사치를 부리며 사는 모습
② 경제적 부를 중시하는 모습
③ 출세하기 위해 애쓰는 모습
④ 평민들에게 횡포를 부리는 모습
⑤ 지나치게 체면이나 격식을 중시하는 모습

3-1 첫 번째 증서에 대한 부자의 반응으로 알맞은 것은?

① 불만 ② 만족감 ③ 즐거움
④ 죄책감 ⑤ 쓸쓸함

3-2 부자가 ㉠과 같이 말한 까닭으로 알맞은 것은?

① 증서의 내용이 너무 길고 어려워서
② 자신이 양반임을 증명해 주지 않아서
③ 증서의 내용대로 실천할 자신이 없어서
④ 증서에 양반의 권리만 나열되어 있어서
⑤ 자신에게 실질적인 이익이 없는 내용이어서

기초 집중 연습

[4~6] 다음 글을 읽고 물음에 답하시오.

1	2	3	4

이 장면은

부자가 첫 번째 매매 증서의 내용에 불만을 가지자 군수가 두 번째 매매 증서를 작성하는 장면이다.

여기에 주목해 봐!

- 두 번째 증서의 내용
- 두 번째 증서에서 비판하는 양반의 모습
- 두 번째 증서에 대한 부자의 반응
- 이 소설의 주제

그러자 군수는 증서를 새로 만들었다.

하늘이 백성을 낳을 때 넷으로 구분하였다. 네 가지 백성 가운데 가장 높은 것이 선비이니, 이것이 곧 양반이다. 양반의 이익은 막대하다. 농사도 짓지 않고 장사도 하지 않는다. 글만 대충 읽어도 크게 되면 문과(文科)에 급제하고, 작아도 진사(進士)가 된다.

문과의 홍패(紅牌)는 팔뚝만 하지만, 여기에 온갖 물건이 갖추어져 있으니, 그야말로 돈 자루이다. 서른에야 진사가 되어 첫 벼슬을 얻더라도, 오히려 이름난 음관(蔭官)이 되어 높은 벼슬자리에 오를 수 있다. 언제나 종들이 양산을 받쳐 주므로 귀밑이 희어지고, 설렁줄만 당기면 종들이 '예이.' 하므로 뱃살이 처진다. 방에서는 귀걸이로 치장한 기생과 노닥거리고, 뜰에서는 남아도는 곡식으로 학(鶴)을 기른다.

벼슬을 아니 하고 시골에 묻혀 살더라도 모든 일을 제멋대로 할 수 있다. 강제로 이웃의 소를 끌어다 먼저 자기 땅을 갈고, 마을의 일꾼을 잡아다 먼저 자기 논의 김을 맨들, 누가 감히 나에게 대들겠느냐? 네놈들 코에 잿물을 들이붓고, 머리끄덩이를 잡아 휘휘 돌리고, 귀밑 수염을 다 뽑아도 누가 감히 나를 원망하겠느냐?

부자는 증서 내용을 듣고 있다가 혀를 내둘렀다.

"그만두시오, 그만두시오. 참으로 맹랑하구먼. 나를 도둑놈으로 만들 작정입니까?"

부자는 머리를 흔들면서 떠나 버렸다. 그러고는 죽을 때까지 다시는 양반이 되고 싶다는 말을 입에 올리지 않았다.

어휘 풀이

- **급제하다** 과거 시험에 합격하다.
- **진사** 조선 시대, 과거의 예비 시험인 소과(小科)에 합격한 사람.
- **홍패** 과거의 문과 두 번째 시험에 합격한 사람의 성적, 등급, 성명을 붉은색 종이에 먹으로 적어 주던 증서.
- **음관** 과거를 거치지 아니하고 조상의 공덕에 의하여 맡은 벼슬. 또는 그런 벼슬아치.
- **설렁줄** 사람을 부르기 위해 처마 같은 곳에 달아 놓은 방울을 울릴 때 잡아당기는 줄.

4-1 두 번째 증서의 내용과 일치하면 ○, 그렇지 않으면 ×에 표시하시오.

(1) 양반은 큰 노력을 하지 않아도 막대한 이익을 얻을 수 있다. 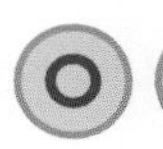 

(2) 양반은 자기 마음대로 평민들을 부릴 수 있다. ○ ×

4-2 두 번째 증서에서 알 수 있는 당시 양반의 모습으로 알맞지 않은 것은?

① 농사를 짓지 않고 장사도 하지 않았다.
② 문과의 홍패를 비싼 값을 받고 팔았다.
③ 남의 소를 끌어다 자기 땅을 먼저 갈았다.
④ 마을의 일꾼을 잡아다 자기 논의 김을 맸다.
⑤ 음관이 되어 높은 벼슬자리에 오르기도 했다.

5-1 두 번째 증서에서 양반을 바라보는 작가의 태도로 알맞은 것을 모두 고르면?

① 긍정적 ② 부정적 ③ 예찬적
④ 객관적 ⑤ 비판적

도움말

인물을 바라보는 작가의 태도
- 긍정적: 인물이 바람직하다고 여기는 태도
- 부정적: 인물이 바람직하지 않다고 여기는 태도
- 예찬적: 인물이 훌륭하거나 좋다고 찬양하는 태도
- 객관적: 인물에 대해 평가를 내리지 않고 제삼자의 입장에서 바라보는 태도
- 비판적: 인물의 잘못이나 부정적인 면을 지적하는 태도

5-2 두 번째 증서에서 비판하는 양반의 모습으로 알맞은 것은?

① 허례허식에 얽매여 있는 모습
② 말과 행동이 일치하지 않는 모습
③ 학문을 익히는 것을 게을리하는 모습
④ 신분을 이용해 부당한 특권을 누리는 모습
⑤ 다른 사람의 의견을 무시하는 권위적인 모습

● 허례허식 형편에 맞지 않게 겉만 번드르르하게 꾸밈. 또는 그런 예절이나 법식.

4주 2일

6-1 두 번째 증서의 내용을 듣고 부자가 양반을 가리켜 표현한 말로 알맞은 것은?

① 선비 ② 문관 ③ 진사
④ 도둑놈 ⑤ 신선

6-2 부자가 양반이 되기를 포기한 까닭으로 알맞은 것은?

① 부자의 가족들이 반대해서
② 신분을 사는 것에 죄책감을 느껴서
③ 양반의 삶이 부도덕하다고 생각해서
④ 양반이 매매를 없던 일로 하자고 해서
⑤ 양반 신분을 사는 데 많은 돈이 들어서

4주 3일 이상한 선생님 ①

| 전체 줄거리 |

발단

'나'가 다니는 학교에는 유난히 키가 작고 머리는 크며 성격이 사나운 '박 선생님'과, 큰 키에 몸집도 크지만 순한 성품의 '강 선생님'이 계신다.

전개

자신은 물론 학생들에게도 일본 말을 쓸 것을 강요하는 박 선생님과 달리 강 선생님은 되도록 조선말을 쓴다.

위기

일본이 패망한 후 강 선생님은 일본에 충성하던 박 선생님을 강하게 비난하다가 박 선생님에게 태극기를 만들어 독립 만세를 부를 것을 제안한다.

패망한: 싸움에 져서 망하다.

절정

강 선생님은 교장이 되지만 빨갱이로 몰려 일 년 만에 쫓겨난다. 교장이 된 박 선생님은 미국을 침이 마르도록 칭찬한다.

빨갱이: '공산주의자'를 속되게 이르는 말.

결말

'나'는 미국을 찬양하는 박 선생님을 이상하다고 생각한다.

찬양하는: 아름답고 훌륭함을 드러내어 크게 기리고 칭찬하다.

| 주요 인물 |

나

서술자. 초등학생

- 일본 말만 쓰라고 강요함.
- 해방 이후, 일본은 나쁜 나라라고 가르침.

'이상한 선생님'이라고 생각함.

일본 말을 안 하는 선생님이 신기함.

교실에서 공부할 때 빼고는 조선말을 함.

박 선생님

- 유난히 키가 작고 머리가 큼.
  ➔ 별명: 뼘생, 뼘박, 대갈장군
- 옹졸하고 화를 잘 냄.
  성품이 너그럽지 못하고 생각이 좁다.

대립 - 화해 - 대립의 관계

강 선생님

- 키, 몸집이 크고 순하게 생김.
- 웃기를 잘하고 화내는 일이 없음.
- 아무하고나 장난을 잘함.

1 박 선생님은 키가 한 뼘밖에 안 될 정도로 작고 (ㅁㄹ)가 매우 크다.

2 어린아이인 '나'는 박 선생님을 '참 (ㅇㅅㅎ) 선생님'이라고 생각한다.

답 1 머리 2 이상한

이제부터 여러분은 〈이상한 선생님〉의 주요 장면을 읽게 됩니다. 전체 줄거리를 참고하면서 주인공 '박 선생님'이 어떤 특성을 지닌 인물인지 파악하고, '나'가 박 선생님을 어떻게 바라보고 있는지 살피며 읽어 봅시다.

4주 3일 기초 집중 연습

[1~3] 다음 글을 읽고 물음에 답하시오.

발단 | 전개 | 위기 | 절정 | 결말

이 장면은
뺌박 박 선생님과 강 선생님의 외양, 성격을 소개하는 장면이다.

여기에 주목해 봐!
- 박 선생님과 강 선생님의 특성
- 박 선생님에 대한 '나'의 서술 태도

우리 박 선생님은 참 이상한 선생님이었다.

박 선생님은 생긴 것부터가 무척 이상하게 생긴 선생님이었다. 키가 한 뼘밖에 안 되어서 뼘생 또는 뼘박이라는 별명이 있는 것처럼, 박 선생님의 키는 키 작은 사람 가운데에서도 유난히 작은 키였다. 일본 정치 때에, 혈서로 지원병을 지원했다 체격 검사에 키가 제 척수에 차지 못해 낙방이 되었다면, 그래서 땅을 치고 울었다면, 얼마나 작은 키인지 알 일이다.

[A] 그런 작은 키에 몸집은 그저 한 줌만 하고. 이 한 줌만 한 몸집, 한 뼘만 한 키 위에 깜짝 놀랄 만큼 큰 머리통이 위태위태하게 올라앉아 있다. 그래서 박 선생님 또 하나의 별명은 대갈장군이라고도 했다.

머리통이 그렇게 큰 박 선생님의 얼굴은 어떻게 생겼느냐 하면, 또한 여느 사람과는 많이 달랐다. / 뒤통수와 앞이마가 툭 내솟고, 내솟은 좁은 이마 밑으로 눈썹이 시꺼멓고, 왕방울 같은 두 눈은 부리부리하니 정기가 있고도 사납고, 코는 매부리코요, 입은 메기입으로 귀밑까지 넓죽 째지고, 목소리는 쇠꼬챙이로 찌르는 것처럼 쨍쨍하고.

이런 대갈장군인 뼘생 박 선생님과 아주 정반대로 생긴 이가 강 선생님이었다.

강 선생님은 키가 크고, 몸집도 크고, 얼굴이 너부룻하고, 얼굴이 검기는 해도 순하여 사나움이 든 데가 없고, 눈은 더 순하고, 허허 웃기를 잘하고, 별로 성을 내는 일이 없고, 아무하고나 장난을 잘하고……. 강 선생님은 이런 선생님이었다.

뼘박 박 선생님과 강 선생님은 만나면 싸움이었다.

하학을 하고 나서, 우리가 청소를 한 교실을 둘러보다가 또는 운동장에서(그러니까 우리들이 여럿이는 보지 않는 곳에서 말이다.) 두 선생님이 만난다 치면, 강 선생님은 괜히 장난이 하고 싶어 박 선생님을 먼저 건드리곤 했다.

하나는 커다란 몸집을 해 가지고 싱글싱글 웃으면서, 하나는 한 뼘만 한 키에 그 무섭게 큰 머리통을 한 얼굴을 바싹 대들고는 사나움이 졸졸 흐르면서, 그렇게 마주 서서 싸우는 모양은 마치 큰 수캐와 조그만 고양이가 마주 만난 형국이었다.

어휘 풀이
- **뼘** 엄지손가락과 다른 손가락을 한껏 벌린 길이를 재는 단위.
- **혈서** 제 몸의 피를 내어 자기의 결심, 청원, 맹세 따위를 글로 씀. 또는 그 글.
- **척수** 치수. 길이에 대한 몇 자 몇 치의 셈.
- **낙방** 시험, 모집, 선거 따위에 응하였다가 떨어짐.
- **정기** 생기 있고 빛이 나는 기운.
- **너부룻하다** '너부죽하다'의 방언. 조금 넓고 평평한 듯하다.
- **하학** 학교에서 그날의 수업을 마침.

1-1 이 글의 서술자에 해당하는 것을 고르시오.

①

②

1-2 이 글의 서술자에 대한 설명으로 알맞지 않은 것은?

① '나'이며 초등학생이다.
② 이야기 안에 등장하는 인물이다.
③ 박 선생님의 이야기를 전달하고 있다.
④ 박 선생님을 관찰하여 서술하고 있다.
⑤ 박 선생님의 심리까지 꿰뚫어 보고 있다.

도움말

1인칭 관찰자 시점의 특징
- 서술자 = '나' ≠ 주인공
- 주변 인물 '나'가 관찰자의 입장에서 주인공의 이야기를 전달함.

2-1 다음은 '박 선생님'의 인물 카드이다. 빈칸에 알맞은 말을 쓰시오.

- 직업: 초등학교 선생님
- 별명: 뼘생, □□, 대갈장군
- 강 선생님과의 관계: 만나기만 하면 □□.

2-2 박 선생님의 특징으로 알맞지 않은 것은?

① 생김새가 사납다.
② 실없이 웃기를 잘한다.
③ 키가 작고 머리가 크다.
④ 친일적 성향을 지니고 있다.
⑤ 강 선생님과 사이가 좋지 않다.

3-1 [A]에 묘사된 박 선생님의 모습이 주는 느낌으로 알맞은 것은?

① 친근감 ② 긴장감 ③ 안타까움
④ 씁쓸함 ⑤ 우스꽝스러움

3-2 박 선생님에 대한 '나'의 서술 태도로 알맞지 않은 것은?

① 부정적인 모습을 강조하고 있다.
② 외양을 우스꽝스럽게 묘사하고 있다.
③ 생김새를 객관적으로 서술하고 있다.
④ 강 선생님과 대조하여 서술하고 있다.
⑤ 외모나 성격을 생생하게 묘사하고 있다.

[4~6] 다음 글을 읽고 물음에 답하시오.

발단 | 전개 | 위기 | 절정 | 결말

이 장면은

일본 말 사용과 관련하여 박 선생님과 강 선생님의 상반된 태도가 나타나는 장면이다.

여기에 주목해 봐!
- 당시의 사회 모습
- 일본 말 사용에 관한 박 선생님과 강 선생님의 태도

다른 학교에서도 다 그랬을 테지만 우리 학교에서도 그때 말로 '국어'라던 일본 말, 그 일본 말로만 말을 하게 하고 엄마 아빠 할 적부터 배운 조선말은 아주 한 마디도 쓰지 못하게 했다.

그러나 주재소의 순사, 면의 면서기, 도 평의원을 한 송 주사, 또 군이나 도에서 연설하러 온 사람, 이런 사람들이나 조선 사람끼리 만나도 척척 일본 말로 인사를 하고 이야기를 했지, 다른 사람들이야 일본 사람과 만났을 때 말고는 다들 조선말로 말을 하고, 그래서 학교 문 밖에만 나가면 만판 조선말로 말을 하는 사람들이요, 더구나 집에 돌아가면 어머니, 아버지, 언니, 누나, 아기 모두들 조선말로 말을 했다. 그러니까 우리도 교실에서 공부를 하고 나와 운동장에서 우리끼리 놀고 할 때에는 암만해도 일본 말보다 조선말이 더 많이, 더 잘 나왔다

학교에서고 학교 밖에서고 조선말로 말을 하다 선생님한테 들키는 날이면 경치는 판이었다. 선생님들 중에서도 제일 심하게 밝히는 선생님이 뺌박 박 선생님이었다. 교장 선생님이나 다른 일본 선생님은 나무라기만 하고 마는 수가 있어도, 뺌박 박 선생님만은 절대로 용서가 없었다. / 나도 여러 번 혼이 나 보았다.

한번은 상준이 녀석과 어떡하다 쌈이 붙었는데 둘이 서로 부둥켜안고 구르면서 이 자식아, 저 자식아, 죽어 봐, 때려 봐, 하면서 한참 때리고 제기고 하는 참이었다.

그런데, 느닷없이

"고랏! 조셍고데 겡까 스루야쓰가 이루까(이놈아! 조선말로 쌈하는 녀석이 어딨어)."

하면서 구둣발길로 넓적다리를 걷어차는 건, 정신없는 중에도 뺌박 박 선생님이었다.

우리 둘이는 그 자리에서 빰이 붓도록 따귀를 맞았고, 공부 시간에 들어가지도 못하고 그 시간 동안 변소 청소를 했고, 그리고 조행 점수를 듬뿍 깎였다.

이렇게 뺌박 박 선생님한테 제일 중한 벌을 받는 때가 언제냐 하면, 조선말로 지껄이다 들키는 때였다.

강 선생님은 그와 반대로 아무 시비가 없었다.

교실에서 공부를 할 때 빼고는 그리고 다른 선생님, 그중에서도 교장 이하 일본 선생님들과 뺌박 박 선생님이 보지 않는 데서는, 강 선생님은 우리한테, 일본 말로 말을 하지 않았다. 우리들이 일본 말을 해도 강 선생님은 조선말을 하곤 했다.

어휘 풀이
- **주재소** 일제 강점기에, 순사가 머무르면서 사무를 맡아보던 경찰의 말단 기관.
- **순사** 일제 강점기에 둔, 경찰관의 가장 낮은 계급. 또는 그 계급의 사람.
- **평의원** 어떤 일을 평가하거나 심의하는 데 참여하는 사람.
- **만판** 다른 것은 없이 온통 한 가지로.
- **경치다** 혹독하게 벌을 받다.
- **제기다** 팔꿈치나 발꿈치 따위로 지르다.
- **조행** 태도와 행실을 아울러 이르는 말.

4-1 이 글의 시대적 배경을 드러내는 표현이 아닌 것은?

① 학교
② '국어'라던 일본 말
③ 조선말
④ 주재소
⑤ 순사

4-2 이 글에 나타난 당시의 언어생활로 알맞지 않은 것은?

① '국어'는 일본 말을 의미했다.
② 학교에서 일본 말만 사용하게 했다.
③ 관료들은 평소에도 일본 말을 사용했다.
④ 보통 사람들은 평소에 조선말을 사용했다.
⑤ 학생들은 학교 밖에서도 일본 말을 사용했다.

5-1 박 선생님이 '나'와 상준이를 혼낸 까닭으로 알맞은 것은?

① 비속어를 썼기 때문에
② 조선말을 썼기 때문에
③ 일본 말을 썼기 때문에
④ 친구들끼리 싸웠기 때문에
⑤ 일본 말 발음이 서툴렀기 때문에

5-2 '박 선생님'에 대한 설명으로 알맞지 않은 것은?

① 일본 말 사용에 엄격했다.
② '나'를 여러 번 혼낸 적이 있다.
③ '나'와 상준이에게 중한 벌을 내렸다.
④ 싸울 때조차 조선말을 쓰지 못하게 했다.
⑤ 학교 밖에서 조선말을 쓰는 아이들을 눈감아 주었다.

6-1 박 선생님과 강 선생님의 태도를 다음과 같이 비교할 때, 빈칸에 알맞은 말을 쓰시오.

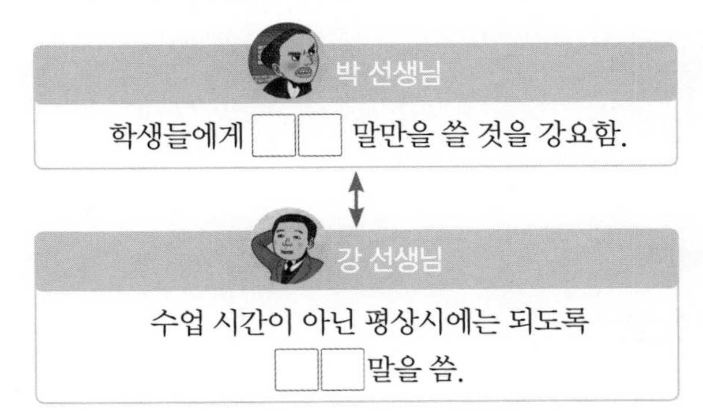

박 선생님
학생들에게 □□ 말만을 쓸 것을 강요함.
강 선생님
수업 시간이 아닌 평상시에는 되도록
□□ 말을 씀.

6-2 일제의 일본 말 사용 정책에 대한 박 선생님과 강 선생님의 태도로 알맞은 것은?

	박 선생님	강 선생님
①	순응적	순응적
②	저항적	저항적
③	순응적	저항적
④	저항적	순응적
⑤	중립적	순응적

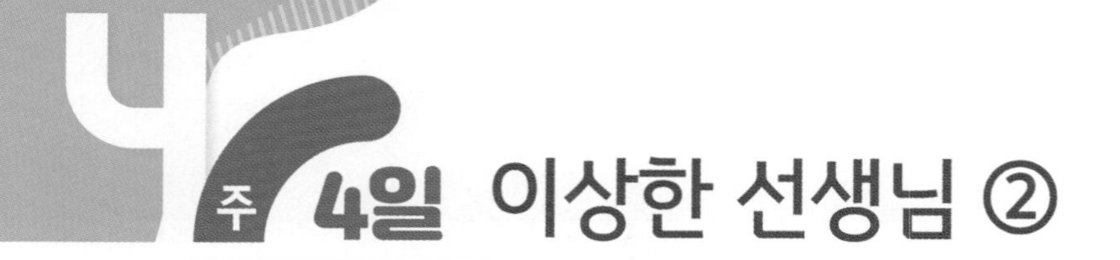

4주 4일 이상한 선생님 ②

| 시대 상황의 변화에 따른 박 선생님의 태도 |

● 일제 강점기 말

1930년대 이후 일제는 만주 침략을 시작으로 중일 전쟁, 태평양 전쟁 등으로 전선을 확대하면서 병참 기지화 정책과 민족 말살 정책을 추진하였다. 일제는 전쟁에 필요한 인력과 물자를 가혹하게 빼앗았고, 이 과정에서 수많은 한국인이 큰 피해를 입었다.

병참 기지화 정책: 일제가 한반도를 전쟁 물자의 보급 기지로 이용하기 위해 실시한 정책

민족 말살 정책: 우리 민족의 전통과 문화의 뿌리를 아주 없애려 한 일본의 식민지 지배 정책

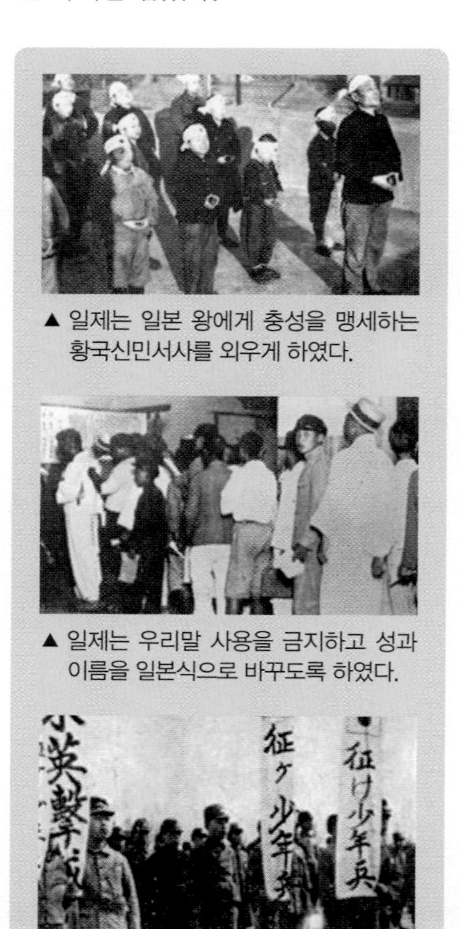

▲ 일제는 일본 왕에게 충성을 맹세하는 황국신민서사를 외우게 하였다.

▲ 일제는 우리말 사용을 금지하고 성과 이름을 일본식으로 바꾸도록 하였다.

▲ 청년, 학생들은 징병되어 전쟁에 동원되었다.

징병되어: 강제로 군대에 복무하게 하다.

고랏! 조셍고데 겡까
스루야쓰가 이루까
(이놈아! 조선말로 쌈하는
녀석이 어딨어).
천황 폐하는 우리 조선
사람들을 일본 사람들과 같이
사랑하고, 우리 조선 사람들이
잘 살기를 근심하신단다.
우리 대일본 제국은
기어코 전쟁에 이기고 천하에
못된 미국, 영국을 거꾸러뜨려
천황 폐하의 위엄을 이 전 세계에
드날릴 것이야.

1 일제 강점기 당시에 일제는 (ㅇㄹㅁ) 사용을 금지하고 일본 말을 사용하게 하였다.

2 박 선생님은 일제 강점기에는 친일적 태도를, 광복 직후에는 (ㅊㅁㅈ) 태도를 취하였다.

답 1 우리말 2 친미적

• 광복 직후

1945년 8월 15일 일본 왕이 항복함으로써 우리나라는 광복을 맞이하였다. 이후 일본군의 항복 접수와 무장 해제를 명분으로 삼아 북위 38도선을 경계로 하여 남한에는 미군이, 북한에는 소련군이 진주하였다. 이에 따라 남한에서 미국의 사회적 영향력이 커졌다.

진주하였다: 군대가 남의 영토에 쳐들어가거나 보내어져서 일정 기간 머무르다.

▲ 1945년 광복을 맞이하여 서대문 형무소에서 풀려난 독립 운동가들과 많은 사람들이 광복의 기쁨에 환호하고 있다.

왜놈들은 천하의 불측한 인종이어서 남의 나라와 전쟁하기를 좋아하는 백성이야.
시방은 미국 말을 모르고는 훌륭한 사람이 되지 못한단다.
우리 조선은 미국 덕분에 해방이 되었으니까 미국을 누구보다도 고맙게 여기고, 미국이 시키는 대로 순종해야 해.

▲ 소련군과 미군 진주

이 소설에는 일제 강점기 말, 광복 직후의 시대상이 나타나 있습니다. 시대 상황에 따라 주인공 '박 선생님'의 태도가 어떻게 변화하는지 주목하며 작품을 감상해 봅시다.

4주 4일 기초 집중 연습

[1~3] 다음 글을 읽고 물음에 답하시오.

발단 | 전개 | **위기** | 절정 | 결말

이 장면은

해방 소식을 듣고 기가 죽고 맥이 빠진 박 선생님의 모습이 나타나는 장면이다.

여기에 주목해 봐!
- 당시의 사회 모습
- 광복 이후 박 선생님의 태도 변화

해방이 되던 바로 그 이튿날이었다. / 여름 방학으로 놀던 때라, 나는 궁금해서 학교엘 가 보았다. 다른 아이들도 한 오십 명이나 와 있었다.

우리는 해방이라는 말은 아직 몰랐고, 일본이 전쟁에 지고 항복을 한 것만 알았다.

선생님들이, 그중에서도 뼘박 박 선생님이 그렇게도 일본(우리 대일본 제국)은 결단코 전쟁에 지지 않는다고, 기어코 전쟁에 이기고 천하에 못된 미국, 영국을 거꾸러뜨려 천황 폐하의 위엄을 이 전 세계에 드날릴 날이 머지않았다고, 하루에도 몇 번씩 그런 말을 해 쌓던 그 일본이 도리어 지고 항복을 하다니, 도무지 모를 일이었다.

㉠직원실에는 교장 선생님과 두 일본 선생님 그리고 뼘박 박 선생님, 이렇게 네 분이 모여 앉아서 초상난 집처럼 모두 코가 쑤욱 빠져 가지고 있었다. / 우리는 운동장 구석으로 혹은 직원실 앞뒤로 끼리끼리 모여 서서 제가끔 아는 대로 일본이 항복한 이야기를 하고 있었다.

그때 6학년에 다니던 우리 사촌 언니 대석이가 뒤늦게야 몇몇 동무와 함께 떨떨거리고 달려들었다. (중략)

대석 언니는 직원실을 넌지시 넘겨다보더니 싱끗 웃으면서 처억 직원실 안으로 들어섰다.

직원실 안에 있던 교장 선생님이랑 다른 두 일본 선생님이랑은 못 본 체하고 고개를 숙이고 있는데, 뼘박 박 선생님이 눈을 흘기면서 영락없이 일본 말로

"난다(왜 그래)?"

하고 책망을 했다.

대석 언니는 그러나 무서워하지 않고 한다는 소리가

"선생님, 덴노헤이까가 고오상(천황 폐하가 항복)했대죠?"

하고 묻는 것이다.

㉡ 뼘박 박 선생님은 성을 버럭 내어 그 큰 눈방울을 부라리면서 여전히 일본 말로

"잠자쿠 있어. 잘 알지두 못하면서…… 건방지게시리."

하고 쫓아와서 곧 한 대 갈길 듯이 을러댔다.

대석 언니는 되돌아 나오면서 커다랗게 소리쳤다.

"덴노헤이까 바가(천황 폐하 망할 자식)!" / "……."

만일 다른 때 누구든지 그런 소리를 했다간 당장 큰일이 날 판이었다. 그러나 교장 선생님이랑 두 일본 선생님은 그대로 못 들은 척 코만 빠뜨리고 앉았고, ㉢뼘박 박 선생님도 잔뜩 눈만 흘기고 있을 뿐이지 아무렇지도 않았다.

어휘 풀이
- **위엄** 존경할 만한 위세가 있어 점잖고 엄숙함. 그런 태도나 기세.
- **코가 빠지다** 근심에 싸여 기가 죽고 맥이 빠지다.
- **언니** 여기서는 '형'을 뜻함.
- **영락없이** 조금도 틀리지 아니하고 꼭 들어맞게.
- **책망** 잘못을 꾸짖거나 나무라며 못마땅하게 여김.

1-1 이 글에 나타난 당시 사회 모습으로 알맞은 것은?

① 일본이 미국과의 전쟁에서 승리했다.
② 일본이 패망하고 우리나라가 해방되었다.
③ 우리나라에 대한 일본의 수탈이 심해졌다.
④ 일본 왕의 위엄이 전 세계에 널리 알려졌다.
⑤ 전쟁에서 이긴 미국이 우리나라를 지배하였다.

1-2 ㉠에서 알 수 있는, 시대 변화에 따른 학교 직원실의 분위기로 알맞은 것은?

① 들뜨고 설레는 분위기
② 엄숙하고 비장한 분위기
③ 침울하고 무거운 분위기
④ 왁자지껄 떠드는 분위기
⑤ 즐겁고 희망에 찬 분위기

2-1 ㉡에 드러나는 박 선생님의 속마음을 파악하여 빈칸에 알맞은 말을 쓰시오.

네 녀석이 뭘 안다고,
잠자코 있어! 전쟁에서
□□이 지고
덴노헤이까가 항복했을
리가 없어…….
박 선생님

2-2 일본의 항복 소식을 들은 박 선생님의 반응으로 알맞은 것은?

① 일본의 패망을 여기저기 알렸다.
② 일본이 패망한 것을 빈정거렸다.
③ 일본의 패망을 쉽게 믿지 못하였다.
④ 평소와 다르게 날뛰면서 기뻐하였다.
⑤ 일본의 패망을 담담하게 받아들였다.

3-1 박 선생님이 처한 상황을 다음과 같이 정리할 때, 빈칸에 알맞은 말을 쓰시오.

일제 강점기에 일제에 □□하고 일본을 찬양함.

↓

일본이 패망하면서 난처한 상황에 놓이게 됨.

↓

□□□거리는 대석 언니를 혼내지 못함.

3-2 박 선생님이 ㉢과 같이 행동한 까닭으로 가장 알맞은 것은?

① 일본의 항복으로 기가 죽어서
② 대석 언니의 태도에 겁을 먹어서
③ 자신의 과거 행적이 부끄러워서
④ 대석 언니의 행실에 기분이 상해서
⑤ 대석 언니의 말을 제대로 알아듣지 못해서

[4~6] 다음 글을 읽고 물음에 답하시오.

발단 | 전개 | 위기 | 절정 | **결말**

이 장면은

해방 이후, 미국을 추종하며 찬양하는 박 선생님의 모습이 나타나는 장면이다.

여기에 주목해 봐!

- 미국에 대한 박 선생님의 태도
- 박 선생님에 대한 '나'의 평가
- 이 소설에서 풍자하는 대상

어휘 풀이

- **파면** 잘못을 저지른 사람에게 직무나 직업을 그만두게 함.
- **순종하다** 순순히 따르다.
- **소견** 어떤 일이나 사물을 살펴 보고 가지게 되는 생각이나 의견.
- **압제** 권력이나 폭력으로 남을 꼼짝 못 하게 강제로 누름.

앞부분 줄거리 | 해방 이후 남한에서 미국의 영향력이 커지자, 박 선생님은 열심히 미국 말을 공부하고 미국 병정이 오면 통역을 하곤 한다. 강 선생님이 교장이 된 지 일 년이 못 되어서 파면을 당한 후에 박 선생님이 교장이 된다.

뻠박 박 선생님은 미국을 침이 마르도록 칭찬했다. 이 세상에 미국같이 훌륭한 나라가 없고, 미국 사람같이 훌륭한 백성이 없다고 했다. 우리 조선은 미국 덕분에 해방이 되었으니까 미국을 누구보다도 고맙게 여기고, 미국이 시키는 대로 순종해야 하느니라고 했다.

우리가 혹시 말끝에 "미국 놈……."이라고 하면, 뻠박 박 선생님은 단박 붙잡아다 벌을 세우곤 하였다. 전에 "덴노헤이까 바가(천황 폐하 망할 자식)!"라고 한 것만큼이나 엄한 벌을 주었다.

"이놈아 아무리 미련한 소견이기로, 자아 보아라. 우리 조선을 독립을 시켜 주느라구 자기 나라 백성을 많이 죽여 가면서 전쟁을 했지. 그래서 그 덕에 우리 조선이 왜놈의 압제에서 벗어나서 독립이 되질 아니했어? 그뿐인감? 독립을 시켜 주구 나서두 우리 조선 사람들 배 아니 고프구 편안히 잘 살라고 양식이야, 옷감이야, 기계야, 자동차야, 석유야, 설탕이야, 구두야, 무어 죄다 골고루 가져다주지 않어? 그런데 그런 고마운 사람들더러, 미국 놈이 무어야?"

벌을 세우면서 뻠박 박 선생님은 이렇게 꾸짖곤 하였다.

우리는 뻠박 박 선생님더러 미국에도 덴노헤이까가 있느냐고 물었다. 미국에 덴노헤이까가 있지 않고서야 그렇게 일본의 덴노헤이까처럼 우리 조선 사람을 친아들과 같이 사랑하고, 우리 조선 사람들이 잘 살도록 근심을 하며, 온갖 물건을 가져다주고 할 이치가 없기 때문이었다(해방 전에 뻠박 박 선생님은, 덴노헤이까는 우리 조선 사람들을 일본 사람들과 같이 사랑하고, 우리 조선 사람들이 잘 살기를 근심하신다고 늘 가르쳐 주곤 했다.).

㉠뻠박 박 선생님은 미국에는 덴노헤이까는 없고, 덴노헤이까보다 훌륭한 '돌멩이'라는 양반이 있다고 대답했다. 우리는 그럼 이번에는 그 '돌멩이'라는 훌륭한 어른을 위하여 '미국 신민 노세이시(미국 신민 서사)'를 부르고, 기미가요(일본의 국가)대신 돌멩이 가요를 부르고 해야 하나 보다고 생각했다.

㉡아무튼 뻠박 박 선생님은 참 이상한 선생님이었다.

4-1 해방 이후 박 선생님의 태도로 알맞지 않은 것은?

① 미국을 욕하는 학생에게 벌을 주었다.
② 미국 덕분에 조선이 해방되었다고 생각한다.
③ 덴노헤이까를 욕하는 학생을 크게 꾸짖었다.
④ 미국이 시키는 대로 따라야 한다고 생각한다.
⑤ 미국에 감사하는 마음을 가져야 한다고 생각한다.

4-2 미국에 대한 박 선생님의 태도와 거리가 먼 것은?

① 미국의 좋은 점을 찬양한다.
② 미국을 긍정적으로 바라본다.
③ 미국을 업신여기어 비웃는다.
④ 미국에 친근한 마음을 드러낸다.
⑤ 미국에 협력하는 태도를 취한다.

5-1 ㉠에 쓰인 표현 방법에 대한 설명으로 알맞은 것을 고르시오.

①	속마음과는 반대되는 말을 하여 원래의 의미를 강조하는 방법
②	대상을 우스꽝스럽게 표현하거나 과장·왜곡하여 대상을 간접적으로 비판하는 방법

5-2 이 글에서 풍자의 대상이 되고 있는 것은?

① 박 선생님의 거만한 태도
② 박 선생님의 인색한 태도
③ 박 선생님의 우유부단한 태도
④ 박 선생님의 기회주의적 태도
⑤ 박 선생님의 탐욕스러운 태도

● 기회주의적 일관된 입장을 지니지 못하고 그때그때의 일이 돌아가는 형편에 따라 이로운 쪽으로 행동하는.

6-1 '나'의 눈에 비친 박 선생님의 모습을 다음과 같이 정리할 때 ⓐ, ⓑ에 들어갈 알맞은 말을 각각 쓰시오.

해방 이전

(ⓐ)에 충성하며 (ⓐ)을 찬양함.

해방 이후

(ⓑ)에 협력하며 (ⓑ)을 찬양함.

6-2 '나'가 박 선생님을 ㉡과 같이 평가한 까닭으로 알맞은 것은?

① 평소에 허풍이 심해서
② 말과 행동이 일치하지 않아서
③ 생각 없이 경솔하게 행동을 해서
④ 잘못을 뉘우치지 않고 변명을 늘어놓아서
⑤ 시대에 따라 입장이 바뀌는 것을 이해할 수 없어서

작품 한 번 더 체크

<양반전>

작품에 반영된 조선 후기의 사회 모습

- 이 글의 '양반'처럼 경제적으로 몰락하는 양반이 생겨남.
- 이 글의 '부자'처럼 ☐를 축적한 평민 계층이 등장함.
- 신분 매매를 통해 신분 상승을 꾀할 수 있었음.

➔ 엄격했던 신분 질서가 동요함.

양반 매매 증서를 통해 풍자하는 대상

첫 번째 매매 증서	두 번째 매매 증서
양반은 더러운 일을 딱 끊고, 옛사람을 본받고, …… 소 잡는 일을 하지 말고, 돈으로 노름을 하지 말아야 한다.	문과의 홍패(紅牌)는 팔뚝만 하지만, 여기에 온갖 물건이 갖추어져 있으니, 그야말로 돈 자루이다. …… 귀밑 수염을 다 뽑아도 누가 감히 나를 원망하겠느냐?
↓	↓
지나치게 ☐☐과 격식을 중요하게 여기며 허례허식에 얽매여 있는 양반의 모습	신분을 이용해 부당한 특권을 누리고 평민들에게 ☐☐를 부리는 양반의 모습

그만두시오.
나를 도둑놈으로
만들 작정입니까?

작품의 주제

양반의 무능과 허례허식, 부도덕성에 대한 비판

답 부, 체면, 횡포

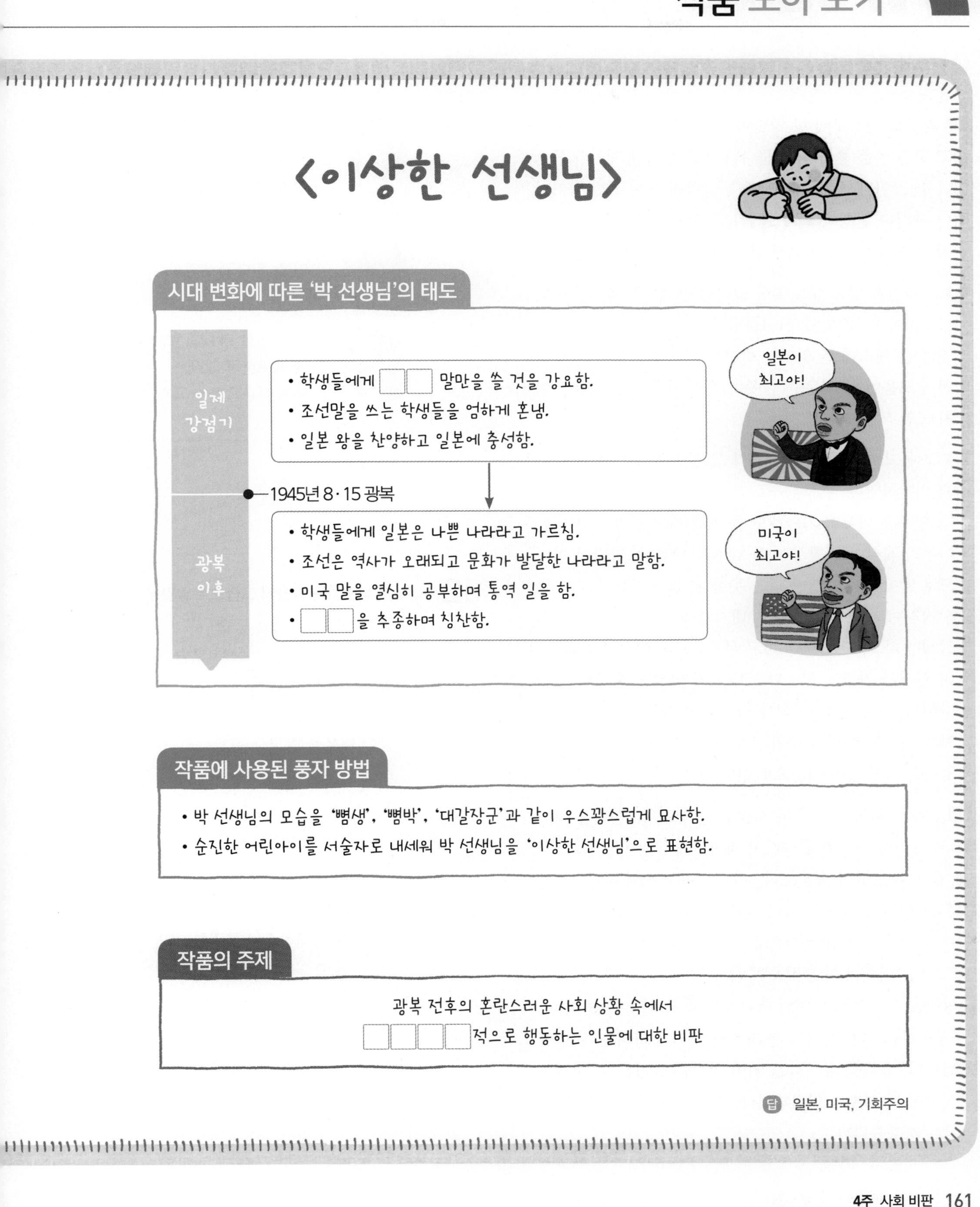

<이상한 선생님>

시대 변화에 따른 '박 선생님'의 태도

일제 강점기

- 학생들에게 □□ 말만을 쓸 것을 강요함.
- 조선말을 쓰는 학생들을 엄하게 혼냄.
- 일본 왕을 찬양하고 일본에 충성함.

1945년 8·15 광복

광복 이후

- 학생들에게 일본은 나쁜 나라라고 가르침.
- 조선은 역사가 오래되고 문화가 발달한 나라라고 말함.
- 미국 말을 열심히 공부하며 통역 일을 함.
- □□을 추종하며 칭찬함.

작품에 사용된 풍자 방법

- 박 선생님의 모습을 '뼘생', '뼘박', '대갈장군'과 같이 우스꽝스럽게 묘사함.
- 순진한 어린아이를 서술자로 내세워 박 선생님을 '이상한 선생님'으로 표현함.

작품의 주제

광복 전후의 혼란스러운 사회 상황 속에서
□□□□적으로 행동하는 인물에 대한 비판

답 일본, 미국, 기회주의

기초 집중 연습

[01~03] 다음 글을 읽고 물음에 답하시오.

(가) 강원도 정선군에 한 양반이 살고 있었다. 이 양반은 어질고 글 읽기를 좋아하여, 군수가 새로 부임할 때마다 몸소 그 집을 찾아가서 인사를 드렸다. 그런데 ㉠이 양반은 가난하여 해마다 관청의 환곡(還穀)을 꾸어다 먹었다. 그 빚을 갚지 못하고 해마다 쌓여서 천 섬에 이르렀다.

(나) ㉡양반은 빚을 갚을 길이 없어서 밤낮으로 울기만 하였다. 그의 아내가 양반을 몰아붙였다.

"당신은 평소에 글 읽기만 좋아하더니, 환곡을 갚는 데는 전혀 도움이 안 되는구려. 쯧쯧, 양반이라니……, 한 푼어치도 안 되는 그놈의 양반!"

(다) 그때 그 마을에 사는 부자가 그 양반의 소문을 듣고 가족과 의논하였다.

"㉢양반은 아무리 가난해도 늘 귀한 대접을 받고, 우리는 아무리 잘살아도 항상 천한 대접을 받는다. 양반이 아니므로 말이 있어도 말을 타지 못한다. 또한 양반만 보면 굽실거리며 제대로 숨소리도 내지 못하고, 뜰아래 엎드려 절해야 하고, 코를 땅에 박고 무릎으로 기어가야 한다. 우리 신세가 가엾지 않느냐? 지금 저 양반이 환곡을 갚지 못해서 아주 난처하다고 한다. 그 형편으로는 도저히 양반의 신분을 지키지 못할 것이다. 그러니 ㉣우리가 그의 양반을 사서 양반 신분으로 살아 보자."

(라) 군수는 환곡을 갚게 된 사정을 알아보려고 양반을 찾아갔다. 그런데 ㉤뜻밖에 양반이 벙거지에 잠방이를 입고, 길에 엎드려 '소인(小人), 소인.' 하며 자신을 낮추지 않는가? 그뿐만 아니라 양반은 감히 군수를 쳐다보지도 못하였다. 군수가 깜짝 놀라 양반을 붙들고 물었다.

"그대는 어째서 이런 짓을 하시오?"

양반은 더욱 벌벌 떨면서 머리를 땅에 조아리며 아뢰었다.

"황송하옵니다. 소인이 저 자신을 욕되게 하려는 것이 아닙니다. 환곡을 갚느라고 이미 양반을 팔았으니, 이제는 이 마을의 부자가 양반입니다. 소인이 어찌 다시 양반 행세를 하겠습니까?"

01 등장인물에 대한 설명으로 알맞지 않은 것은?

양반

① 어질고 글 읽기를 좋아한다.
② 관청에서 빌린 환곡을 갚지 못해 곤경에 처해 있다.

양반 아내

③ 글 읽기가 빚을 갚는 데 전혀 도움이 안 된다고 생각한다.

부자

④ 항상 천한 대접을 받는 자신의 처지를 체념하고 있다.
⑤ 양반 신분으로 살고 싶어 한다.

02 (나)에서 비판하는 양반의 모습으로 알맞은 것은?

① 빈둥거리며 놀고먹는 모습
② 빚조차 갚지 못하는 무능한 모습
③ 자립하지 못하고 남에게 기대는 모습
④ 자기주장을 제대로 내세우지 못하는 모습
⑤ 부당한 대우를 받고도 항의하지 못하는 모습

03 ㉠~㉤에 대한 설명으로 알맞지 않은 것은?

① ㉠: 당시에 경제적으로 몰락한 양반이 있었다.
② ㉡: 양반의 모습을 희화화하고 있다.
③ ㉢: 당시에 경제적 부에 따라 대접이 달라졌다.
④ ㉣: 당시에 양반 신분을 사고팔 수 있었다.
⑤ ㉤: 양반은 부자에게 신분을 판 이후에 평민 행세를 하였다.

● **희화화하다** 어떤 인물의 외모나 성격, 또는 사건을 의도적으로 우스꽝스럽게 묘사하거나 풍자하다.

[04~06] 다음 글을 읽고 물음에 답하시오.

가 ㉠양반은 더러운 일을 딱 끊고, 옛사람을 본받고, 높은 뜻을 가져야 한다. 매일 새벽에 일어나 등잔을 켜고서, 눈은 가만히 코끝을 내려 보고 발꿈치를 궁둥이에 모으고 앉아, 얼음 위에 박 밀듯이 《동래박의(東萊博議)》를 줄줄 외워야 한다. 배고픔과 추위를 참고 견디며, 가난 타령은 아예 하지 말아야 한다. 어금니를 딱딱 마주치고 뒤통수를 톡톡 두드리며, 침을 입 안에 머금고 가볍게 양치질하듯이 삼켜야 한다. ㉡소맷자락으로 털모자를 닦아 먼지를 떨어내어, 모자에 물결무늬가 뚜렷하게 해야 한다. 세수할 때는 주먹으로 비비지 말고, 입 냄새가 나지 않게 이를 잘 닦아야 한다. 소리를 길게 뽑아서 종을 부르며, 신발을 땅에 끌 듯이 느릿느릿 걸음을 옮겨야 한다. 《고문진보(古文眞寶)》, 《당시품휘(唐詩品彙)》를 깨알같이 베껴 쓰되, 한 줄에 백 자씩 써야 한다.

나 호장(戶長)이 증서를 다 읽고 나자, 부자는 어처구니가 없어서 한참이나 멍하니 있다가 말하였다.

"㉢양반이라는 게 겨우 요것뿐입니까? 저는 양반이 신선 같다고 들었는데, 정말 이렇다면 너무 재미가 없는걸요. 원하옵건대 제게 이익이 되도록 문서를 고쳐 주십시오."

그러자 군수는 증서를 새로 만들었다.

다 문과의 홍패(紅牌)는 팔뚝만 하지만, 여기에 온갖 물건이 갖추어져 있으니, 그야말로 돈 자루이다. 서른에야 진사가 되어 첫 벼슬을 얻더라도, 오히려 이름난 음관(蔭官)이 되어 높은 벼슬자리에 오를 수 있다. (중략) 벼슬을 아니 하고 시골에 묻혀 살더라도 모든 일을 제멋대로 할 수 있다. 강제로 이웃의 소를 끌어다 먼저 자기 땅을 갈고, ㉣마을의 일꾼을 잡아다 먼저 자기 논의 김을 맨들, 누가 감히 나에게 대들겠느냐? 네놈들 코에 잿물을 들이붓고, 머리끄덩이를 잡아 휘휘 돌리고, 귀밑 수염을 다 뽑아도 누가 감히 나를 원망하겠느냐?

라 부자는 증서 내용을 듣고 있다가 혀를 내둘렀다.

"그만두시오, 그만두시오. 참으로 맹랑하구먼. ㉤나를 도둑놈으로 만들 작정입니까?"

부자는 머리를 흔들면서 떠나 버렸다. 그러고는 죽을 때까지 다시는 양반이 되고 싶다는 말을 입에 올리지 않았다.

04 (가), (다)의 증서에서 비판하는 내용으로 알맞은 것은?

	(가)	(다)
①	양반의 횡포	양반의 허례허식
②	양반의 무능함	양반의 횡포
③	양반의 허례허식	양반의 부도덕함
④	양반의 허례허식	양반의 무능함
⑤	양반의 부도덕함	양반의 허례허식

05 ㉠~㉤에서 〈보기〉의 내용에 해당하는 부분으로 알맞은 것은?

보기
- 부패한 양반에 대한 풍자가 절정에 달한 부분
- 양반을 바라보는 작가의 부정적 인식이 단적으로 드러나는 부분

① ㉠ ② ㉡ ③ ㉢ ④ ㉣ ⑤ ㉤

06 다음은 이 글의 작가와 가상으로 진행한 인터뷰이다. 빈칸에 들어갈 작가의 말로 가장 알맞은 것은?

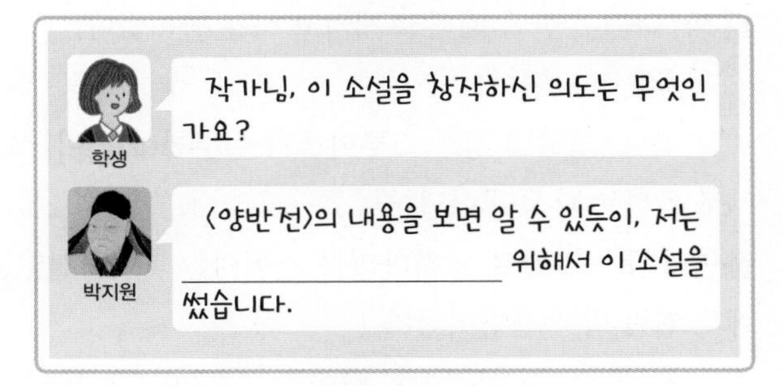

학생
작가님, 이 소설을 창작하신 의도는 무엇인가요?
박지원
〈양반전〉의 내용을 보면 알 수 있듯이, 저는 ________ 위해서 이 소설을 썼습니다.

① 평민 계층의 경제력을 조롱하기
② 신분 제도를 없앨 것을 주장하기
③ 양반으로서의 자부심을 표현하기
④ 지조 있는 양반의 모습을 칭찬하기
⑤ 양반 계층의 부정적인 면을 폭로하기

4주 5일

5일 기초 집중 연습

[07~09] 다음 글을 읽고 물음에 답하시오.

가 박 선생님은 생긴 것부터가 무척 이상하게 생긴 선생님이었다. 키가 한 뼘밖에 안 되어서 뼘생 또는 뼘박이라는 별명이 있는 것처럼, 박 선생님의 키는 키 작은 사람 가운데에서도 유난히 작은 키였다. 일본 정치 때에, 혈서로 지원병을 지원했다 체격 검사에 키가 제 척수에 차지 못해 낙방이 되었다면, 그래서 땅을 치고 울었다면, 얼마나 작은 키인지 알 일이다.

그런 작은 키에 몸집은 그저 한 줌만 하고. 이 한 줌만 한 몸집, 한 뼘만 한 키 위에 깜짝 놀랄 만큼 큰 머리통이 위태위태하게 올라앉아 있다. 그래서 박 선생님 또 하나의 별명은 대갈장군이라고도 했다.

나 이런 대갈장군인 뼘생 박 선생님과 아주 정반대로 생긴 이가 강 선생님이었다.

강 선생님은 키가 크고, 몸집도 크고, 얼굴이 너부룻하고, 얼굴이 검기는 해도 순하여 사나움이 든 데가 없고, 눈은 더 순하고, 허허 웃기를 잘하고, 별로 성을 내는 일이 없고, 아무하고나 장난을 잘하고……. 강 선생님은 이런 선생님이었다.

뼘박 박 선생님과 강 선생님은 만나면 싸움이었다.

다 한번은 상준이 녀석과 어떡하다 쌈이 붙었는데 둘이 서로 부둥켜안고 구르면서 이 자식아, 저 자식아, 죽어 봐, 때려 봐, 하면서 한참 때리고 제기고 하는 참이었다.

그런데, 느닷없이

"고랏! 조셍고데 겡까 스루야쓰가 이루까(이놈아! 조선말로 쌈하는 녀석이 어딨어)."

하면서 구둣발길로 넓적다리를 걷어차는 건, 정신없는 중에도 뼘박 박 선생님이었다.

우리 둘이는 그 자리에서 뺨이 붓도록 따귀를 맞았고, 공부 시간에 들어가지도 못하고 그 시간 동안 변소 청소를 했고, 그리고 조행 점수를 듬뿍 깎였다.

이렇게 뼘박 박 선생님한테 제일 중한 벌을 받는 때가 언제냐 하면, 조선말로 지껄이다 들키는 때였다.

07 등장인물에 대한 설명으로 알맞지 않은 것은?

박 선생님

① 키가 한 뼘밖에 안 된다.
② 몸집에 비해 머리가 매우 크다.
③ 일제 강점기에 지원병을 지원한 적이 있다.

강 선생님

④ 키가 크고 몸집이 크다.
⑤ 얼굴이 검어 사나운 느낌을 준다.

08 이 글의 서술상 특징으로 알맞지 않은 것은?

① 두 인물의 특징을 대조하고 있다.
② 주인공과 관련된 일화를 제시하고 있다.
③ 인물의 외양을 자세하게 서술하고 있다.
④ 주인공의 긍정적인 모습을 강조하고 있다.
⑤ 주인공의 외양을 우스꽝스럽게 묘사하고 있다.

09 (다)에서 알 수 있는 박 선생님의 특징을 <보기>에서 찾아 모두 골라 묶은 것은?

보기

ㄱ. 친일적 태도를 보이고 있다.
ㄴ. 일본에 대한 반감을 드러내고 있다.
ㄷ. 학생들을 자상하고 친근하게 대한다.
ㄹ. 자신의 속마음과 반대로 말하고 있다.
ㅁ. 조선말을 쓰는 학생을 엄격하게 처벌한다.

① ㄱ, ㄷ
② ㄱ, ㅁ
③ ㄴ, ㄹ
④ ㄴ, ㄷ, ㅁ
⑤ ㄱ, ㄹ, ㅁ

[10~12] 다음 글을 읽고 물음에 답하시오.

가 해방이 되던 바로 그 이튿날이었다.

여름 방학으로 놀던 때라, 나는 궁금해서 학교엘 가 보았다. 다른 아이들도 한 오십 명이나 와 있었다.

우리는 해방이라는 말은 아직 몰랐고, 일본이 전쟁에 지고 항복을 한 것만 알았다.

선생님들이, 그중에서도 뼘박 박 선생님이 그렇게도 일본(우리 대일본 제국)은 결단코 전쟁에 지지 않는다고, 기어코 전쟁에 이기고 천하에 못된 미국, 영국을 거꾸러뜨려 천황 폐하의 위엄을 이 전 세계에 드날릴 날이 머지않았다고, 하루에도 몇 번씩 그런 말을 해 쌓던 그 일본이 도리어 지고 항복을 하다니, 도무지 모를 일이었다.

직원실에는 교장 선생님과 두 일본 선생님 그리고 뼘박 박 선생님, 이렇게 네 분이 모여 앉아서 초상난 집처럼 모두 코가 쑤욱 빠져 가지고 있었다.

나 뼘박 박 선생님은 학과 시간마다 우리에게 여러 가지 좋은 이야기를 많이 해 주었다. 일본이 우리 조선을 뺏어 저의 나라에 속국으로 삼던 이야기도 해 주었다.

왜놈들은 천하의 불측한 인종이어서 남의 나라와 전쟁하기를 좋아하는 백성이라고 했다. 그래서 임진왜란 때에도 우리 조선에 쳐들어왔고, 그랬다가 이순신 장군이랑 권율 도원수한테 아주 혼이 나서 쫓겨 간 이야기도 해 주었다.

다 ㉠뼘박 박 선생님은 한편으로 열심히 미국 말을 공부했다. 그러면서 우리더러 졸업을 하고 중학교에 가거들랑 미국 말을 무엇보다도 많이 공부하라고, 시방은 미국 말을 모르고는 훌륭한 사람이 되지 못한다고 했다.

뼘박 박 선생님은 한 일 년 그렇게 미국 말 공부를 하더니, 그다음부터는 미국 병정이 오든지 하면 일쑤 통역을 하고 했다.

라 뼘박 박 선생님은 미국에는 덴노헤이까는 없고, 덴노헤이까보다 훌륭한 '돌멩이'라는 양반이 있다고 대답했다.

우리는 그럼 이번에는 그 '돌멩이'라는 훌륭한 어른을 위하여 '미국 신민 노세이시(미국 신민 서사)'를 부르고, 기미가요(일본의 국가)대신 돌멩이 가요를 부르고 해야 하나 보다고 생각했다.

아무튼 뼘박 박 선생님은 참 이상한 선생님이었다.

10 이 글의 서술자에 대한 설명으로 알맞지 않은 것은?

① 초등학생인 어린아이이다.
② 박 선생님의 행동을 관찰하고 있다.
③ 박 선생님의 이야기를 전달하고 있다.
④ 박 선생님의 말을 우습게 표현하고 있다.
⑤ 박 선생님에 대해 정확한 판단을 내리고 있다.

11 박 선생님이 ㉠과 같이 행동한 근본적인 이유로 알맞은 것은?

① 외국어를 익히는 데 재미를 느껴서
② 학생들에게 영어를 가르치고 싶어서
③ 미국에 협력하여 이익을 얻기 위해서
④ 통역 전문가로 직업을 바꾸고 싶어서
⑤ 일본에 맞설 수 있는 힘을 기르기 위해서

12 이 글을 읽은 학생들의 감상 가운데 알맞지 않은 것은?

소미
① 박 선생님은 시대 변화에 재빨리 대처하는 인물이군.
진우
② 박 선생님은 일제 강점기에는 친일적 삶을 살았어. 그리고 ③ 해방 이후에는 친미적 삶을 살았지.
소미
④ 박 선생님은 개인의 이익보다는 국가나 민족을 위해 태도를 바꾸는 인물이야.
진우
⑤ 박 선생님의 기회주의적 태도 때문에 '나'는 그를 참 이상한 선생님이라고 생각한 것 같아.
전송

4주
5일

누구나 100점 테스트

〈양반전〉

01 다음은 이 소설의 등장인물에 대한 설명이다. 빈칸에 알맞은 말을 쓰시오.

인물	설명
양반	학식과 인품이 뛰어나지만 (　　　　) 을 갚지 못해 부자에게 양반 신분을 판다.
양반 아내	생활 능력이 없는 남편을 무시하고 조롱한다.
부자	경제력을 바탕으로 하여 (　　　　) 상승을 꾀하지만 양반의 실상을 알고 포기한다.
군수	양반과 부자의 신분 매매 (　　　　) 를 작성한다.

02 이 소설에 나타난 당시의 사회상으로 알맞은 것을 모두 고르시오.

㉠ 신분을 사고파는 일이 불가능했다.
㉡ 경제적으로 몰락하는 양반이 생겨났다.
㉢ 신분보다 경제력에 따라 대우가 달라졌다.
㉣ 엄격했던 신분 질서가 붕괴되기 시작했다.
㉤ 경제적으로 부유한 평민 계층이 등장했다.

03 다음을 사건이 일어난 순서에 맞게 배열하시오.

㉠ 정선 고을의 한 양반이 가난하여 환곡을 갚지 못해 곤경에 빠졌다.
㉡ 부자는 증서의 내용을 듣고 자신을 도둑놈으로 만들 작정이냐며 그만두자고 하였다.
㉢ 같은 마을에 사는 부자가 양반 대신 천 섬이나 되는 환곡을 갚고 양반의 신분을 샀다.
㉣ 군수가 신분을 사고판 증서를 만들 것을 제안하고, 두 번에 걸쳐 증서를 작성하였다.

04 빈칸에 들어갈 알맞은 말을 〈보기〉에서 찾아 쓰시오.

보기
벙거지, 소인, 신분, 의무, 특권, 허례허식

(1) 부자는 (　　　　)이 낮아서 항상 천한 대접을 받은 것에 한이 맺혀 양반이 되고 싶어 하였다.
(2) 양반은 부자에게 신분을 팔고 나서 (　　　　)를 쓰고 잠방이를 입은 채 길에 엎드려 자신을 '(　　　　)'이라고 칭하였다.
(3) 첫 번째 증서에는 양반이 지켜야 할 (　　　　)가 나열되고 있고, 두 번째 증서에는 양반이 누릴 수 있는 (　　　　)이 나열되어 있다.
(4) 첫 번째 증서에는 지나치게 체면을 중시하며 (　　　　)에 얽매이는 양반의 모습이 나타나 있다.

05 다음 인물의 말을 통해 비판하는 양반의 모습을 파악해 빈칸을 채우시오.

(1)

당신은 평소에 글 읽기만 좋아하더니, 환곡을 갚는 데는 전혀 도움이 안 되는구려. 쯧쯧, 양반이라니……, 한 푼어치도 안 되는 그놈의 양반!
양반 아내

→ 자신이 진 빚조차 갚지 못하는 (　　　　)하고 비생산적인 양반의 모습을 비판함.

(2)

→ 신분을 이용해 부당한 특권을 누리며 횡포를 일삼는 (　　　　)한 양반의 모습이 '도둑놈'과 다를 바 없다고 비판함.

〈이상한 선생님〉

06 이 소설의 서술상 특징을 정리한 것이다. 빈칸에 들어갈 알맞은 말을 〈보기〉에서 찾아 쓰시오.

> 보기
> 관찰, 나, 부정적, 우스꽝, 웃음, 평가

(1) 이야기 속에 나오는 '(　　　　)'가 박 선생님을 (　　　　)하여 서술하고 있다.

(2) 박 선생님의 외모를 '뼘생', '뼘박', '대갈장군' 등과 같이 (　　　　)스럽게 묘사하여 독자들의 (　　　　)을 유발하고 있다.

(3) 박 선생님과 강 선생님의 말과 행동, 태도를 대조적으로 묘사하여 박 선생님의 (　　　　)인 모습을 부각하고 있다.

(4) '나'는 광복 전후에 상반된 태도를 취하는 박 선생님에 대해 정확하게 (　　　　)하지 못하고 '이상한 선생님'이라고만 생각한다.

07 〈보기〉에서 '박 선생님'과 '강 선생님'의 특성에 해당하는 내용을 골라 각각 쓰시오.

> 보기
> ㉠ 아무하고나 장난을 잘한다.
> ㉡ 성미가 급하고 화를 잘 낸다.
> ㉢ 키와 몸집이 크고 유순하게 생겼다.
> ㉣ 웃기를 잘하고 화를 잘 내지 않는다.
> ㉤ 작은 키에 몸집이 작으며 사납게 생겼다.
> ㉥ 일본의 패망을 쉽게 받아들이지 못하였다.
> ㉦ 수업 시간 외에는 되도록 조선말을 사용했다.

박 선생님	강 선생님

08 이 소설의 시대적 배경이 일제 강점기임을 짐작하게 하는 표현이 아닌 것은?

① 순사
② 주재소
③ 미국 병정
④ 덴노헤이까
⑤ '국어'라던 일본 말

09 다음 인물의 말을 통해 알 수 있는 인물의 태도를 파악해 빈칸을 채우시오.

(1)

➡ (　　　　)의 편에 서서 충성하는 태도

(2)

우리 조선은 미국 덕분에 해방이 되었으니까 미국을 누구보다도 고맙게 여기고, 미국이 시키는 대로 순종해야 하느니라.

➡ (　　　　)을 찬양하는 태도

10 이 소설의 주제를 고려하여 괄호 안에서 알맞은 말을 고르시오.

> 이 소설은 광복 전후의 혼란한 사회를 살아가는 박 선생님의 모습을 통해 시대의 변화에 따라 개인적 이익을 좇아 행동하는 (기회주의자 / 이상주의자)를 비판하고 있다.

1 풍자와 관련된 속담

우리 속담 중에는 부정적인 대상을 비꼬거나 놀림조로 이르는 속담이 많습니다. 〈양반전〉에서 그려진 양반의 부정적 모습, 〈이상한 선생님〉에서 그려진 기회주의적 면모를 지닌 '박 선생님'의 모습과 관련된 속담을 함께 살펴봅시다.

● 양반을 풍자한 속담

양반은 물에 빠져도 개헤엄은 안 한다

의미 아무리 위급한 때라도 체면을 유지하려고 노력한다는 말.

유사 표현 양반은 죽어도 문자 쓴다. 양반은 얼어 죽어도 겻불은 안 쬔다.

상놈의 살림이 양반의 양식이라

의미 상놈이 힘들여 일하여 꾸려 가는 살림이 곧 양반의 양식이 된다는 뜻으로, 상놈이 힘겹게 살아가는 반면 양반은 그 덕에 호의호식하게 됨을 비난하여 이르는 말.

정답과 해설 22쪽

● 기회주의자를 뜻하는 속담

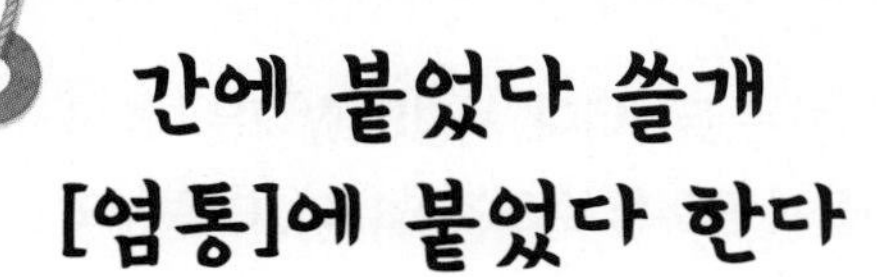

의미 자기에게 조금이라도 이익이 되면 지조 없이 이편에 붙었다 저편에 붙었다 함을 비유적으로 이르는 말.

유사 표현 간에 가 붙고 쓸개[염통]에 가 붙는다, 쓸개에 가 붙고 간에 가 붙는다.

달면 삼키고 쓰면 뱉는다

의미 옳고 그름이나 신의를 돌보지 않고 자기의 이익만 꾀함을 비유적으로 이르는 말.

유사 표현 추우면 다가들고 더우면 물러선다, 감탄고토(甘呑苦吐)

Q (가), (나)의 내용과 관련 깊은 속담이 무엇인지 빈칸에 들어갈 알맞은 말을 쓰시오.

가 양반은 매일 새벽에 일어나 등잔을 켜고서, 눈은 가만히 코끝을 내려 보고 발꿈치를 궁둥이에 모으고 앉아, 얼음 위에 박 밀듯이 《동래박의(東萊博議)》를 줄줄 외워야 한다.

➔ 양반은 물에 빠져도 [ㄱ][ㅎ][ㅇ]은 안 한다.

나 〈이상한 선생님〉에서 뼘박 박 선생님은 일제 강점기에는 일본에 충성하다가, 해방 후에는 일본을 적대시하고 미국을 침이 마르도록 칭찬하였다.

➔ [ㄱ]에 붙었다 [ㅆ][ㄱ]에 붙었다 한다.

4 주

② 짧은 서평 쓰기

서평이란 책의 내용과 특징을 소개하거나 책의 가치를 평가하는 글입니다. 서평의 형식은 다양하며 요즘에는 누리 소통망[SNS]을 이용하여 서평을 작성하고 이를 다른 독자들과 공유할 수도 있습니다. 다음 누리 소통망에 쓴 서평의 예를 살펴보고 이번 주에 읽은 작품 가운데 하나를 골라 짧은 서평을 써 봅시다.

예

좋아요 370개

orangelime #김유정 #동백꽃 풋풋한 사랑 이야기♡

#별점★★★★ #한줄평_점순이가 이성에게 좋아하는 마음을 표현하는 과정을 유쾌하게 그린 소설 #인상깊은문장_알싸한 그리고 향긋한 그 냄새에 나는 땅이 꺼지는 듯이 온 정신이 고만 아찔하였다. #간단감상_호감을 표현하는 점순이의 맘도 모르고 감자를 거절하는 '나'를 보니 고구마를 열 개는 먹은 것 같은 답답한 마음이 들었다. '나'와 점순이의 갈등이 닭싸움을 통해 표현된 점이 인상 깊었다. #북스타그램 #책서평

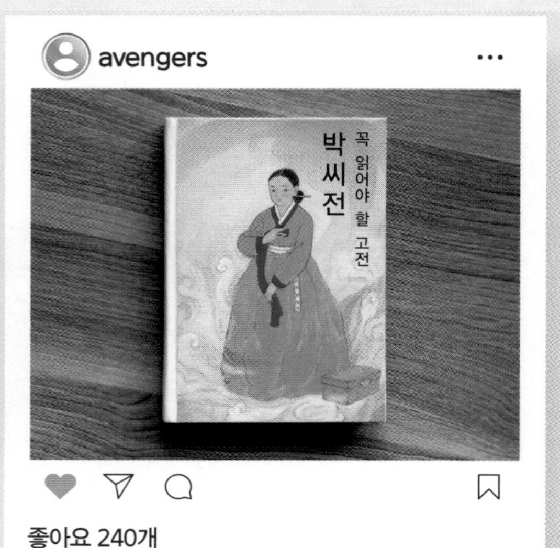

좋아요 240개

avengers #박씨전 조선판 여성 히어로

#별점★★★★ #한줄평_조선 시대 박씨의 영웅적 활약상을 그린 고전 소설 #인상깊은장면_박씨가 도술을 부려 청나라 군대를 무찌르는 장면 #간단감상_용골대가 박씨에게 무릎 꿇고 애걸하는 부분을 읽으면서 통쾌함과 후련함을 느꼈다. 용골대, 이제 알았나? 박씨 그리고 조선의 힘을! #한줄질문_이 소설을 쓴 작가는 조선의 사회 현실을 비판하고 싶었던 한 여성이 아니었을까? #책스타그램 #책소개 #추천도서

짧은 서평 쓰는 방법

1. 위 칸에는 작품이 실린 책 사진이나 작품의 주요 장면을 그린 그림 등을 넣는다.
2. 아래 칸에는 책에 대한 정보, 책을 읽은 소감, 책의 내용이나 가치에 대한 평가 등을 담아 서평을 쓴다. 이때 항목별로 해시태그(hashtag)를 달아 연관된 정보를 한데 묶어 표시할 수도 있다.
   예 #별점, #한줄평, #인상깊은문장, #간단감상, #한줄질문, #추천대상 등

4주

특강 | 창의·융합·코딩

❸ 무엇을 풍자한 광고일까?

시, 소설 등과 같은 문학 작품뿐만 아니라 광고를 통해서도 사회의 부조리를 풍자할 수 있습니다. 다음 공익 광고를 보고 어떤 대상을 풍자한 것인지 생각해 봅시다.

◀ **엄마, 저 풀은 이름이 뭐예요?(2006)**
사람들이 무분별하게 버리는 쓰레기 때문에 토양이 오염되고 있는 사회 현실을 풍자한 공익 광고이다.

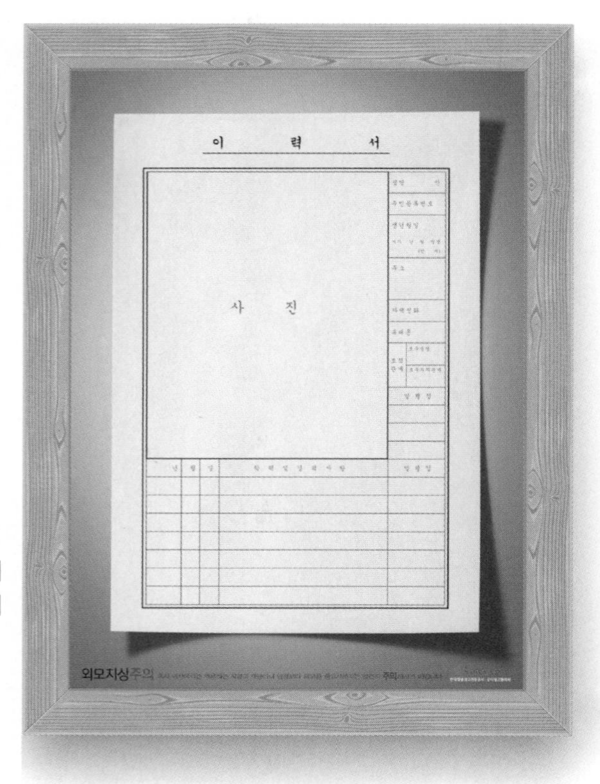

외모 지상주의(2012) ▶
이력서의 사진 붙이는 공간을 과장하여 크게 그려 사람을 판단하는 데 외모가 중시되는 사회 현실을 풍자한 공익 광고이다.

우리 사회의 부정적인 현실을 풍자한 공익 광고를 더 찾아보세요.

정답과 해설 포인트 3가지

▶ 혼자서도 이해할 수 있는 친절한 정답 풀이

▶ 헷갈리는 오답도 속 시원히 설명해 주는 명쾌한 오답 풀이

▶ 개념과 제재에 대한 이해를 도와주는 다양한 추가 자료 제공

소설
(작품)

하루 국어

정답과 해설

정답과 해설

1주 갈등과 성장

1일 하늘은 맑건만 ①

작품 개관

갈래 현대 소설
제재 거스름돈을 잘못 받고 나서 생긴 일
배경 • 시간: 1930년대 • 공간: 어느 도시
주제 양심을 속이지 않고 정직하게 사는 삶의 중요성
특징 ① 갈등을 겪으며 성장하는 인물의 모습이 잘 나타남.
② 사건의 진행에 따른 인물의 심리 변화가 잘 나타남.
③ '정직'이라는 보편적인 가치를 일깨움.

작가 소개

현덕(1909~?) 소설가. 아이들의 심리와 행동을 잘 그린 작품을 많이 썼다. 소설집 《집을 나간 소년》, 《남생이》 등이 있다.

기초 집중 연습 12 ~ 15쪽

1-1 ②	1-2 ④
2-1 문기, 거스름돈	2-2 ⑤
3-1 ㄴ－ㄷ－ㄱ－ㄹ	3-2 ④
4-1 삼촌, 양심	4-2 ②
5-1 ①	5-2 ④
6-1 ⓐ 부끄러움, ⓑ 두려움, ⓒ 후련함	6-2 ④

1-1 이 글의 서술자는 이야기(작품) 밖에서 인물의 행동뿐만 아니라 심리까지 모두 전달하고 있다.(3인칭 전지적 시점)

오답 풀이 ①은 서술자가 이야기(작품) 안에 등장하는 주인공 '나'로, 자신의 이야기를 직접 전달하고 있다.(1인칭 주인공 시점)

자료실 3인칭 전지적 시점의 특징

- 서술자가 이야기(작품) 밖에 위치해 있으며, 등장인물이 아님.
- '나'가 나오지 않음.
- 인물의 행동뿐만 아니라 심리까지 모두 꿰뚫어 보고 전달함.

1-2 이 글의 서술자는 이야기(작품) 밖에 위치하여 인물의 행동뿐만 아니라 속마음까지 모두 꿰뚫어 보고 전달하고 있다.

2-1 이 글은 1930년대 어느 도시에 살고 있는 문기가 고깃간에서 거스름돈을 잘못 받은 일 때문에 생긴 사건을 그리고 있다.

2-2 문기는 심부름으로 고깃간에 갔다가 고깃값으로 낸 돈보다 더 많은 금액을 거스름돈으로 받았다. 이로 인해 문기는 여러 가지 일을 겪게 된다.

3-1 문기는 심부름으로 고깃간에 갔다가(ㄴ) 거스름돈을 잘못 받는다(ㄷ). 그리고 집으로 돌아오는 길에 수만이를 만나고(ㄱ), 문기에게 사정을 들은 수만이는 그 돈을 쓸 궁리를 한다(ㄹ).

3-2 수만이는 문기에게 사정을 듣고 잠시 무슨 궁리를 하더니 문기에게 앞으로 할 일을 지시한다. 수만이의 말로 미루어 보아 거스름돈으로 무언가를 할 궁리를 한 것임을 알 수 있다.

4-1 문기는 거스름돈으로 산 공과 쌍안경을 삼촌에게 들키고 훈계를 듣는다. 이후 자신의 행동에 대한 양심의 가책과 함께 부끄러움을 느낀다.

4-2 문기는 삼촌을 속이고 써서는 안 될 돈을 써 버린 것에 대해 양심의 가책을 느끼면서 마음속으로 갈등한다.

5-1 쌍안경은 문기가 잘못 받은 돈으로 산 물건으로, 문기의 잘못과 관련 있다. 양심의 가책을 느끼던 문기가 쌍안경을 버린 것은 문기가 죄책감에서 벗어나기 위한 행동으로 볼 수 있다.

5-2 양심의 가책으로 내적 갈등을 겪던 문기는 공과 쌍안경을 버리고 고깃간 집 안마당에 남은 돈을 던짐으로써 일시적으로 갈등이 해소된다.

6-1 ⓐ: 삼촌에게 훈계를 듣고 얼굴이 달아오른 것으로 보아 문기가 부끄러움을 느꼈음을 알 수 있다. ⓑ: 문기는 사람이 드문 골목 안에서도 남이 볼까 두려움을 느꼈다. ⓒ: 양심의 가책을 느끼던 문기는 자신의 잘못과 관련된 것들을 버린 이후 죄책감에서 벗어나 후련함을 느꼈다.

6-2 문기는 공과 쌍안경을 버리고 남은 돈을 고깃간 집 안마당에 던져 버린 후에 죄책감에서 벗어나 후련하고 홀가분한 기분을 느꼈다.

2일 하늘은 맑건만 ②

기초 집중 연습 18 ~ 21쪽

1-1	협박/위협	1-2	④
2-1	②	2-2	①
3-1	분노, 원망	3-2	③
4-1	정직, 자백/고백, 갈등	4-2	②
5-1	잘못, 떳떳	5-2	⑤
6-1	③	6-2	④

1-1 수만이는 문기에게 돈을 가져오라고 말하면서 문기를 협박하며 집요하게 괴롭혔다.

1-2 수만이는 문기에게 돈을 내놓으라고 요구하면서 돈을 주지 않으면 문기가 도둑질했다고 알리겠다고 협박하였다.

2-1 문기는 돈을 내놓으라는 수만이의 협박에 못 이겨 붙장 안에 있던 숙모의 돈을 훔치는 또 다른 잘못을 저지르고 말았다.

오답 풀이 ①은 첫 번째 허물에 해당한다.

2-2 문기가 범한 '두 번째 허물'은 숙모의 돈을 훔쳐 수만이에게 준 것이다. 이로 인해 문기는 수만이의 괴롭힘으로부터 벗어날 수 있었지만, 문기와 수만이의 관계가 친밀해졌다고 보기 어렵다.

3-1 문기는 자기 때문에 억울하게 누명을 쓰고 쫓겨난 점순이의 울음소리를 들으면서 점순이에 대한 걱정과 미안함, 죄책감 때문에 괴로워하고 있다. 그러나 자신이 처한 상황이나 점순이에 대해 몹시 화를 내거나 원망하고 있지는 않다.

3-2 문기는 자신 때문에 점순이가 누명을 쓰고 쫓겨나자 더욱 죄책감을 느끼며 괴로워하였다. 이를 통해 문기의 내적 갈등이 더 깊어졌음을 알 수 있다.

4-1 문기는 수신 시간에 '정직'을 배우고 내적 갈등이 심해진다. 그러다가 병원에서 삼촌에게 자신의 모든 잘못을 사실대로 털어놓으면서 갈등이 완전히 해소된다.

4-2 이 글은 잘못을 저지른 후 죄책감에 괴로워하던 문기가 잘못을 고백하고 갈등이 해결되는 과정을 그리고 있다. 이를 통해 정직하게 사는 삶의 태도에 대해 생각하게 한다.

5-1 문기는 점순이가 누명을 쓰고 쫓겨나고 수신 시간에 '정직'에 대해 배우면서 죄책감에 괴로워하며 갈등하고 있다.

5-2 문기는 자신이 감히 떳떳한 얼굴로 맑고 푸른 하늘을 쳐다볼 만한 사람이 못 된다고 생각하였다. 이는 자신의 잘못을 용서받고 다시 떳떳이 하늘을 쳐다보고 싶다는 마음으로 이해할 수 있다.

6-1 ㉠은 문기의 갈등이 해소된 부분으로, 문기가 죄책감과 마음의 고통으로부터 벗어났음을 의미한다.

6-2 '하늘'은 죄책감 때문에 어둡고 무거운 문기의 마음과 대조되는 맑고 푸른 마음, 즉 양심을 의미한다.

3일 홍길동전 ①

작품 개관

갈래 고전 소설, 영웅 소설, 한글 소설

제재 홍길동의 삶

배경 • 시간: 조선 세종 때 • 공간: 조선

주제 ① 홍길동의 영웅적 일대기
② 부조리한 사회 현실 비판과 이상국의 건설

특징 ① 영웅의 일대기적 구성을 취함.
② 인물과 사회의 갈등이 잘 나타남.
③ 비현실적인 사건이 이야기 전개에 중요한 역할을 함.

작가 소개

허균(1569~1618) 조선 중기의 문인. 불평등한 신분 제도를 비롯하여 당시 사회의 옳지 않은 것들을 없애거나 고쳐야 한다고 주장하였다. 우리나라 최초의 한글 소설인 〈홍길동전〉을 지었다.

정답과 해설

기초 집중 연습 24 ~ 27쪽

1-1 차별, 신분	1-2 ⑤
2-1 ⑤	2-2 ③
3-1 호부호형	3-2 ④
4-1 초란, 도술	4-2 ③
5-1 불길/불행	5-2 ⑤
6-1 ⑤	6-2 ②

1-1 이 글은 엄격한 신분 제도로 인해 적서 차별이 존재하던 조선 초기를 배경으로 하여, 신분 때문에 차별을 받는 길동의 이야기를 그리고 있다.

1-2 길동은 서자의 신분이었기 때문에 가정에서조차 아버지를 아버지라 부르지 못하는 차별을 받았다.

2-1 '전생의 인연'은 길동과 춘섬이 모자 사이가 된 까닭과 관련된 말이다. 나머지는 길동이 서자의 신분인 것을 드러내는 말이다.

2-2 길동이 어머니에게 자신의 설움을 하소연하면서 집을 떠나겠다고 말하는 모습은 나오지만, 어머니를 원망하고 있지는 않다.

3-1 길동은 홍 판서에게 호부호형을 하지 못하는 자신의 처지를 하소연하지만, 홍 판서는 그런 길동을 엄하게 꾸짖는다.

3-2 호부호형을 하고 싶어 하는 길동과, 그런 길동을 엄하게 꾸짖는 홍 판서가 대립하고 있다.

4-1 특재는 초란의 사주를 받아 길동을 죽이려고 하였고, 길동은 도술을 부려 특재를 물리쳤다.

4-2 이 글에는 길동을 죽이려는 특재와, 그런 특재를 물리치고 목숨을 지키고자 하는 길동의 외적 갈등이 나타난다.

5-1 밤중에 까마귀가 세 번 우는 것을 듣고 길동은 불길함을 느끼고 있다.

5-2 까마귀의 울음소리를 통해 앞으로 길동에게 불길한 일이 생길 것임을 예고하고 있다.

6-1 길동이 까마귀 소리를 들은 것 자체는 비범한 능력이라고 볼 수 없다. 까마귀 울음소리에 불길함을 느끼고 점을 쳐서 앞날을 예측한 것이 길동의 비범한 능력이라 할 수 있다.

6-2 ㉡은 길동이 도술을 부려 특재를 층암절벽에 가두는 모습을 묘사한 것이다. 이렇듯 이 글에는 비범한 능력을 지닌 홍길동이 주인공으로 등장한다.

4일 홍길동전 ②

기초 집중 연습 30 ~ 33쪽

1-1 ①	1-2 ②
2-1 (1) ○ (2) ×	2-2 ③
3-1 ⑤	3-2 ①
4-1 (1) ○ (2) ×	4-2 ④
5-1 ①, ④	5-2 ⑤
6-1 ②	6-2 ③

1-1 ㉠을 통해 탐관오리가 백성들을 착취해 백성들이 살기 힘들었음을 알 수 있다.

1-2 "탐관오리인 함경 감사가 백성을 착취해 백성들이 이제 이를 견딜 수 없게 되었다."를 통해 당시에 부패한 관리들의 횡포가 심했음을 알 수 있다.

2-1 (1) 길동은 활빈당을 이끌어 탐관오리의 재물을 빼앗았다.
(2) 길동이 가난하고 의지할 데 없는 백성들을 구제하였지만, 관리를 도운 것은 아니다.

2-2 이 글에는 비범한 능력을 지닌 길동이 탐관오리가 백성을 착취해 모은 재물을 빼앗는 모습이 나타나 있다.

3-1 길동이 초인에 혼을 불어넣어 자신의 분신을 만든 것은 현실에서 일어나기 힘든 일이다.

자료실 고전 소설의 특징

- 일대기적 구성: 주인공의 출생에서 죽음까지 시간의 순서에 따라 사건이 전개됨.
- 평면적 인물: 이야기의 처음부터 끝까지 인물의 성격이 변하지 않음.
- 우연성: 우연히 일어난 사건을 바탕으로 이야기가 전개됨.
- 전기성: 현실에서 일어나기 힘든 일들이 펼쳐짐.
- 행복한 결말: 주인공이 어려움을 극복하고 행복하게 살았다는 내용으로 이야기가 끝남.
- 권선징악: 착한 사람은 복을 받고 악한 사람은 벌을 받는다는 주제를 전달함.

3-2 ⓔ는 길동이 도술을 부리는 것으로 현실에서 일어나기 힘든 사건에 해당한다.

4-1 ⑴ 조정에서는 길동을 잡아들이려 하였으나, 길동이 도술을 부려 잡지 못하였다.
⑵ 길동은 임금께 탐관오리의 횡포에 대해 말하였으나, 탐관오리의 처벌을 요구하지는 않았다.

4-2 길동은 자신을 잡아들이려는 임금과 갈등을 겪는다. 그러다가 임금이 길동의 요구대로 병조 판서의 벼슬을 내리자, 길동이 조선을 떠나고 임금은 길동을 잡는 일을 거두어들인다. 이로써 둘 사이의 갈등이 해결된다.

5-1 길동은 임금께 자신의 출생이 천하여 호부호형을 하지 못하는 처지임을 하소연하였다. 또 사대문에 글을 붙여 병조 판서 벼슬을 내려 줄 것을 요구하였다.

5-2 길동은 임금께 자신이 서자이기에 호부호형을 할 수 없음을 하소연하였을 뿐, 적서 차별 문제의 근본적인 해결책을 요구하지는 않았다.

6-1 길동은 신분 차별을 받는 부정적인 현실에서 활빈당을 이끌거나 임금께 자신의 처지를 하소연하고 병조 판서의 벼슬을 요구하는 등 적극적으로 저항하는 태도를 보이고 있다.

자료실 등장인물의 태도

- 체념적: 인물이 처한 상황에 기대나 희망을 버리고 단념하는 태도
- 저항적: 인물이 처한 상황에 대항하여 맞서고자 하는 태도

6-2 길동은 신분 때문에 차별을 받는 현실에 순응하지 않고 적극적으로 저항하는 태도를 보였다.

5일 갈등과 성장_종합

기초 집중 연습 36 ~ 39쪽

01 ⑤	02 ①	03 ⑤	04 ②
05 ①	06 ⑤	07 ④	08 ⑤
09 ⑤	10 ⑤	11 ③	12 ⑤

01 (라)에서 문기는 남은 돈을 종이에 싸서 담 너머로 고깃간 안마당을 향해 던졌다.

02 수만이가 시키는 대로 행동하는 모습으로 보아 문기는 소심한 성격임을 알 수 있다. 또 문기가 받은 거스름돈을 쓸 궁리를 하는 것으로 보아 수만이는 영악한 성격임을 알 수 있다.

03 문기는 삼촌의 훈계를 들은 뒤에 써서는 안 될 돈을 쓴 행동과 자신을 길러 준 삼촌을 속인 행동 때문에 내적 갈등을 겪고 있다.

04 (가)에서 수만이는 고깃간 집 안마당에 남은 돈을 던졌다는 문기의 말을 믿지 않고 문기가 혼자 돈을 쓰기 위해 거짓말을 한다고 생각했다.

05 (라)에서 문기는 그동안 자신이 저지른 잘못을 삼촌에게 자백하였다. 문기는 고깃간에서 잘못 받은 돈을 수만이와 써 버리고 수민이의 괴롭힘 때문에 숙모의 돈을 훔치는 잘못을 하였다.

06 (라)에서 문기가 삼촌에게 모든 잘못을 자백한 후에 마음속의 어둠이 차차 사라지며 맑아졌다는 것은 문기가 양심을 회복했음을 의미한다. 문기를 보고 양심을 지키며 정직하게 사는 것이 중요하다는 것을 깨달았다는 감상이 적절하다.

07 길동은 서자였기 때문에 아버지를 아버지라 부르지 못한 것이지 아버지가 없었던 것은 아니다.

08 (나)에서 "대장부가 세상에 나서 … 이 어찌 통탄할 일이 아니겠는가!"와 같이 길동은 입신양명을 하고 싶지만 벼슬길에 나아가지 못하는 것을 한탄하고 있다. 이를 통해 신분에 따라 벼슬길에 나가는 데도 제약이 있었음을 짐작할 수 있다.

오답 풀이

① '여종', '서자' 등을 통해 이 글의 시대적 배경인 조선 초기에 신분 제도가 존재했음을 알 수 있다.
② (라)에서 "탐관오리인 함경 감사가 백성을 착취해 백성들이 이제 이를 견딜 수 없게 되었다."라는 길동의 말을 통해 당시에 탐관오리의 횡포가 심했음을 알 수 있다.
③ (나)에서 서자인 길동이 종들로부터 천대받고 호부호형을 하지 못한다는 내용으로 보아 서자에 대한 차별이 있었음을 알 수 있다.
④ (나)에서 "대장부가 세상에 나서 … 장부의 통쾌한

일이 아니겠는가?"라는 길동의 말을 통해 입신양명을 중시했음을 알 수 있다.

09 ㉤을 통해 길동이 탐관오리의 재물을 빼앗아 가난한 백성을 도왔음을 알 수 있다.

오답 풀이

① 길동은 홍 판서의 본부인이 아닌 여종인 춘섬에게서 태어난 서자이다.

② 길동은 호부호형을 하지 못하는 자신의 처지 때문에 괴로워하고 있다.

③ 뒤에 이어지는 내용으로 보아, 길동이 주역 점으로 자객의 침입을 예측하고 몸을 숨긴 것으로 볼 수 있다.

④ 길동이 도술을 부려 주위 환경을 바꾸는 모습은 길동의 비범한 능력을 보여 준다.

10 도술을 부려 자신의 분신을 만들고 탐관오리의 재물을 빼앗는 행동은 길동이 뛰어난 능력을 지닌 인물임을 드러낸다. 그러나 ⑤는 길동의 비범한 면모와 거리가 멀다.

11 길동은 자신이 천한 종의 몸에서 태어나 호부호형을 못하는 것이 평생 한이라고 하였다. 적서 차별이 존재했던 조선 사회와 길동의 외적 갈등으로 볼 수 있다.

12 이 글에는 길동과 적서 차별이 존재한 사회 사이의 갈등이 두드러지게 나타난다. (나)에서 길동은 임금께 자신이 서자의 신분이기에 겪은 서러움을 말함으로써 적서 차별의 문제점을 이야기했을 뿐, 신분 제도 자체를 없애 달라고 건의하지는 않았다.

누구나 100점 테스트 40~41쪽

01 (1)-㉢, (2)-㉡, (3)-㉠

02 ③ **03** ②

04 의아함, 부끄러움, 불안함, 미안함, 후련함

05 양심, 하늘, 정직

06 (1) 임금 (2) 서자 (3) 첩 (4) 입신양명 (5) 탐관오리

07 재훈

08 (1) 소원 (2) 차별, 홍 판서, 임금

09 ③ **10** 전기성

02 문기는 수만이의 협박을 견디지 못하고 숙모의 돈을 훔쳐서 수만이에게 가져다주는 것으로 갈등을 일시적으로 해결한다.

03 '공과 쌍안경'은 오늘날에도 사용되는 물건이므로, 이를 통해 이 소설의 시대적 배경을 짐작하기 어렵다.

07 길동은 서자이기 때문에 홍 판서를 '대감님'으로 부르고, 스스로를 '소인'이라 칭하였다.

09 길동이 초란의 사주를 받은 특재 때문에 죽을 위기에 처하는 것은 영웅의 일대기적 구성 가운데 ③과 관련 깊다.

특강 | 창의·융합·코딩 42~47쪽

❶ 위기 상황과 관련된 한자 성어

(가) 사면초가, (나) 설상가상

❷ 문기는 유죄인가, 무죄인가?

예시 답안 | 고깃간 주인에게 잘못 받은 거스름돈을 반환하지 않고 수남 군과 함께 써 버린 것은 엄연한 횡령에 해당합니다. 그러나 수남 군의 꼬임에 빠져 일탈 행위를 저지른 점, 현재 자신의 잘못을 진심으로 반성하고 있다는 점 등을 감안하여 사회봉사 활동 20시간을 선고합니다.

2주 사랑

 소나기 ①

작품 개관

갈래 현대 소설
제재 소나기
배경 • 시간(계절): 가을 • 공간: 어느 농촌
주제 소년과 소녀의 짧고 순수한 사랑
특징 ① 시간의 순서에 따라 사건이 전개됨.
② 감동과 여운을 남기는 결말로 끝남.
③ 간결한 문장을 통해 인물의 감정이 나타남.
④ 가을 농촌의 모습을 배경으로 사건이 전개됨.
⑤ 인물들 사이에 뚜렷한 갈등이 나타나지 않음.
⑥ 인물들의 심리가 주로 행동을 통해 간접적으로 드러남.
⑦ 인물의 심리가 다양한 상징물을 통해 간접적으로 드러남.

작가 소개

황순원(1915~2000) 소설가. 간결하고 세련된 문장으로 아름다움을 보여 주면서도 인간과 삶의 모습을 진지하게 그린 소설을 주로 썼다. 주요 작품에 〈카인의 후예〉, 〈독 짓는 늙은이〉, 〈학〉 등이 있다.

기초 집중 연습 54 ~ 57쪽

1-1 소녀	1-2 ⑤
2-1 소년 – ②, 소녀 – ①	2-2 ④
3-1 ①	3-2 ①
4-1 ②	4-2 ⑤
5-1 ③	5-2 ④
6-1 생채기	6-2 ①

1-1 이 글의 주인공은 '소년'과 '소녀'이다. 소년과 소녀의 말과 행동, 성격, 처한 상황 등을 떠올려 볼 때, 제시된 내용은 소녀의 자기소개서이다.

1-2 소녀는 개울가에서 소년에게 조약돌을 집어던졌을 뿐, 조약돌을 모으는 취미가 있는 것은 아니다.

2-1 소년과 소녀가 개울가에서 만났을 때, 소년은 개울둑에 앉아서 소녀가 비키기를 기다렸고, 소녀는 징검다리 한가운데에 앉아서 소년이 지나가야 한다는 것을 알면서도 물장난만 쳤다.

2-2 소년은 개울둑에 앉아 소녀가 비키기를 기다리는 것으로 보아 소극적이고, 소녀는 조약돌을 던지며 소년에게 관심을 드러내는 것으로 보아 적극적이다.

3-1 '조약돌'은 소년에 대한 소녀의 관심을 드러내는 소재이다. 소녀가 소년과 친해지고 싶은 마음을 조약돌을 던지면서 드러내고 있다.

3-2 소녀는 소년과 친해지고 싶은 자신의 마음을 몰라주는 소년에 대한 서운하고 야속한 마음이 들어 조약돌을 던졌을 것이다. 또한 소년의 소극적인 태도가 답답했을 것이며 소년의 관심을 끌기 위해서 조약돌을 던졌을 것이다.

4-1 개울가에서 처음 소녀와 만났을 때 소년은 소녀에게 말도 붙이지 못하고 소극적인 태도를 보였으나, 산에 놀러 가면서 소녀의 상처를 치료해 주거나, 송아지를 보러 가자고 먼저 제안하는 등 적극적인 태도를 보였다.

4-2 소년은 미끄러진 소녀에게 먼저 손을 내밀고 소녀의 상처를 치료해 주거나 소녀에게 소를 보러 가자고 먼저 제안하는 등 적극적으로 소녀를 대하고 있다.

5-1 소년은 산을 달려가면서 소녀에게 꽃묶음을 만들어 주었으므로 즐거운 마음임을 알 수 있고, 소녀는 소년이 만들어 준 꽃묶음을 받으면서 약간 상기된 얼굴빛인 걸로 보아 설레고 즐거운 마음임을 알 수 있다.

5-2 소녀는 자신을 위해 꽃을 꺾는 소년의 정성에 고마움을 느끼고 있다.

6-1 서로에게 관심이 있던 소년과 소녀는 허수아비를 흔들고, 무를 뽑아 먹고, 꽃을 꺾고, 상처를 치료해 주면서 밀접한 관계로 발전했다.

6-2 소녀가 미끄러지면서 손을 내밀어 주거나 상처를 치료해 주고 상처에 송진을 발라 주는 등의 경험을 공유함으로써 소년과 소녀는 처음보다 많이 가까워졌다. 이렇듯 소년의 태도 변화는 소년과 소녀의 관계 변화를 이끌어 내고 있다.

정답과 해설

2일 소나기 ②

기초 집중 연습 60 ~ 63쪽

1-1 (1)-(3)-(2)	1-2 ④
2-1 ③, ④	2-2 ⑤
3-1 소나기	3-2 ③
4-1 ①	4-2 ⑤
5-1 대추-②, 호두-①	5-2 ④
6-1 ×	6-2 ③

1-1 이 글은 시간 순서에 따라 사건이 전개되고 있다. 소녀와 소년이 산에 가서 꽃을 꺾으며 가까워졌고, 산에서 노는데 갑자기 소나기가 내려 수숫단 속에서 비를 피했으며, 소나기가 그친 후 도랑의 물이 불어나 소년이 소녀를 업고 도랑을 건넜다.

1-2 소녀는 수숫단 속으로 들어온 소년의 몸에서 냄새가 확 났지만 고개를 돌리지 않았고, 오히려 소년의 몸기운으로 떨리는 몸이 누그러지는 느낌이 들었다.

2-1 소년은 우선 수숫단 속에서라도 비를 피할 수 있어서 안심하였으나, 그래도 소녀를 계속 걱정하고 있다.

2-2 소년이 소녀와 산에 놀러 가 즐겁게 놀면서 소녀와 가까워졌음을 볼 때, 소녀를 원망하는 마음이 생겼다고 볼 수 없다.

3-1 '소나기'는 갑자기 세차게 쏟아지다가 곧 그치는 비를 말한다. '소나기'는 소년과 소녀를 가깝게 만들어 주며, 소년과 소녀의 짧은 사랑을 상징한다.

3-2 '소나기'는 소년과 소녀의 사이를 가깝게 만들어 주므로, ③의 내용은 맞지 않는다.

4-1 소녀는 소년을 만나 산에 올랐던 일을 떠올리고 있다. 소녀가 "왜 그런지 난 이사 가는 게 싫어졌다."라고 한 말에는 소년과 이별하고 싶지 않아 아쉬워하는 마음이 담겨 있음을 짐작할 수 있다.

4-2 소녀는 소년과 산에서 놀며 가까워졌는데, 어른들이 이사를 간다고 하니 안타깝고 아쉬웠을 것이다. 또한 소녀는 소년과 헤어지고 싶지 않았을 것이다.

5-1 소녀는 자신이 이사를 간다고 말하면서 소년에게 대추를 주었고, 소년은 소녀에게 주려고 몰래 호두를 땄다. 이렇게 '대추'에는 소년을 위하는 소녀의 마음이, '호두'에는 소녀를 위하는 소년의 마음이 담겨 있다.

5-2 소녀는 이사를 간다고 말하면서 소년을 생각하는 자신의 마음을 표현하기 위해 소년에게 대추를 주었다.

6-1 소나기가 그친 뒤, 소년이 소녀를 업고 도랑을 건널 때 소년의 등에 묻은 진흙물이 소녀의 분홍 스웨터에도 묻었다. 소녀는 분홍 스웨터가 소년과 자신 사이의 소중한 추억이 담긴 것이라 여기고 있다.

6-2 분홍 스웨터에는 소년과 함께 소나기를 맞은 날에 묻은 진흙물이 남아 있다. 소녀는 이것을 소년과의 추억으로 생각하고, 그 옷을 함께 묻어 달라는 유언을 남겼을 것이다.

3일 동백꽃 ①

작품 개관

갈래 현대 소설
제재 동백꽃
배경 • 시간: 1930년대 봄 • 공간: 강원도 농촌 마을
주제 농촌 소년과 소녀의 순박한 사랑
특징 ① '현재-과거-현재'의 구성으로 전개됨.
② 토속어, 비속어를 사용하여 향토적인 느낌을 줌.
③ 어수룩하고 순박한 인물을 서술자로 설정(1인칭 주인공 시점)하여 독백 형식으로 전개됨.

작가 소개

김유정(1908~1937) 소설가. 1930년대 농촌을 배경으로 하여 익살스러우면서도 현실 비판적인 소설을 주로 썼다. 주요 작품에 〈봄·봄〉, 〈만무방〉, 〈금 따는 콩밭〉 등이 있다.

기초 집중 연습 66 ~ 69쪽

1-1 종우	1-2 ③
2-1 ②	2-2 ①
3-1 ①	3-2 ②
4-1 마름	4-2 ②
5-1 ②	5-2 ⑤
6-1 '나'-②, 점순이-①	6-2 ⑤

1-1 이 글에서 사건을 서술하고 있는 사람은 '나'이다. '나'는 이야기의 주인공으로 자신에게 벌어진 일을 이야기하고 있다. '나'는 점순이와 '나' 사이의 일에 대한 자신의 생각과 감정을 자세히 전달하고 있다.

1-2 '나'는 1인칭 주인공 시점에서 '나'의 마음을 이야기하고 있고, '나' 이외의 인물인 점순이는 '나'의 눈을 통해 관찰한 모습만이 드러난다.

2-1 점순이는 '나'에게 감자를 주며 간접적으로 좋아하는 마음을 전하려 했다. 하지만 좋아하는 마음을 어떻게 표현해야 할지 모르기 때문에 "느 집엔 이거 없지?"라고 말했을 것이다. 점순이가 그런 말을 하면서 감자를 주자 '나'는 점순이가 감자로 생색을 낸다고 생각하여 감자를 받지 않았다.

2-2 점순이는 '나'를 좋아하여 귀한 음식인 감자를 '나'에게 주려 하지만, '나'는 눈치가 없어 그런 점순이의 말과 행동을 이해하지 못하고 있다.

3-1 감자는 '나'에 대한 점순이의 관심과 애정을 표현하는 수단이다. 하지만 '나'가 감자를 거절하여 갈등이 발생하는 계기가 되기도 한다.

3-2 점순이가 주는 감자를 '나'가 거절하면서 점순이가 눈물을 흘리게 된 것이지 감자 때문에 점순이가 '나'의 일을 도와주게 되지는 않았다.

4-1 '나'의 집은 소작농의 집안이고, 점순이의 집은 마름의 집안이다. 마름은 옛날에 땅 주인을 대신하여 농지를 관리하는 사람을 말한다. 땅 주인은 자기 소유의 논밭이 멀리 있을 때 마름을 두어 소작농을 감독하고 소작료의 결정·징수·보관·운반 등을 맡겼다.

4-2 '나'의 집은 점순네서 땅을 빌려 농사를 짓고 있다. 또한 점순네서 집터를 빌려 살고 있으며 양식이 없을 때 신세를 지기도 했다. 따라서 '나'는 점순네에 좋게 보여야 하는 처지이기 때문에 점순이에게 화를 내지 않고 소극적으로 대응하고 있다.

5-1 점순이가 준 감자를 '나'가 거절하면서 둘은 갈등하게 되는데, 점순이는 '나'의 집 씨암탉을 패 주면서 자신의 마음을 몰라주는 '나'에 대한 원망스러움과 서운함을 표현하고 있다.

5-2 점순이는 자신의 호의를 거절한 '나'에게 복수하는 한편 '나'의 관심을 끌기 위해 일부러 '나'의 집 씨암탉을 괴롭히고 있다.

6-1 '나'가 점순이를 대하는 행동과 말, 생각 등을 볼 때 '나'는 눈치가 없고 어수룩하며 무뚝뚝하고 순박하다. 점순이의 행동과 말로 보아 점순이는 당돌하고 활달하지만, 자신의 감정을 어떤 방법으로 표현해야 할지 모르는 서투른 모습을 보여 주기도 한다.

6-2 '나'는 눈치가 없는 성격이어서 점순이가 자신을 좋아하고 있다는 것을 모른다.

4일 동백꽃 ②

기초 집중 연습 72 ~ 75쪽

1-1 ②	1-2 ⑤
2-1 ②	2-2 ⑤
3-1 실망	3-2 ②
4-1 ①	4-2 ③
5-1 동백꽃	5-2 ②
6-1 ②	6-2 ①

1-1 '나'는 점순네 닭과 싸울 때 이기게 만들기 위해 '나'의 집 닭에게 고추장을 먹이고 점순네 닭을 공격했지만, 점순네 닭에게 '나'의 닭이 패하였다.

1-2 '나'는 닭에게 고추장을 먹이면 기운이 뻗쳐 닭싸움에서 이길 수 있을 것이라고 생각하여 '나'의 닭에게 고추장을 먹였다.

2-1 점순이는 자신의 마음을 몰라주는 '나'를 원망하고 '나'의 관심을 끌고 싶어서 닭싸움을 붙이고 있다. 하지만 '나'는 점순이가 자신을 괴롭힌다고 생각하고 있으므로 닭싸움은 둘의 갈등을 심화하는 역할을 한다.

2-2 점순이는 '나'의 관심을 끌기 위해 엉뚱하게도 마음과는 반대되게 닭싸움을 시켰다. 이러한 행동으로 '나'는는 오히려 점순이에 대한 미움과 분노가 생겼다.

3-1 '나'의 닭에게 고추장을 먹인 뒤 기대하며 '나'의 닭을 점순네 근처에 내려놓았고, '나'의 닭이 공격에 성공하자 신이 났지만, 다시 '나'의 닭이 점순네 닭에게 쪼이면서 실망하고 있다.

3-2 점순이는 자신의 닭이 쪼임을 당하자 마음이 불편하여 얼굴을 찌푸리고 있지 '나'를 걱정하고 있지는 않다.

4-1 이 글의 서술자인 '나'는 눈치가 없고 어수룩하여 점순이의 마음을 알아채지 못하고 있다. 이런 모습이 독자의 웃음을 자아낸다.

4-2 이 글은 눈치 없고 어수룩한 '나'가 서술자인 1인칭 주인공 시점의 소설이다. '나'가 제대로 서술하지 못하는 점순이의 속마음을 상상하며 읽게 되고, 점순이의 속마음을 모르고 행동하는 '나'의 모습에서 재미를 느끼게 된다.

5-1 '나'와 점순이가 화해를 하면서 동백꽃으로 파묻히는 모습을 볼 때, '동백꽃'은 낭만적이고 화해하는 분위기를 조성하는 역할을 한다.

5-2 화가 난 '나'가 점순네 닭을 때려죽이면서 갈등이 심화되는데 '나'와 점순이가 동백꽃 속으로 파묻히면서 '나'와 점순이의 갈등이 해소되고 있다.

6-1 이 글은 시골 소년인 '나'와 애정에 눈뜬 사춘기 소녀인 점순이의 풋풋한 사랑을 순수한 분위기로 전하고 있다.

6-2 ㉠은 어수룩하고 둔한 '나'가 점순이의 애정을 어렴풋하게 느끼게 됨을 표현한 것으로, 낭만적이고 화해하는 분위기에서 '나'도 점순이에게 애정을 느끼게 될 것임을 짐작할 수 있다.

5일 사랑_종합

기초 집중 연습 78 ~ 81쪽

01 ⑤	02 ②	03 ①	04 ⑤
05 ⑤	06 ②	07 ③	08 ②
09 ⑤	10 ④	11 ⑤	12 ②

01 이 글은 시간의 흐름에 따라 전개되고 있으며 소년이 과거를 회상하며 서술하고 있지는 않다.

오답 풀이

① 소년과 소년이 처음 만났을 때부터 소녀가 죽을 때까지 시간 순서대로 이야기를 전개하고 있다.

② 농촌을 배경으로 하고, 개울가, 징검다리, 조약돌, 갈밭, 갈꽃 등의 소재를 사용하여 향토적 분위기를 느끼게 한다. 가을을 배경으로 하고 시적인 표현 등으로 서정적 분위기를 느끼게 한다.

③ 이 글은 인물의 심리가 조약돌, 대추와 같은 상징적 소재를 통해 간접적으로 드러나고 있다.

④ 가을에 만나 깊은 가을에 이별한 소년과 소녀의 짧은 만남을 다루고 있다.

02 '조약돌'은 소년에 대한 소녀의 관심을 상징하는 소재이다. 소녀는 소년의 관심을 끌고 싶어서 소년에게 조약돌을 던지며 "이 바보."라고 말했지만, 소년과 대립하지는 않았다.

03 소녀가 비탈진 곳에 있는 꽃송이를 줄기를 잡고 끊으려다가 미끄러져 무릎에 상처가 나자, 소년은 소녀의 상처를 치료해 주면서 자신이 꺾어다 주었어야 한다고 생각하며 소녀에게 미안해하였다.

04 글의 흐름으로 보아 소녀의 죽음을 부모님의 대화를 통해 간접적으로 전해 들은 소년은 큰 충격을 받고 소녀의 죽음을 믿지 못하거나 많이 슬퍼할 것임을 짐작할 수 있다.

05 소녀는 소년과의 추억을 간직하고 싶어서 자기가 입던 분홍 스웨터를 같이 묻어 달라고 하였다.

오답 풀이

① 수숫단 속에서 가까이 붙어 앉아 있으면서 둘의 사이가 가까워졌음을 알 수 있다.

② 소녀가 자신이 안고 있는 꽃묶음이 우그러졌을 때 상관없다고 생각한 것은 자신이 안고 있는 꽃묶음보다 소년이 훨씬 중요하다고 생각해서일 것이다.

③ 소년의 몸 냄새를 맡고도 피하지 않은 것으로 미루어 보아 소녀가 소년에게 친근감과 따뜻함을 느꼈음을 알 수 있다.

④ 소녀는 소년을 좋아하는 마음을 표현하기 위해 소년에게 대추를 주었다.

06 〈소나기〉는 서울에서 온 소녀와 시골 소년의 순수한 사랑을 가을을 배경으로 하여 서정적으로 그려 낸 소설이다. 결말 부분에서 소년의 부모님의 대화를 통해 소녀의 죽음을 간접적으로 제시하여 소나기처럼 짧게 끝나 버린 소년과 소녀의 순수한 사랑이라는 주제를 전하고 있다.

07 '나'는 눈치가 없고 둔하며 아직 사랑의 감정에 눈뜨지 못했기 때문에 점순이가 자신에게 애정이 있다는 것을 눈치채지 못하고 있다.

08 점순이의 말과 행동으로 볼 때, 점순이는 '나'를 좋아하기 때문에 '나'에게 관심을 표현하고 있다. '나'는 자신에게 관심을 표현하는 점순이의 행동을 이해하지 못하고 있다.

오답 풀이

① 점순이는 '나'와 이야기를 나누고 싶어 말을 걸지만, '나'는 점순이의 행동을 귀찮아하고 있다.
③ 점순이는 '나'에 대한 애정 표시로 감자를 몰래 주려고 하지만, '나'는 점순이가 감자로 생색을 낸다고 생각해서 거절하였다.
④ 점순이는 '나'와 말을 하고 싶어서 "느 집에 이거 없지?"라고 했는데, '나'는 그 말에 기분이 상했다.
⑤ 점순이는 '나'에게 감자를 주기 전에 분위기를 좋게 하고 싶어서 "얘! 너 혼자만 일하니?" 하면서 말을 걸고, '나'는 혼자 깔깔대는 점순이의 모습에 의아해하였다.

09 점순이는 자신이 주는 감자를 '나'가 받지 않아서 자존심이 상해서 눈물까지 흘렸다. 눈물을 흘린 그 다음 날부터 점순이는 자신의 호의를 거절한 '나'에게 분풀이를 하려고 '나'가 보는 앞에서 '나'의 집 닭을 때렸다.

10 점순이는 "누 집 닭인데?"라며 '나'를 나무라며 밀고 있는 상황이므로 '나'에게 미안해하는 마음은 없다고 할 수 있다.

오답 풀이

① '나'는 고추장을 먹은 닭이 싸움에서 이길 수 있을지도 모른다고 기대하고 있다.
② '나'는 점순네 집 닭을 때려죽여 '나'의 집이 곤란해질까 봐 걱정하고 있다.
③ '나'는 닭을 죽인 것을 이르지 않겠다는 점순이가 고마웠을 것이고 안심하였을 것이다.
⑤ 점순이가 눈을 홉뜨고 다그치는 모습에 자기 집 닭이 죽어 화가 났음을 알 수 있다.

11 점순이가 "요담부터 또 그래 봐라. 내 자꾸 못살게 굴 터니?"라고 말하자 '나'는 "그래그래, 인젠 안 그럴 테야!"라고 대답했다. 이 말을 들은 점순이는 '나'가 자신의 마음을 알아주었다고 기뻐할 것임을 알 수 있다.

12 '동백꽃'은 '나'와 점순이가 화해하는 분위기를 만들고, '나'와 점순이 사이의 풋풋한 감정을 보여 주는 역할을 한다.

누구나 100점 테스트 82 ~ 83쪽

01 (1) × (2) ○ (3) × (4) ○ (5) ○
02 (1) 조약돌 (2) 대추 (3) 호두 (4) 소나기 (5) 분홍 스웨터
03 (1)-㉢, (2)-㉡, (3)-㉠ **04** (1)-㉡, (2)-㉠, (3)-㉢
05 지안-○, 진우-× **06** ③, ②, ④
07 (1) 감자 (2) 동백꽃 (3) 닭싸움
08 (1)-㉡, (2)-㉠, (3)-㉢ **09** (1)-㉢, (2)-㉠, (3)-㉡
10 (1) 웃음 (2) 순수한

01 (1) 소년과 소녀는 '개울가'에서 처음 만났다.
(3) 소년은 소녀를 처음에는 소극적으로 대했고, 시간이 지나면서 적극적으로 대했다.

02 (4) '소나기'는 소년과 소녀를 위기에 처하게도 하지만 둘 사이를 가깝게 만드는 역할도 한다. '소나기'가 갑자기 세차게 쏟아지다가 곧 그치는 비라는 사전적 의미를 볼 때, 소년과 소녀의 짧은 사랑을 의미하기도 한다.

05 〈소나기〉의 결말에서 소년이 부모님의 대화를 통해 소녀의 죽음을 알게 되고, 소녀의 유언과 말줄임표로 끝나 독자에게 안타까움을 주면서 여운을 남긴다.

06 〈동백꽃〉은 역순행적 구성으로 전개되어, 현재의 사건을 서술한 후 갈등의 원인이 되는 과거 사건을 회상하여 서술하고 있다. 나흘 전 점순이가 '나'에게 주는 감자를 거절하자(①), 사흘 전 저녁나절 이후 점순이가 '나'의 집 씨암탉을 괴롭히고(③), 하루 전 '나'의 집 닭에게 고추장을 먹였으며(⑤), 오늘 '나'는 점순네 수탉을 때려죽였고(②), '나'는 점순이와 함께 동백꽃 속에 파묻혔다(④).

08 '나'는 눈치 없는 성격이어서 점순이가 계속해서 자신을 괴롭히는 이유를 알아채지 못하고 있다.

10 (1) 〈동백꽃〉의 서술자인 '나'는 점순이의 애정 표현을 전혀 모르고 엉뚱하게 대응하기 때문에 점순이의 마음을 다 알고 있는 독자의 웃음을 자아낸다.

특강 | 창의·융합·코딩 84 ~ 85쪽

❶ '사랑'과 관련된 한자 성어

(가) 오매불망, (나) 천생연분

정답과 해설

3주 시대

1일 박씨전 ①

작품 개관

갈래 고전 소설
제재 박씨의 활약상
배경 조선 시대 병자호란 시기
주제 박씨의 영웅적 모습
특징 ① 병자호란이라는 역사적 사실을 배경으로 함.
② 병자호란에서 청나라에 패배한 것을 승리한 것으로 바꾸어 전쟁의 상처를 보상받고자 하는 민족의 소망을 담음.
③ 가정 내 갈등을 중심으로 하는 전반부와 사회적 갈등을 중심으로 하는 후반부로 나뉨.

기초 집중 연습 96 ~ 99쪽

1-1 ⑤	1-2 ⑤
2-1 피화당	2-2 ①
3-1 수빈	3-2 ①
4-1 용골대	4-2 ③
5-1 ①	5-2 ①
6-1 ①	6-2 ②

1-1 고전 소설은 서술자가 사건의 진행 상황과 인물의 내면 심리를 모두 전해 주는 3인칭 전지적 시점으로 서술된다.

1-2 [A]에서는 나무들이 군사로 변하고, 용과 호랑이가 청나라 군사들을 에워싸고, 나뭇가지와 잎이 깃발과 창칼로 변하는 등 비현실성이 두드러지게 나타나고 있다.

2-1 용골대는 동생 용울대의 죽음을 전해 듣고 분하고 비통한 마음에 복수를 하려고 급히 박씨가 지내는 피화당으로 갔다.

2-2 청나라가 침입하여 조선은 위기에 빠지고, 박씨는 피화당에 침입한 청나라 장수 용울대의 목숨을 빼앗는다. 이를 전해 들은 용골대는 동생의 원수를 갚기 위해 피화당으로 들어가려 했다.

3-1 나무 사이로 나타난 여자는 박씨의 여종 계화로, 계화는 박씨를 대리하여 용골대를 조롱하고 있다. 박씨는 계화 뒤에서 도술을 부려 나무들을 군사로 변하게 하고 나뭇가지와 잎을 깃발과 창칼로 변신시켰으며, 바람과 구름을 일으켜 청나라 군사를 에워싸게 했다.

3-2 계화는 용골대를 위로하고 있는 것이 아니라, 용골대를 자극하기 위해 조롱하고 있다.

4-1 계화는 용골대의 무능함을 탓하며 용골대를 자극하고 있다. 계화의 자극에 화가 난 용골대는 화살을 쏘지만 모두 맞히지 못하고 있다.

4-2 계화는 용골대를 도발하고 있다. 이에 용골대는 계화를 잡아들이려 화살을 쏘았지만 화살만 낭비하게 되자 피화당에 불을 지르게 하였다.

5-1 용골대가 한 말인 "대체 어떤 계집이 감히 장부를 희롱하느냐?"에는 여성을 무시하는 남성 중심의 사회상이 반영되어 있다.

5-2 ㉠에는 여자를 무시하는 남성 중심의 가치관이 드러나고 있다.

6-1 이 글은 1636년(인조 14년), 청 태종이 일으킨 병자호란을 배경으로 하고 있다.

6-2 용골대가 "너희도 이제 우리나라의 백성이다."라고 말한 이유는 청나라가 조선의 항서를 받아서 조선이 청나라의 지배를 받는 나라가 되었다고 생각하기 때문이다.

2일 박씨전 ②

기초 집중 연습 102 ~ 105쪽

1-1 ②	1-2 ①
2-1 특기 - ②, 생각 - ②	2-2 ①
3-1 (1) 사실 (2) 허구	3-2 ②
4-1 ②	4-2 ①
5-1 ①	5-2 ②
6-1 ②	6-2 ③

1-1 청나라는 전쟁이 끝난 후 우리나라 백성들의 재물을 빼앗고 여자들을 잡아가 백성들을 비참하고 절망스러운 상황으로 몰아넣었다.

1-2 용골대가 돌아갈 채비를 꾸리는 과정에서 백성들이 겪은 고통의 내용을 알 수 있는데, ①의 내용은 드러나지 않는다.

오답 풀이

② '미녀를 거두어 돌아갈'에서 여자들을 잡아갔음을 알 수 있다.

③ 백성들이 청나라에 잡혀가는 과정에서 가족들과 원치 않는 이별을 하였음을 알 수 있다.

④ '왕비와 세자, 대군을 모시고'에서 왕비, 세자, 대군이 포로로 끌려갔음을 알 수 있다.

⑤ '장안의 재물과 미녀를 거두어 돌아갈'에서 재산을 빼앗겼음을 알 수 있다.

2-1 박씨는 옥화선을 부쳐 큰 바람을 일으켜 불기운이 오히려 청나라 군사들 쪽으로 덮치도록 하였다. 박씨가 계화를 시켜 용골대에게 "조선의 운수가 사나워 은혜도 모르는 너희에게 패배를 당했지만,"이라고 소리치는 장면에서 박씨의 생각을 알 수 있다.

2-2 박씨는 용골대가 피화당을 침입하려 하자 도술을 부려 막아 내고 있으며, 용골대가 왕비를 데려가지 못하게 적극적으로 막고 있다.

3-1 이 글은 병자호란이라는 역사적 사실을 배경으로 하고 있다. (1)은 역사적 사실에 해당하고, (2)는 작가가 상상을 바탕으로 하여 쓴 허구적인 내용에 해당한다.

3-2 비범한 능력을 지닌 박씨가 도술을 부려 청나라 군사들을 혼내 주는 장면에서 당시의 백성들은 병자호란에서 우리나라가 패배한 상처를 씻을 수 있어서 위로를 느꼈을 것이다.

4-1 용골대가 박씨에게 비굴하게 항복하는 장면에서 박씨의 영웅적인 면모가 실감 나게 드러난다.

4-2 용골대가 박씨에게 무릎을 꿇고 애걸하는 장면, 청나라 군사들이 무릎을 꿇고 머리를 조아리는 장면 등은 인조가 삼전도에서 청 태종에게 무릎을 꿇고 머리를 조아린 사건에 대한 심리적 보상을 담은 장면이라고 할 수 있다. 이러한 패배와 고통을 상상 속에서나마 복수하는 박씨의 영웅적 면모를 통해 통쾌함을 느낄 수 있다.

5-1 작가는 현실에서 패배한 것과는 반대로 소설 속에서나마 승리한 것으로 하여 백성들의 상처를 갚아 주려 하였다.

5-2 병자호란은 조선에 정치적, 경제적으로 큰 손해를 끼쳤으며 백성들에게 극심한 고통을 주었다. 이를 볼 때 조선이 청나라에 굴욕적으로 항복을 한 역사적 사실과는 달리 청나라 장수를 혼내 주고 청나라 군대를 물리치는 이야기로 표현한 이유는 상상으로나마 민족의 자긍심을 지키고, 청나라에 당한 고통과 굴욕을 복수하고자 하는 민중의 소망을 담고자 했기 때문이다.

6-1 〈박씨전〉은 탁월한 능력을 지닌 여성이 활약하는 장면을 구체적으로 제시하여 조선 시대의 남성들의 무능력을 비판하고, 여성도 뛰어난 능력을 발휘할 수 있음을 보여 주려는 의도를 담고 있다.

6-2 〈박씨전〉에는 남성 중심 사회에서 살아온 여성들이 뛰어난 능력을 지닌 박씨의 활약을 통해 대리 만족을 하며 억압당하는 현실에 대해 보상받고자 하는 심리가 반영되어 있다.

3일 기억 속의 들꽃 ①

작품 개관

갈래 현대 소설

제재 어느 피란민 소녀의 죽음

배경 • 시간: 6·25 전쟁
• 공간: 만경강 다리 부근의 어느 마을

주제 전쟁의 비극성과 인간성 상실

특징 ① 과거를 회상하는 형식으로 내용을 전개함.
② 사투리와 비속어를 사용하여 향토성과 사실성을 높임.
③ 어린아이의 시선을 통해 전쟁의 비극성과 비인간성을 드러냄.
④ 상징적 제목을 통해 주인공 명선이의 비극적 삶의 모습을 나타냄.

작가 소개

윤흥길(1942~) 소설가. 한국 현대사를 날카롭게 꿰뚫어 보아 현실을 고발하는 소설을 주로 썼다. 주요 작품에 〈장마〉, 〈아홉 켤레의 구두로 남은 사내〉, 〈완장〉 등이 있다.

정답과 해설

기초 집중 연습 108 ~ 111쪽

1-1 '나'의 행동, '나'의 속마음, 명선이의 행동 1-2 ③
2-1 금반지 2-2 ④
3-1 ④ 3-2 ⑤
4-1 1-2-3 4-2 ③
5-1 ② 5-2 ②
6-1 (1)-②, (2)-① 6-2 ③

1-1 이 글의 서술자는 '나'로, '나'가 관찰하는 입장에서 주인공의 이야기를 전해 준다.

1-2 이 글은 '나'가 관찰하는 입장에서 주인공 명선이의 이야기를 전해 주는 1인칭 관찰자 시점의 소설이다.

2-1 '나'의 어머니는 '나'가 데려온 명선이를 차갑고 냉정하게 대하며 쫓아내려 하지만, 명선이가 금반지를 보여 주자 갑자기 친절하게 대하며 집에서 같이 지내게 해 주고 있다.

2-2 명선이는 '나'의 어머니가 자신을 차갑게 대하며 내쫓으려 하자 '나'의 집에 살기 위해 금반지를 보여 주었다. 명선이는 '나'의 어머니를 만나기 전부터 금반지를 좋아하는 어른들의 속물적(돈이나 명예를 제일로 치고 자신의 이익에만 관심을 가지는 것.)인 모습을 알았음을 짐작할 수 있다.

3-1 이 글은 6·25 전쟁을 겪는 사람들의 모습을 보여 주는 소설이다. 6·25 전쟁 중에 인민군과 폭격을 피해 남쪽으로 피란 가는 피란민들을 통해 당시의 상황을 짐작할 수 있다.

자료실 작품의 사회적 배경 파악

사회적 배경은 인물을 둘러싼 사회적 현실이나 역사적 상황을 말한다. 사회적 배경을 파악하기 위해서는 먼저 시대 상황이 드러나는 단어나 문장을 찾아본다. 그런 다음 등장인물의 말과 행동, 인물들 간의 관계, 사건 등을 바탕으로 파악한다.

3-2 이 글은 6·25 전쟁을 배경으로 한 소설이다. 전쟁 중에 명선이가 금반지를 통해 '나'의 집에 머물게 되었음을 볼 때 금반지의 가치가 귀했음을 알 수 있다.

4-1 명선이는 피란길에 공습을 만나 부모가 죽고, 숙부를 따라 피란을 가지만 숙부가 명선이를 죽이려 하여 도망을 치고 명선이 혼자 '나'의 마을에 남게 되었다.

4-2 이 글에 명선이가 피란길에 금반지를 주웠다는 말은 명선이가 금반지를 지키기 위해 하는 거짓말일 뿐 명선이가 실제로 겪은 일은 아니다. 금반지는 명선이가 전쟁 중에 살아남을 수 있도록 명선이의 부모가 준 것임을 짐작할 수 있다.

5-1 '나'의 아버지와 어머니는 실제로는 그런 마음이 없으면서 명선이를 매우 아끼는 것처럼 행동하였다. '나'의 아버지는 명선이에게 금반지가 더 있을지도 모른다고 생각하자 어린 명선이를 다그치고 위협하였다.

5-2 명선이의 숙부는 명선이가 친척임에도 금반지를 빼앗기 위해 명선이를 죽이려 하였다. '나'의 어머니와 아버지도 금반지를 빼앗으려고 명선이를 다그치고 명선이의 몸까지 뒤졌다. 이처럼 전쟁을 겪으면서 어른들이 인간성을 잃고 탐욕적으로 변했음을 알 수 있다.

6-1 (1) 명선이는 금반지를 하나씩 보여 주어야 '나'의 부모님에게서 보호를 받을 수 있다고 생각하여 곤경에 처할 때마다 금반지를 하나씩 보여 주었다.
(2) 명선이는 피란길에서 공습을 만났을 때 비행기에서 떨어진 폭탄 때문에 부모님이 죽었기 때문에 비행기 소리를 유독 무서워하였다.

6-2 명선이는 사람 밑에 깔리면 엄청난 힘을 발휘하여 벗어나는 특이한 행동을 보였다. 이는 피란길에 비행기 공습을 만났을 때 어머니의 시신 밑에 깔렸던 기억이 떠올랐기 때문이라고 짐작할 수 있다.

4일 기억 속의 들꽃 ②

기초 집중 연습 114 ~ 117쪽

1-1 ② 1-2 ③
2-1 쥐바라숭꽃 2-2 ②
3-1 민준 3-2 ②
4-1 ① 4-2 ④
5-1 ④ 5-2 ⑤
6-1 (1)-②, (2)-① 6-2 ①

1-1 명선이는 위험한 다리 끝에서 꽃을 발견한 후에 "저게 무슨 꽃이지?" 하면서 꽃 이름을 물어보고, 꽃을 꺾어 냄새를 맡기도 하고 머리에 꽂기도 하면서 관심을 보였다.

1-2 명선이가 끊어진 다리 위에서 하는 행동으로 보아 대범하고 배짱이 있으며 겁이 없음을 알 수 있고, 꽃에 관심을 보이는 모습에서 순수한 면도 볼 수 있지만 소극적인 면은 드러나지 않는다.

2-1 '쥐바라숭꽃'은 콘크리트 더미에 뿌리를 내린 강한 생명력을 지닌 꽃이지만, 꺾으면 꺾이고 바람에 쉽게 날리는 연약한 존재이기도 하다.

오답 풀이

'끊어진 만경강 다리'는 전쟁의 폭격으로 끊어진 다리로 전쟁의 비극성과 처참함을 드러낸다.

2-2 '쥐바라숭꽃'은 어느 날 갑자기 낯선 곳에서 와서 척박한 환경에서도 살아남은 꽃으로 강인한 생명력을 지녔지만 위험하고 아슬아슬한 상황에 처해 있기도 하다. 이러한 쥐바라숭꽃의 모습은 전쟁 중에 홀로 살아남아 '나'의 집에서 위험하고 불안한 나날을 보내고 있는 명선이를 상징한다.

3-1 꽃이 강으로 떨어지는 장면은 명선이도 꽃처럼 강으로 떨어져 죽을 것이라는 것을 암시한다.

자료실 소설의 암시

암시는 뜻하는 바를 간접적으로 나타내는 표현법으로, 소설이나 극에서 앞으로 일어날 사건을 미리 독자에게 넌지시 알려 주는 방법이다.

3-2 쥐바라숭꽃은 명선이를 상징하기 때문에 쥐바라숭꽃이 바람에 날려 강심으로 떨어지는 모습은 명선이도 다리에서 떨어질 것이라는 불길한 미래를 암시한다.

4-1 '나'는 명선이가 다른 것은 도무지 무서워할 줄 모르면서도 유독 비행기만은 병적으로 겁을 내는 서울 아이라고 하였다.

4-2 ㉠은 명선이가 다리에서 떨어지는 모습을 비유적으로 표현한 것이다. 명선이는 끊어진 다리 철근 끝까지 가는 것은 무서워하지 않지만, 비행기를 병적으로 무서워하기 때문에 다리 끝에서 비행기 소리에 놀라 강으로 떨어져 죽고 만다.

5-1 '나'는 명선이가 다리에서 떨어져 죽은 후 끊어진 만경강 다리의 철근 끝까지 가게 되었고, 철근의 끝자락에서 명선이가 숨겨 놓은 금반지 주머니를 발견하게 되자 놀랐고 두려웠으며 당황하였다.

5-2 '나'는 명선이가 숨겨 둔 금반지를 확인하는 순간 명선이가 어른들에게서 금반지를 빼앗기지 않으려고 일부러 위험한 곳에 숨겨 놓았음을 알게 되었다. 또한 이 때문에 명선이가 죽게 되었다고 생각하여 놀라 금반지 주머니를 떨어뜨리고 말았다.

6-1 명선이는 비행기를 유독 무서워하기 때문에 비행기 소리를 듣고 떨어져 죽었지만, 어른들이 명선이에게서 금반지를 빼앗으려는 탐욕스러운 모습을 보여 주지 않았다면 명선이는 어른들이 찾지 못하는 끊어진 만경강 다리의 끝자락이라는 위험한 곳까지는 가지 않았을 것이다.

6-2 명선이는 전쟁 중에 부모를 잃고, 어른들의 탐욕 때문에 고통을 겪다가 죽었다. 이를 통해 작가는 삶을 힘겹고 황폐하게 만드는 전쟁과 이 때문에 이기적으로 변한 사람들의 모습을 비판하고 있다.

5일 시대_종합

기초 집중 연습 120 ~ 123쪽

01 ③	02 ③	03 ④	04 ⑤
05 ④	06 ②	07 ⑤	08 ②
09 ⑤	10 ③	11 ⑤	12 시영

01 이 글은 시간의 흐름에 따른 구성으로 전개되고 있다.

오답 풀이

① 이 글은 청나라가 조선을 침입하였고, 조선은 청나라 장수 용골대와 용울대 형제에게 크게 패하였으며, 임금마저 남한산성으로 피신하였다는 이야기를 바탕으로 한다. 이와 같이 이 글은 우리나라에 실제 일어났던 병자호란을 배경으로 한다.

② 나무가 군사로 변하는 부분에서 고전 소설의 특징인 비현실적인 요소가 드러난다.

④ 주인공 박씨는 여성으로, 작가가 꾸며 낸 상상의 인물이다.

⑤ 이 글은 3인칭 전지적 시점으로, 서술자가 사건의 진행 상황과 인물의 내면 심리를 모두 전해 준다.

02 계화는 조선의 백성이다. 박씨의 여종으로, 박씨를 도와 용골대에 맞서 싸운다.

03 ㉠에서 용골대는 여성을 무시하는 남성 중심의 가치관을 지녔음이 드러나므로 ④와 같은 생각을 하지 않을 것이다. 용골대의 가치관과 오늘날 우리 사회의 모습을 비교해 볼 때 우리 사회 곳곳에서 여성이 차별받고 있다거나 여성들이 사회의 각 분야에 진출해서 자신의 능력을 펼치고 있다는 등의 의견을 나눌 수 있다.

04 박씨는 도술을 부리는 비범한 능력을 지닌 인물로, 옥화선을 부쳐 큰 바람을 일으켜 용골대 군사를 물리쳤다.

05 용골대가 박씨에게 비굴하게 항복하는 장면에서 박씨의 영웅적인 면모가 실감 나게 드러나고 있으며, 이를 통해 당시 백성들은 통쾌함을 느꼈을 것이다. 이 장면에서 박씨의 사려 깊은 성격이 드러나지 않는다.

오답 풀이

① 박씨는 비범한 능력을 지닌 인물이다.
② 청나라 장수 용골대는 박씨와 갈등 관계에 놓여 있으며, 죽을 위기에 처하자 박씨에게 무릎을 꿇고 살려 달라고 애걸하고 있다.
③ 여성 주인공을 내세워 조선의 남성 중심 사회와 남성의 무능력을 비판하고, 당시 남성에게 억눌려 있었던 여성들을 대리 만족시키고 있다.
⑤ 용골대가 돌아갈 채비를 꾸리는 과정에서 전쟁 때문에 겪는 백성들의 고통이 드러난다.

06 이 글은 박씨가 용골대를 물리치는 모습을 보여 줌으로써 전쟁에서 진 현실에 대한 대리 만족을 주고, 문학 작품에서나마 민족의 자긍심을 지키고자 하는 의도가 담겨 있다.

07 이 글은 6·25 전쟁을 시대적 배경으로 한다. 명선이는 전쟁 때문에 시골 마을로 피란을 오게 되었고, '나'의 부모님은 전쟁 때문에 삶이 힘겨워져서 이기적인 모습을 보인다.

오답 풀이

① '피란민'은 난리를 피하여 가는 백성이라는 뜻으로 전쟁이 났음을 알 수 있는 단어이다.
② '공습'은 공중에서 공격한다는 뜻으로, 전쟁이 나서 비행기에서 폭탄을 떨어뜨렸음을 말한다.
③ '전쟁고아'는 전쟁으로 부모를 잃은 아이를 뜻한다. 명선이가 피란길에 부모를 잃었으므로 명선이는 전쟁고아가 되었음을 알 수 있다.
④ 전쟁 상황에서는 먹고사는 문제가 가장 중요하게 되므로 인정이나 나눔과 같은 가치는 사라지게 된다. '나'의 부모님도 역시 전쟁 중이라 먹을 것이 귀하기 때문에 명선이를 달가워하지 않고 명선이가 가지고 있는 금반지를 빼앗으려고 한다.

08 '나'는 순진하고 겁이 많은 남자아이로, 명선이를 순수하게 친구로 받아들이며 명선이와 친구가 된다. 명선이도 '나'에게 자신의 이야기를 하는 것으로 보아 '나'를 친구로 대하고 있다.

09 '나'의 아버지는 명선이에게서 금반지를 빼앗고 싶어서 처음에는 명선이를 달래다가 나중에는 호통을 친다. 이러한 행동에서 '나'의 아버지의 탐욕적인 모습이 드러나고 있다.

오답 풀이

① 금반지는 명선이가 생존할 수 있는 이유이다. 인심이 각박해진 전쟁 상황 속에서도 명선이가 '나'의 집에 머무를 수 있었던 까닭은 명선이가 값비싼 물건인 금반지를 가지고 있었기 때문이다.
② '나'의 어머니가 금반지가 생기면 자신한테 주라고 할 때 명선이가 그렇게 하겠다고 대답하는 모습에서 금반지가 더 있음을 짐작할 수 있고, 금반지를 다 줄 경우 금반지를 다 빼앗길 것을 알기 때문에 한 개씩 주고 있음을 알 수 있다.
③ 어머니는 전쟁 중에 식량이 부족해 먹고살기 힘든 상황에서 오히려 식량을 축낼 명선이를 보자 달가워하지 않지만, 명선이가 금반지를 보여 주자 명선이를 대하는 태도가 친절하게 바뀌었다.
④ 숙부가 명선이를 죽이려는 이유를 말하지는 않았지만, 명선이 부모가 명선이에게 준 금반지 주머니를 빼앗기 위해 죽이려고 했음을 짐작할 수 있다.

10 이 글에는 명선이와 명선이에게서 금반지를 빼앗으려는 어른들의 갈등이 드러난다.

오답 풀이

① '국방군, 인민군, 비행기의 폭음, 호주기 편대' 등을 통해 6·25 전쟁을 배경으로 함을 알 수 있다.
② 이 글의 서술자인 '나'가 어린 시절의 내용을 회상하는 방식으로 서술하고 있다.

④ 이 글의 서술자인 '나'의 시선으로 주인공 명선이를 관찰하여 서술하고 있다.

⑤ 이 글은 명선이가 전쟁 때문에 시골 마을로 피란을 와 머무르면서 벌어지는 이야기를 통해 전쟁의 비참함과 사람들의 비정한 모습을 보여 주고 있다.

11 '쥐바라숭꽃'이 전쟁 중에 살아남은 명선이의 끈질긴 생명력을 상징하지만, 동네 아이들이 명선이를 쥐바라숭꽃이라고 부르지는 않았다.

12 명선이는 금반지가 더 있다고 말하면 어른들에게 금반지만 빼앗기고 자신은 쫓겨날까 봐 금반지를 숨겨 둔 곳을 말하지 않고 있다.

누구나 100점 테스트 124 ~ 125쪽

01 (1) ○ (2) × (3) ×
02 (1) 계화 (2) 박씨 (3) 용골대
03 (1) 용골대 (2) 박씨
04 (1)-㉠, (2)-㉡
05 (1) ㉡ (2) ㉠
06 (1) '나' (2) 명선이 (3) '나'의 부모님
07 (1) 금반지 (2) 끊어진 만경강 다리 (3) 쥐바라숭꽃
08 (1)-㉢, (2)-㉡, (3)-㉠
09 (1) ㉠ (2) ㉣ (3) ㉡ (4) ㉢
10 (1) 비극성 (2) 인간성

01 (2) 용골대는 계화가 항복하라는 말에 처음에는 피화당 주변에 화약을 묻고 위협하였지만, 박씨가 도술을 부려 오랑캐 장졸들이 죽자 결국 항복하였다.
(3) 박씨는 세자와 대군은 데려가도록 허락하였지만, 왕비는 데려가지 못하게 하였다.

03 용골대는 어떤 일이나 사회, 조직 등에서 남성을 여성보다 중심에 두고 생각하거나 대우하는 남성 중심적 가치관을 지녔고, 박씨는 운명에 순응하는 운명론적, 현실 순응적 가치관을 지녔다.

04 (1)은 청나라 장수 용골대가 한 말로, 병자호란에서 조선이 패하고 인조가 굴욕적인 항복 의식을 한 역사적 사실을 배경으로 하고 있음이 드러난다.

06 (3) '나'의 어머니는 명선이를 보자마자 달가워하지 않고 내쫓으려 하였지만, 금반지를 보고 받아들였고, '나'의 아버지는 명선이에게 금반지가 더 있는 것을 알고 명선이에게 금반지의 출처를 캐물었다. 이를 통해 '나'의 부모님의 계산적이고 탐욕적인 성격을 알 수 있다.

08 이 글은 1950년에 우리나라에서 발발한 6·25 전쟁을 배경으로 한다. 많은 사람들은 북한군을 피해 남쪽으로 피란을 갔고, 전쟁을 겪으면서 먹고살기가 힘들어져 사람들의 인심이 각박해졌다.

특강 | 창의·융합·코딩 126 ~ 127쪽

❶ 힘든 삶과 관련된 속담

(가) 낙이 온다, (나) 인심 난다

사회 비판

양반전 ①

작품 개관

갈래 고전 소설, 한문 소설
제재 양반 신분 매매
배경 • 시간: 조선 후기 • 공간: 강원도 정선군
주제 양반의 허례허식과 부정부패에 대한 비판
특징 ① 조선 후기의 사회적 상황이 사실적으로 드러남.
② 인물의 말과 증서의 내용을 통해 간접적으로 당대 양반 계층의 모순과 부조리를 폭로함.

작가 소개

박지원(1737~1805) 조선 후기의 실학자. 무능한 양반들을 풍자하고 현실을 비판하는 한문 소설을 많이 썼다. 주요 작품으로 〈양반전〉, 〈허생전〉, 〈호질〉 등이 있다.

기초 집중 연습 138 ~ 141쪽

1-1 아내, 환곡, 정선	**1-2** ⑤
2-1 (1) × (2) ◯	**2-2** ④
3-1 무능	**3-2** ①
4-1 ⓐ 벙거지 ⓑ 잠방이	**4-2** 잠방이, 소인
5-1 ⑤	**5-2** ②
6-1 ⑤	**6-2** ②

1-1 이 소설에는 강원도 정선군의 한 마을에 사는 양반, 아내, 부자가 등장한다. 양반은 관청의 환곡을 갚지 못해 곤란한 상황에 처해 있다.

1-2 이 글의 '양반'은 양반이라는 신분을 악용해 빚을 갚지 않은 것이 아니라 가난해서 빚을 갚지 못한 것이다.

2-1 (1) 이 글의 배경이 되는 조선 후기에는 이 글의 '양반'처럼 가난해서 감옥에 갇히거나 신분을 팔 지경에 이른 양반 계층이 생겨나면서 양반의 권위는 점차 약해졌다.
(2) 이 글의 '부자'처럼 부를 쌓은 평민 계층은 돈으로 신분을 사는 방법 등으로 양반이 되고자 하였다.

2-2 부자는 아무리 잘살아도 평민이기 때문에 평소에 양반들에게 수모를 당하고 천한 대접을 받았다.

3-1 양반 아내는 환곡을 갚을 아무런 대책 없이 밤낮으로 울기만 하는 양반을 조롱하고 있다.

3-2 양반 아내는 "당신은 평소에 글 읽기만 좋아하더니, 환곡을 갚는 데는 전혀 도움이 안 되는구려. 쯧쯧, 양반이라니……, 한 푼어치도 안 되는 그놈의 양반!"과 같이 무능한 양반을 비판하고 있다.

4-1 양반은 부자에게 신분을 팔고 난 뒤에 벙거지에 잠방이를 입는 등 평민의 옷차림새를 하였다.
오답 풀이 도포, 흑립은 양반의 옷차림새에 해당한다.

자료실 조선 시대 양반의 옷차림새

흑립: 옻칠을 한 어두운 흑갈색 갓.
갓끈: 갓 양쪽에 다는 끈.
도포: 예복으로 입던, 소매가 넓고 길이가 긴 남자의 겉옷.
흑혜: 검은 가죽으로 만든 신.

4-2 양반은 마을의 부자에게 신분을 팔고 나서 평민 신분에 맞게 옷차림, 호칭, 행동을 바꾸었다.

5-1 ㉠은 양반이 부자에게 양반 신분을 판 이후의 변화이다. 이는 양반이 부자에게 신분을 팔고 자신은 평민이 되었다고 생각했기 때문에 평민의 신분에 맞게 행동한 것이다.

5-2 부자보다 양반이 낮은 위치에 서 있었다는 것은 부자와 양반의 신분이 바뀌어 양반이 낮은 신분이 되었음을 의미한다.

6-1 양반이 환곡을 갚기 위해 부자에게 양반 신분을 판 것을 알게 된 군수는 매매 증서를 작성하자고 제안한다.

6-2 군수는 신분을 팔아 환곡을 갚은 양반의 사정을 알고 나서 양반에게 매매 증서를 작성할 것을 제안하였을 뿐, 신분을 팔도록 부추기지는 않았다.

2일 양반전 ②

기초 집중 연습	144 ~ 147쪽
1-1 ⓐ, ⓒ	1-2 ④
2-1 ①	2-2 ⑤
3-1 ①	3-2 ⑤
4-1 (1) ○ (2) ○	4-2 ②
5-1 ②, ⑤	5-2 ④
6-1 ④	6-2 ③

1-1 첫 번째 증서에는 양반이 일상생활에서 해야 할 일과 해서는 안 되는 일 즉, 양반으로서 지켜야 할 의무나 규범이 나열되어 있다. 그러나 양반이 출세를 하는 방법이나 자식을 교육하는 방법에 대한 내용은 찾을 수 없다.

1-2 군수가 작성한 첫 번째 증서는 양반으로서 지켜야 할 의무나 규범과 관련된 내용을 담고 있다.

2-1 첫 번째 증서는 양반으로서 지켜야 할 의무나 규범과 관련된 내용을 담고 있으므로, 증서의 제목으로 ①이 적절하다.

2-2 첫 번째 증서에 나열된 양반으로서 지켜야 할 의무나 규범은 하나같이 실속 없는 형식적인 행동들뿐이다. 이를 통해 작가는 지나치게 체면이나 격식을 차리는 양반의 모습을 비판하고 있다.

3-1 부자는 첫 번째 증서의 내용을 듣고 나서 "양반이라는 게 겨우 요것뿐입니까? … 원하옵건대 제게 이익이 되도록 문서를 고쳐 주십시오."와 같이 말하며 불만을 표시하고 있다.

3-2 부자는 양반이 신선과 같다고 생각한 것과 다르게 양반의 의무만 나열된 첫 번째 증서의 내용을 듣고 자신에게 뭔가 이익이 되도록 증서를 고쳐 달라고 하였다.

4-1 (1) 양반은 농사도 짓지 않고 장사도 하지 않고 글만 대충 읽어도 벼슬을 얻을 수 있다. (2) 양반은 마을의 일꾼을 잡아다 먼저 자기 논의 김을 매게 할 수 있다.

4-2 "문과의 홍패(紅牌)는 팔뚝만 하지만, 여기에 온갖 물건이 갖추어져 있으니, 그야말로 돈 자루이다."라는 문장에서 양반이 문과에 합격하여 홍패를 받으면 그 권력을 이용하여 막대한 이익을 얻을 수 있었음을 알 수 있다.

5-1 작가는 부당한 특권을 누리고 횡포를 부리는 양반의 모습을 부정적, 비판적으로 바라보고 있다.

5-2 두 번째 증서에서는 양반이 신분을 이용해 부당하게 자신의 권력을 행사하고 횡포를 부리는 모습을 비판하고 있다.

6-1 두 번째 증서 내용을 듣고 부자는 혀를 내두르면서 "나를 도둑놈으로 만들 작정입니까?"라고 말하였다. 이는 부자가 두 번째 증서에 언급된 양반의 모습이 '도둑놈'과 같다고 생각한 것이다.

6-2 부자는 "그만두시오, 그만두시오. 참으로 맹랑하구먼. 나를 도둑놈으로 만들 작정입니까?"라고 말하면서 양반이 되는 것을 포기한다. 이는 양반이 도둑놈처럼 부도덕하다고 생각했기 때문이다.

3일 이상한 선생님 ①

작품 개관

갈래 현대 소설, 단편 소설

제재 기회주의적으로 행동하는 선생님

배경 • 시간: 해방 전후 • 공간: 어느 초등학교

주제 해방 전후의 혼란한 사회 상황 속에서 기회주의적으로 행동하는 인물 비판

특징 ① 어린아이를 서술자로 설정하여 주인공을 관찰함.
② 인물의 외모와 행동을 과장하고 희화화하여 풍자함.

작가 소개

채만식(1902~1950) 소설가이자 극작가. 일제 강점기에 활발하게 활동한 소설가로 풍자성이 짙은 작품을 주로 썼다. 주요 작품으로는 〈레디메이드 인생〉, 〈탁류〉, 〈태평천하〉 등이 있다.

기초 집중 연습	150 ~ 153쪽
1-1 ②	1-2 ⑤
2-1 뼘박, 싸움	2-2 ②
3-1 ⑤	3-2 ③
4-1 ①	4-2 ⑤
5-1 ②	5-2 ⑤
6-1 일본, 조선	6-2 ③

1-1 이 글의 서술자는 '나'로 주인공인 '박 선생님'을 관찰하여 서술하고 있다.(1인칭 관찰자 시점)

오답 풀이

① 서술자가 주인공 '나'로, 자신의 이야기를 직접 전달하는 1인칭 주인공 시점에 해당한다.

1-2 이 글은 주변 인물인 '나'가 주인공 '박 선생님'의 외양이나 행동과 같이 관찰한 내용만 서술하고 있다.

2-1 박 선생님은 키가 한 뼘밖에 안 되어서 뼘생 또는 뼘박이라는 별명이 있다. 그리고 강 선생님과 만나기만 하면 싸울 정도로 사이가 좋지 않다.

2-2 박 선생님은 화를 잘 내는 사람이다. ②는 강 선생님의 특징에 해당한다.

3-1 [A]는 박 선생님의 외양을 과장하고 우습게 표현한 부분으로, 우스꽝스러운 느낌을 준다.

3-2 '나'는 박 선생님의 외양을 있는 그대로 묘사한 것이 아니라 과장하고 우스꽝스럽게 묘사하고 있다.

4-1 이 글의 시대적 배경은 조선말의 사용을 금지하고 일본 말의 사용을 강요하던 일제 강점기이다. '학교'는 일제 강점기임을 드러내는 표현으로 보기 어렵다.

4-2 일본 말 사용 정책에 따라 학교에서 일본 말만을 사용하게 하였지만 학생들은 학교 문 밖에만 나가면 조선말로 말을 했다.

5-1 "고랏! 조셍고데 겡까 스루야쓰가 이루까(이놈아! 조선말로 쌈하는 녀석이 어딨어)."라는 박 선생님의 말에서, 박 선생님이 학생들을 혼낸 까닭이 조선말을 사용했기 때문임을 알 수 있다.

5-2 선생님들 중에서도 박 선생님은 일본 말 사용에 가장 엄격했으며, 학교 밖에서도 학생들이 조선말로 말을 하다 들키면 절대로 용서가 없었다.

6-1 박 선생님은 학교에서고 학교 밖에서고, 싸울 때조차도 일본 말만을 쓸 것을 강조한 반면에, 강 선생님은 교실에서 공부를 할 때 빼고는 학생들에게 일본 말을 하지 않고 조선말을 하곤 했다.

6-2 박 선생님은 일본 말 사용에 매우 적극적으로 동조하였지만, 강 선생님은 수업 시간 외에는 되도록 일본 말을 사용하지 않으려고 하였다.

4일 이상한 선생님 ②

기초 집중 연습 156 ~ 159쪽

1-1 ②	1-2 ③
2-1 일본	2-2 ③
3-1 충성/협력, 비아냥	3-2 ①
4-1 ③	4-2 ③
5-1 ②	5-2 ④
6-1 ⓐ 일본 ⓑ 미국	6-2 ⑤

1-1 "해방이 되던 바로 그 이튿날이었다.", "우리는 해방이라는 말은 아직 몰랐고, 일본이 전쟁에 지고 항복을 한 것만 알았다."를 통해 1945년 8·15 해방 직후임을 알 수 있다.

1-2 일본의 항복 소식을 들은 교장 선생님과 두 일본 선생님 그리고 뼘박 박 선생님은 초상난 집처럼 근심에 싸여 기가 죽고 맥이 빠져 있으므로, 직원실의 분위기는 침울하고 무겁다고 할 수 있다.

2-1 박 선생님은 일본의 항복 소식을 듣고 나서도 여전히 일본 말을 사용하며 일본의 패망을 쉽게 받아들이지 못하였다.

2-2 평소에 아이들에게 일본은 결단코 전쟁에 지지 않는다고 장담하던 박 선생님은 일본이 패망한 사실을 쉽게 받아들이지 못하고 신경질적인 반응을 보였다.

3-1 박 선생님은 일제 강점기에 친일적 태도를 취했던 인물이다. 그러나 일본이 패망하면서 조선이 해방되어 난처한 상황에 놓이게 되자, 일본이 패망한 것을 비아냥거리는 대석 언니의 태도가 못마땅하면서도 아무 말도 하지 못하였다.

3-2 박 선생님이 대석 언니에게 아무 말도 못한 것은 일본이 패망한 것을 비아냥거리는 대석 언니의 태도가 못마땅하지만, 일본이 패망한 상황이어서 기가 죽었기 때문이다.

4-1 해방이 되고 남한에서 미국의 영향력이 커진 이후, 박 선생님은 미국을 욕하는 학생에게 벌을 주었다. ③은 해방 이전에 보였던 박 선생님의 태도에 해당한다.

4-2 박 선생님은 미국에 대해 찬양적, 긍정적, 우호적, 협력적 태도를 보인다. 그러나 미국을 업신여겨 비웃는

부정적인 태도를 보이지는 않는다.

5-1 ㉠은 박 선생님의 말을 우스꽝스럽게 표현한 부분으로, 이를 통해 힘 있는 쪽에 붙어 이랬다저랬다 하는 박 선생님을 풍자하고 있다.

오답 풀이 ①은 반어법에 대한 설명이다.

5-2 이 글에서는 해방 이전에는 일본을 찬양하다가 해방 이후에는 미국을 찬양하는 박 선생님의 기회주의적 태도를 풍자하고 있다.

6-1 박 선생님은 해방 이전에는 친일적 태도를 보이다가 해방 이후에는 친미적 태도를 보인다.

6-2 어린아이인 '나'는 해방 이전에는 일본을 찬양했다가 해방 이후에는 미국을 찬양하는 박 선생님의 모습을 이해하지 못하고 이상하다고 평가한다.

5일 사회 비판_종합

기초 집중 연습 162~165쪽

01 ④	02 ②	03 ③	04 ③
05 ⑤	06 ⑤	07 ⑤	08 ④
09 ②	10 ⑤	11 ③	12 ④

01 마을의 부자는 평소에 천한 대접을 받던 자신의 처지를 한탄하면서 양반 신분을 사서 양반으로 살고자 한다. 따라서 부자가 자신의 처지를 체념하고(희망을 버리고 아주 단념하다.) 있다고 볼 수 없다.

02 양반의 아내는 "당신은 평소에 글 읽기만 좋아하더니, … 한 푼어치도 안 되는 그놈의 양반!"이라고 말하면서 무능하고 비생산적인 양반의 모습을 비판하고 있다.

03 ㉢에서 부자는 잘살아도 평민이기 때문에 항상 천한 대접을 받았다고 하였다. 이는 당시에 경제적 부와 상관없이 신분의 높고 낮음에 따라 대접이 달라졌음을 의미한다.

오답 풀이

① 조선 후기에는 양반 신분임에도 불구하고 가난한 양반들이 있었다.

⑤ 양반은 신분을 팔고 나서 '벙거지', '잠방이'와 같은 평민의 옷차림새를 하고, 양반인 군수에게 자신을 낮추어 말했다.

04 (가)에서는 지나치게 체면과 격식에 얽매이는 양반의 허례허식을 비판하고 있고, (다)에서는 신분을 이용하여 횡포를 일삼는 부도덕한 양반의 모습을 풍자하고 있다.

05 작가는 마지막 부분에서 부자의 말을 통해 양반이 마치 '도둑놈'과 같다고 표현하여 부패한 양반을 신랄하게 풍자하고 있다.

06 이 글은 두 차례에 걸쳐 작성한 매매 증서와 부자의 말을 통해 양반 계층의 부정적인 면모를 드러내고 있다. 이를 통해 작가가 당시 양반 계층의 부정적인 모습을 폭로하고 비판하기 위해 이 글을 썼을 것이라고 짐작할 수 있다.

07 (나)에서 강 선생님은 얼굴이 검기는 해도 순하여 사나움이 든 데가 없다고 하였다.

08 이 글에서는 주인공인 박 선생님의 외양을 우스꽝스럽게 묘사하고 박 선생님과 관련된 이야기를 제시하여 박 선생님의 부정적인 모습을 강조하고 있다.

오답 풀이

① (가), (나)에서 박 선생님과 강 선생님의 외양, 성격 등을 대조하고 있다.

② (다)에서 박 선생님과 관련된 이야기를 제시하고 있다.

③ (가), (나)에서 박 선생님과 강 선생님의 외양을 자세히 표현하고 있다.

⑤ (가)에서 박 선생님의 외양을 '뼘생', '뼘박', '대갈장군'과 같이 우스꽝스럽게 표현하고 있다.

09 박 선생님은 학생들이 싸운 것보다 조선말을 쓴 것을 꾸짖을 정도로 일본 말을 쓰는 것을 중시하는 태도를 보이고 있다(ㄱ). 또 박 선생님은 조선말을 사용한 학생들에게 제일 중한 벌을 내렸다(ㅁ).

10 이 글의 서술자는 초등학생인 어린아이로 박 선생님의 행동을 관찰하고 있을 뿐, 어떤 인물인지 정확한 판단을 내리지 못하고 이상하다고만 생각하고 있다.

자료실 어린아이를 서술자로 내세운 효과

- 어리숙하고 순진한 어린아이의 시각을 보여 줌으로써, 독자의 웃음을 유발할 수 있음.
- 비판하려는 대상의 부정적인 면모를 부각함으로써 풍자의 효과를 높일 수 있음.

11 (다)에서 박 선생님이 시방은 미국 말을 모르고는 훌륭한 사람이 되지 못한다고 했다는 내용, 박 선생님이 미국 말 공부를 한 후 미국 병정을 상대로 통역을 했다는 내용으로 보아, 해방 이후 박 선생님은 미국의 영향력이 점차 커지자 미국에 협력하여 이익을 얻기 위해 미국 말을 공부한 것으로 이해할 수 있다.

12 박 선생님은 일제 강점기에는 일본에 충성하는 태도를 보이다가, 해방 이후에는 일본을 적대시하고 미국 말을 공부하며 미국에 협력하였다. 이처럼 박 선생님은 국가나 민족이 아닌 개인의 이익을 위해 시대 상황에 따라 재빠르게 태도를 바꾸는 기회주의자이다.

누구나 100점 테스트 166 ~ 167쪽

01 환곡, 신분, 증서
02 ㉡, ㉣, ㉤ **03** ㉠-㉢-㉣-㉡
04 (1) 신분 (2) 벙거지, 소인 (3) 의무, 특권 (4) 허례허식
05 (1) 무능 (2) 부도덕
06 (1) 나, 관찰 (2) 우스꽝, 웃음 (3) 부정적 (4) 평가
07 박 선생님: ㉡, ㉤, ㉥ 강 선생님: ㉠, ㉢, ㉣, ㉦
08 ③ **09** (1) 일본 (2) 미국
10 기회주의자

08 ③은 소설의 시대적 배경이 해방 이후 우리나라에 미군이 주둔하던 시기임을 짐작하게 하는 표현이다.

특강 | 창의·융합·코딩 168 ~ 169쪽

❶ 풍자와 관련된 속담

(가) 개헤엄 (나) 간, 쓸개

Memo

Memo